BIBLIOTHÈQUE DU VOYAGEUR

LE GRAND GUIDE DE LA RÉPUBLIQUE TCHÈQUE ET DE LA SLOVAQUIE

Traduit de l'anglais et adapté par
Hugues Festis

GALLIMARD

Aucun guide de voyage n'est parfait. Des
erreurs, des coquilles se sont certainement
glissées dans celui-ci, malgré toutes nos
vérifications. Les informations pratiques,
adresses, numéros de téléphone, heures
d'ouverture, peuvent avoir été modifiés ;
certains établissements cités peuvent avoir
disparu. Nous serions très reconnaissants à
nos lecteurs de nous faire part de leurs
commentaires, de nous suggérer des
corrections ou des compléments qui
pourront être intégrés dans la prochaine
édition.

Insight Guides, Czech & Slovak Republics
© Apa Publications (HK) Ltd, 1993
© Editions Gallimard, 1994, pour la traduction française.

Dépôt légal : novembre 1994
N° d'édition : 67268
ISBN 2-07-058366-X

Imprimé à Singapour

CEUX QUI ONT FAIT CE GUIDE

En cinq ans, la Tchécoslovaquie a tiré un trait sur quarante années de communisme et quatre-vingts années d'union entre Tchèques et Slovaques. Mais ce qui a frappé le monde entier, c'est la manière pacifique avec laquelle se sont déroulés ces événements capitaux. Si les circonstances sont passionnantes, ces deux pays ne le sont pas moins : ce sont mille ans d'histoire qui vous attendent.

Concepteur de ce guide, **Alfred Horn** a réuni, pour sa réalisation, une équipe de spécialistes : écrivains, journalistes, ou photographes. Habitant à Cologne, il est lui-même un habitué des deux républiques, qu'il visite régulièrement depuis trente ans. Grand connaisseur de la Bohême, il a, en plus de ses fonctions de directeur éditorial, rédigé les chapitres concernant Prague et les villes thermales de Bohême. Afin de cerner au plus près les nouvelles réalités des deux pays, Horn a souhaité s'entourer d'auteurs et de photographes tchèques et slovaques.

C'est à **Jan Jelínek**, de nationalité tchèque, journaliste à Prague et rédacteur en chef du journal *Mladá fronta dnesn*, qu'il a confié le soin de constituer une équipe rédactionnelle et de coordonner ses travaux.

Petr Volf s'est ainsi chargé des chapitres relatifs à l'histoire des deux Nations, sur leurs caractères communs et sur leurs divergences. Il s'est également penché sur les raisons de leur union en 1918, et sur celles de leur séparation en 1993.

Josef Tuček, journaliste à Prague, spécialiste des questions environnementales, a dressé un bilan de la situation écologique des deux pays et a mis en perspective cette dimension avec les impératifs économiques qui pèsent tant sur ces jeunes démocraties.

Boris Dočekal vit et travaille à Jihava, en Moravie, et connaît bien la vie quotidienne dans les villages et les petites villes de province. Il a rédigé l'article consacré à la vie rurale.

Jan Plachetka nous a fait partager sa passion pour la littérature, le théâtre et la musique tchèques. Des disciplines dans lesquelles Tchèques et Slovaques se sont souvent illustrés.

Nous devons à **Bronislav Pavlík** les pages consacrées à la Bohême centrale. Natif de cette région, il a choisi les meilleurs itinéraires pour découvrir les environs de Prague.

Jan Čech réside à Plzeň. Passionné par sa région, la Bohême occidentale, il a mis tout son talent à nous en faire découvrir les secrets, comme par exemple les relations étroites et anciennes qu'elle entretient avec l'Allemagne.

Horn

Jelinek

Volf

Plachetka

Hanna Vojtová habite Ústi nad Labem, dans le nord de la Bohême. De sa région, riche en contrastes, elle n'a rien voulu cacher : les champs de houblon, les magnifiques formations rocheuses de la « Suisse bohémienne », mais également les vieux sites industriels qui posent tant de problèmes d'environnement.

Irena Jirků vit et travaille à Hradec Králové. Elle a rédigé l'itinéraire qui traversant Kutná Hora, Hradec Králové, Litomyšl, nous fait découvrir la Bohême orientale.

Jaroslav Haid habite Brno. Grand amateur de vin et spécialiste des vignobles moraves et slovaques, il a, chaque fois que c'était nécessaire, apporté ses lumières sur ces questions.

Né à Ostrava, dans le nord de la Moravie, **Petr Žižka** a rédigé l'article consacré à sa région.

Spécialiste de la question tchéco-slovaque, **Ondrej Neff** a fourni une abondante documentation sur ce sujet et permis ainsi de dégager une vision moins schématique de ce délicat problème.

Rudolf Procházka a été l'attaché du Premier ministre de Slovaquie. Journaliste, vivant et travaillant à Bratislava, il est l'auteur des chapitres consacrés à la Slovaquie. Observateur attentif de la vie politique et intellectuelle, il a su, pour une fois, mettre son regard au service des beautés naturelles de son pays.

Plusieurs auteurs allemands sont venus renforcer l'équipe. **Kerstin Rose**, qui a collaboré à de nombreux guides de voyage, a apporté une partie des précieuses informations pratiques que l'on retrouve à la fin de l'ouvrage.

Aujourd'hui professeur de théologie à Munich, **Werner Jakobsmeier** était étudiant à Prague pendant les événements de 1968-1969 et il connaît bien les deux pays et leurs cultures. Il a apporté une importante contribution aux chapitres concernant la vie religieuse, l'architecture, et le théâtre. Il a lui-même rédigé les encarts consacrés à Jaroslav Hašek et à Bedřich Smetana. Enfin, il a été le principal responsable des pages pratiques.

Wieland Giebel habite Berlin et a déjà collaboré à plusieurs *Insight Guides*. Elle s'est penchée sur le difficile problème des minorités en République tchèque et en Slovaquie.

Annette Tohak habite Bonn, mais se passionne depuis longtemps pour la Bohême méridionale. Son itinéraire nous fait découvrir les secrets de cette magnifique région boisée.

Chris Pommery a suivi de près les événements qui ont conduit à la séparation des deux républiques, en janvier 1993.

Quant à **Peter Cargin**, il nous a apporté de précieuses informations sur le cinéma tchèque et le festival de Karlovy Vary.

Comme tous les ouvrages de la collection *Insight Guides*, le texte du *Grand Guide de la République tchèque et de la Slovaquie* est illustré par une grande variété de photographies.

Le photographe munichois **Werner Neumeister** et ses homologues praguois **Mirek Frank**, **Oldrich Karásek** et **Jan Ságl** ont réalisé bon nombre de ces photographies et effectué la sélection finale.

La traduction et l'adaptation du présent ouvrage, pour l'édition française, ont été menées à bien par **Hugues Festis**.

Pavlik

Jirku

Rose

Jakobsmeier

TABLE

TABLE

TABLE

TABLE

CARTES ET PLANS

LE RÈGNE
DES PŘEMYSLIDES

« Profondément insérée dans notre histoire européenne et enjeu permanent capable de susciter les crises les plus graves – elle fut à l'origine de la guerre de Trente Ans et indirectement de la Seconde Guerre mondiale –, cette terre [la Bohême] a acquis très tôt une identité nationale qu'elle n'a jamais perdue », écrit l'historien Robert Mandrou.

Sur le chemin des grandes routes commerciales terrestres qui reliaient autrefois la mer Noire, la Méditerranée et la Baltique, les pays tchèques et slovaques ont longtemps occupé une place prépondérante. Cette position stratégique explique que les grandes puissances européennes aient constamment gardé un œil attentif sur les destinées de cette région, haut lieu de la civilisation d'Europe centrale.

Le peuplement slave

Des fouilles archéologiques ont mis au jour en Moravie et en Slovaquie des fragments de poterie confirmant l'hypothèse selon laquelle des communautés sédentaires occupaient cet espace dès 2500 av. J.-C. On sait d'autre part que les civilisations danubiennes pratiquaient l'agriculture extensive depuis le Ve millénaire av. J.-C. Le tour de poterie était en usage vers le IIe millénaire av. J.-C. et c'est entre 2000 et 1500 av. J.-C. que les Unetice, installés dans les environs de Prague, acquirent la maîtrise du bronze dont ils faisaient des armes, des outils, des bijoux et des statuettes destinées au culte.

Les auteurs romains des Ier et IIe siècles désignaient les Slaves par le nom Venedi et situaient leur territoire à l'est de la Vistule. Une question demeure cependant ouverte : les Slaves ont-ils un lien avec la population (la civilisation dite de Lusace) établie en Europe centrale avant les Celtes, ou bien

Pages précédentes : la chapelle de la Sainte-Croix du château de Karlštejn ; l'hiver dans les Krkonoše ; les sommets enneigés des Hautes Tatras ; le château de Strecno dominant le cours du Váh ; les façades décorées et réhaussées de frontons des maisons de la place de la vieille ville, à Prague. A gauche, en Slovaquie, les traditions se perpétuent de mère en fille.

sont-ils une nouvelle population venue par les routes du nord et de l'est ? Une chose est sûre, autour du Ve siècle av. J.-C., ils se déplacèrent massivement vers l'ouest.

Les premières vagues d'émigration slave – les plus lointains ancêtres des Tchèques et des Slovaques – traversèrent les Carpates, la Moravie avant de s'établir en Bohême. Là ils entrèrent en contact avec des Celtes (dont une tribu, les Boïens, a donné son nom à la Bohême) et des Germains auprès desquels ils acquièrent de nombreuses connaissances techniques (métallurgie, poterie). C'est le lent mouvement d'assimilation de ces peuples qui marqua le commencement de l'histoire des Slaves de l'Ouest.

A peine établis, les Slaves durent faire face à l'invasion des nomades Avares, originaires de l'Oural. Si des alliances sporadiques les réunirent dans des attaques contre l'Empire byzantin, globalement les Slaves s'efforcèrent de les repousser. Vers 623-624, cette résistance trouva un chef en la personne d'un marchand franc, Samo. En effet, pendant la période mérovingienne (481-751), les Francs continuèrent leur poussée vers l'Europe centrale et de nombreux marchands d'esclaves (l'étymologie du mot esclave vient d'ailleurs de slave) parcouraient ces régions, avec, à leur solde, des armées privées.

Mais à peine la menace avare était-elle écartée à l'est, que le roi des Francs, Dagobert Ier (629-639), attaquait le flanc ouest en 637. Au cours de la bataille du Wogastisburg, qui s'est vraisemblablement déroulée dans le nord-ouest de la Bohême, les Slaves repoussèrent les Francs. La pression franque n'en fut que momentanément freinée. Elle reprit avec l'empereur Charlemagne (800-814) qui occupa la Bavière, battit les Avares en 797 et mena une expédition en Bohême en 805. Charlemagne a laissé, dans la langue tchèque, une trace indélébile de son passage, comme en témoigne l'usage du mot *král* (issu de Karl) pour désigner un roi.

Le royaume de Grande-Moravie

Sous la pression des Francs, comme à leur contact, la civilisation slave se développa : des fortifications apparurent, la métallurgie et la poterie se perfectionnèrent et l'on devine l'émergence d'une nouvelle organisation sociale ayant à son sommet des chefs entou-

rés de ce qui va devenir la noblesse. C'est pour la première fois un royaume solide que le prince morave Mojmir (de la dynastie du même nom) puis son successeur le prince Rotislav bâtirent au cours du IXᵉ siècle.

Le royaume de Grande-Moravie avait pour centre la région englobant la Moravie et l'ouest de la Slovaquie, puis il s'étendit à la Bohême, au sud de l'actuelle Pologne et à l'ouest de l'actuelle Hongrie. A l'ouest, la volonté d'hégémonie des Francs n'avait pas cessé et l'empereur d'Occident, Louis le Germanique (814-840), tentait d'exercer son influence sur ces territoires par des actions militaires et par la propagation d'un christianisme germanique et romain dont le siège était l'archevêché de Salzbourg créé en 798.

L'influence byzantine

A la même époque, son puissant voisin, l'Empire Byzantin, connaissait son apogée tant dans le domaine politique que sur le plan religieux. Le christianisme une fois consolidé dans l'Empire et chez les peuples voisins (les Croates, les Arméniens, les Géorgiens, etc.), l'Église byzantine décida d'évangéliser les peuples slaves, tâche d'autant plus nécessaire qu'ainsi l'Empire pourrait concentrer ses efforts sur ses traditionnels ennemis de l'Est, les Arabes et les Turcs. Cette ambition fut bien accueillie par le prince Rotislav qui redoutait les intentions politiques des missionnaires envoyés par Louis le Débonnaire.

L'inspirateur et le guide de cet élan apostolique, l'empereur Michel III (838-867), en confia la tâche à deux frères de Salonique Cyrille (827-869) et Méthode (825-885) qui parlaient le dialecte des Slaves de Macédoine. L'œuvre de ces deux érudits, qui commença vers 863, eut des conséquences religieuses, mais aussi culturelles et politiques considérables. En effet, contrairement à la tradition, l'évangélisation fut menée en vieux slave et non en grec ou en latin. Dans ce but, Cyrille créa un alphabet dérivé du grec, le glagolitique. La christianisation de la Moravie, en faisant entrer le pays dans l'orbite culturelle grecque et

Pages précédentes : gravure représentant Karlsbad (Karlovy Vary) au XIXᵉ siècle. A gauche, illustration du Moyen Age représentant les travaux de la moisson ; à droite, statue du Vyšehrad inspirée de la légende de Libuše.

orthodoxe, l'introduisit du même coup dans la sphère de la civilisation européenne, mais tout en préservant son caractère slave propre.

Tacticien habile, le prince Svatopluk, le successeur de Rotislav, parvint à résister, à l'ouest, à la pression des Francs, et à l'est à une nouvelle menace, les tribus nomades magyares (les ancêtres des Hongrois) originaires du versant occidental de l'Oural. Mais à sa mort, en 894, la Grande-Moravie était déjà très affaiblie. Entre 902 et 908, son successeur, Mojmir II, fut, à plusieurs reprises, battu par les Magyares, les forteresses et les églises moraves furent détruites, les chefs

tués ou exilés : le royaume de Grande-Moravie avait cessé d'exister.

L'émergence des Tchèques

En Bohême, la tribu des Tchèques avait peu à peu imposé sa domination aux tribus rivales. A la fin du IXᵉ siècle, la dynastie régnante tchèque des Přemyslides s'était assuré le contrôle politique de la Bohême. Cette autorité, les princes Přemyslides l'exerçaient sous le contrôle de leur puissant voisin, et Venceslas (907-929), le futur saint patron de la Bohême, dut prêter allégeance au roi de Germanie, Henri Iᵉʳ (919-936) l'Oiseleur. Mais cette alliance politique et religieuse – Venceslas fut élevé dans la foi chrétienne – avec les Saxons lui attira l'hostilité de la classe dirigeante tchèque, conduite par son propre frère, Boleslav.

En 929, Boleslav fit assassiner son frère et s'empara du trône. Chef énergique, il créa un État puissant et étendit son autorité à la Moravie, à une grande partie de la Slovaquie, à la Silésie et au sud de la Pologne. Mais à l'ouest il dut céder devant les attaques répétées (de 936 à 850) du Saint Empire romain germanique. Plus conciliant envers l'empereur et bénéficiant du soutien de Rome, son successeur, Boleslav II parvint cependant à retrouver une certaine autono-

tiques opposant les princes tchèques. Vassaux de l'empereur, les Přemyslides durent lui prêter assistance dans les guerres qu'il mena contre les Polonais ou les villes républicaines d'Italie du Nord (notamment sous le règne de Frédéric Iᵉʳ Barberousse).

Le XIIIᵉ siècle fut le siècle des grandes transformations. Trois dates les résument : en 1189, Otakar Přemysl Iᵉʳ fut élu prince de Bohême et margrave de Moravie ; en 1204, son pouvoir fut élevé au rang de monarchie héréditaire par le pape Innocent III ; enfin, en 1212, par l'acte dit la Bulle d'or de Sicile, l'empereur Frédéric II (1220-1250) reconnut ces privilèges, qui comportaient également

mie. Avec la fondation d'un évêché à Prague en 973, il prit en main le contrôle de l'Église de Bohême.

La succession de Boleslav II déclencha une crise dynastique, plongea le pays dans la confusion et le livra aux convoitises extérieures (Boleslas le Grand, roi de Pologne, occupa Prague en 1003). L'empereur Henri II (1002-1024) rétablit l'ordre, puis Oldrich et Bretislav Iᵉʳ restaurèrent l'unité du pays autour de l'union de la Bohême et de la Moravie. Mais, plus que jamais, l'élection d'un prince de Bohême devait recevoir la confirmation de l'empereur pour devenir effective. Cette soumission dura tant que durèrent les interminables conflits dynas-

le pouvoir de nomination des évêques de Prague et d'Olomouc (en Moravie), et fixaient les devoirs (participation aux assemblées, soutien militaire) du roi de Bohême à son égard.

Otakar II, roi de fer et d'or

La seconde moitié du XIIIᵉ siècle fut dominée par les succès militaires et politiques du roi Otakar II (1253-1278). Grâce aux immenses moyens financiers que lui procuraient les précieuses mines d'argent de Bohême, il mena une politique de conquête qui lui assura une position hégémonique en Europe centrale. La victoire de

Kressenbrun, en 1260, lui ouvrit les portes de la Hongrie – il occupa Bratislava – tandis qu'au sud, traversant l'Autriche actuelle, il étendit les frontières de son royaume jusqu'à l'Adriatique.

Otakar II, que les chroniqueurs appelaient « le roi de fer et d'or », possédait alors suffisamment d'autorité pour que ni le pape ni l'empereur n'osent réagir à ses succès qui faisaient pourtant obstacle à leurs politiques. Le trône germanique étant resté vacant depuis la mort de Frédéric II, Otakar chercha naturellement à s'en emparer. Mais la Papauté, qui redoutait sa trop grande influence, lui préféra un prince inconnu et plus docile, Rodolphe de Habsbourg. Refusant de prêter serment, le grand roi perdit peu à peu ses alliés et trouva la mort en 1278, pendant la bataille de Dürnkrut qui l'opposait au nouvel empereur.

La fin des Přemyslides

Sa mort ouvrit une crise de régime dans laquelle s'affrontèrent le régent Othon de Brandebourg (au service des Habsbourg), le jeune prince Venceslas II (qui monta finalement sur le trône en 1283) et la noblesse tchèque qui souhaitait un roi de la lignée des Přemyslides, mais était hostile à un régime centralisé.

La lignée des Přemyslides s'éteignit avec l'assassinat à Olomouc, en 1306, de Venceslas III par un meurtrier inconnu. Cette nouvelle vacance du trône réveilla les anciennes rivalités de clans aiguisées par l'enrichissement du pays. Pour mettre un terme à ces conflits qui affaiblissaient le royaume, une majorité de nobles et de prélats tchèques portèrent au pouvoir Jean de Luxembourg, fils de l'empereur Henri VII (1308-1313) et marié très jeune à la fille de Venceslas II.

L'ensemble de l'aristocratie ratifia son élection en 1310, mais elle exigea en échange une série de décrets confirmant ses privilèges et limitant les pouvoirs du roi à son égard. Brillant diplomate, le nouveau souverain se détacha des affaires de Bohême et séjourna la plupart du temps dans les cours étrangères. Sa seule ambition fut, semble-

A gauche, réplique de la couronne de saint Venceslas, au Musée national de Prague ; à droite, les évangélisateurs Cyrille et Méthode vus par l'artiste slovaque Fulla.

t-il, de préparer l'accession de son fils, Charles IV, à la plus prestigieuse des couronnes d'Occident, celle du Saint Empire romain germanique. Il trouva prématurément la mort aux côtés des chevaliers français à la bataille de Crécy en 1346.

Charles IV

Charles naquit à Prague en 1316 où il passa les premières années de son enfance. Vers 1323, son père l'envoya en France, à la cour de Charles IV le Bel, où son éducation fut confiée au futur pape Clément VI. Baptisé Venceslas, le jeune prince adopta le prénom

de Charles à l'imitation de son modèle, Charlemagne. Il enrichit ses études à l'université de Paris par des voyages dans toute l'Europe, apprenant les langues étrangères et se familiarisant avec les peuples.

En 1333, le roi Jean décida d'envoyer Charles en Bohême avec titre de margrave de Moravie. Avec sa femme, Blanche de Valois, le jeune prince se mit à gouverner. Travailleur, rigoureux, Charles montra, contrairement à son père, de grandes dispositions pour l'administration publique et, malgré l'hostilité de la noblesse, rétablit l'ordre dans les comptes du royaume.

L'élévation, en 1344, de l'évêché de Prague au rang d'archevêché marqua une date majeure. Elle signifiait, pour la Bohême, une plus grande autonomie dans l'administration des affaires religieuses. Elle traduisait également la faveur du pape Clément VI à l'égard des monarques de Bohême. Charles ne commit pas les erreurs de ses prédécesseurs et sut entretenir l'amitié du souverain pontife.

Le 11 juillet 1346, les électeurs placèrent Charles sur le trône impérial. Six semaines plus tard la mort de son père, à la bataille de Crécy, fit de lui le roi de Bohême. En 1355, il reçut des mains du pape la couronne d'or impériale. Charles IV venait de réaliser le rêve d'Otakar II : l'empire avait désormais Prague et la Bohême pour centre.

Plus qu'aucun autre, Charles IV comprit que l'autorité de l'empereur dépendait en grande partie de la puissance de son propre royaume, et au cours de son règne, il s'attacha à l'étendre, à le consolider et à l'attacher plus solidement à sa famille. Dès 1356, il promulgua la Bulle d'or par laquelle il précisait les rapports du royaume tchèque avec l'Empire : le roi de Bohême était le premier parmi les électeurs de l'Empire, mais sa légitimité sur le trône tchèque ne relevait que de la succession héréditaire au sein de la famille régnante.

L'empereur parlait tchèque, mais rédigeait sa correspondance en latin ou en allemand. Il tenta avec le *Majestas Carolina* de fixer les lois du royaume mais cette initiative rencontra l'hostilité de la noblesse. Il sut habilement y renoncer sans perdre son prestige, le texte restant cependant une source d'inspiration juridique majeure.

Ses quatre mariages, celui de son fils Sigismond avec la fille du roi de Pologne et de Hongrie, étendirent son royaume et lui apportèrent de précieuses alliances. La couronne de saint Venceslas (le saint patron de la Bohême dont Charles IV encouragea le culte), outre la Bohême et la Moravie, incluait la Silésie – que Charles IV avait exigée pour prix de son renoncement à la Pologne –, la Lusace, quelques domaines de Bavière et le Brandebourg.

Expansion économique

Situés au carrefour de plusieurs grandes routes commerciales reliant Venise aux pays de la Baltique, les Flandres au duché de Kiev et au monde byzantin, les pays tchèques bénéficièrent de l'intensification des échanges qui affectèrent l'Europe en cette fin de XIVe siècle. Sous l'administration de Charles IV, la qualité des routes du royaume s'améliora et l'Elbe et le Vltava offraient des voies navigables vers les villes libres d'Allemagne et le marché de la Hanse. De plus, le royaume tchèque fut relativement épargné par la grande peste de 1348 qui décimait l'Europe.

Au cours des XIIIe et XIVe siècles, les campagnes accueillirent de nombreux colons allemands qui défrichèrent et amendèrent de nouvelles terres dans les régions montagneuses et marécageuses. Les premières années, les villages de colons étaient exonérés de taxes, les habitations inaliénables et transmises par hérédité. Ce flux de main-d'œuvre accrut la production tout en libérant des bras attirés par l'artisanat urbain.

Les villes connurent également un brillant essor. Elles furent progressivement dotées d'institutions municipales – inspirées du droit de Magdebourg et de Nuremberg – qui furent presque d'emblée dominées par un patriciat d'origine allemande.

Prague, capitale impériale

En 1348, Charles IV fonda la ville neuve de Prague, dont la conception architecturale était alors peu commune en Europe. Capitale de l'Empire, et troisième ville d'Europe après Constantinople et Paris, la cité se dota la même année d'une université, la première d'Europe centrale. Créée avec l'appui du pape Clément VI et placée sous la direction de l'archevêque de Prague, cette institution favorisa l'essor de la culture tchèque, les étudiants n'étant plus obligés d'aller poursuivre leurs études en France ou dans les villes italiennes. Le roi lui-même s'entoura d'artistes, de lettrés et de savants.

L'Église était alors un puissant facteur de stabilisation sociale et politique. L'empereur lui apporta tout son soutien, y compris dans l'Inquisition. De nombreuses églises et trente-cinq monastères furent construits. Mais

l'une des figures les plus marquantes de l'histoire tchèque et européenne. Sous son règne, la Bohême et la Moravie connurent un brillant développement, que les contemporains qualifiaient déjà d' « âge d'or ».

La succession de Charles IV

Conformément à la volonté de Charles IV, ses fils se partagèrent l'Empire. L'aîné, Venceslas IV (1378-1419), reçut la couronne de Bohême et monta sur le trône impérial. Son demi-frère cadet, Sigismond, hérita du Brandebourg et, grâce à son mariage avec la fille du roi de Hongrie, reçut la couronne de

l'entretien d'un clergé plus important constitua pour la paysannerie une charge qui s'ajoutait à ce qu'elle acquittait déjà aux seigneurs. Dans une époque où l'Église, en raison du faste qu'elle déployait, était de plus en plus souvent accusée de s'éloigner de l'idéal chrétien, la politique religieuse de Charles IV contribua à accroître les tensions sociales. Le mouvement hussite du XVe siècle trouva dans ces conflits ses thèmes et ses partisans. Mais en dépit de ces difficultés naissantes, Charles IV fut sans doute

A gauche, buste de Charles IV ; ci-dessus, Charles IV (1346-1378) représenté avec les attributs impériaux.

saint Etienne. Quant à Jean, il obtint la Lusace. Mais les facteurs d'éclatement (la perpétuelle « fronde » de la noblesse tchèque, le pouvoir de l'Église, et les rivalités internes des Luxembourg) que Charles IV avait su contenir, eurent bientôt raison des faibles talents du nouveau monarque.

En outre, depuis 1378, l'Europe tout entière était déchirée par le grand schisme opposant les partisans du pape de Rome, Boniface IX, à ceux du pape d'Avignon, Benoît XIII. Le désordre s'étendit rapidement dans l'Empire et Venceslas IV perdit son trône impérial au profit de l'électeur palatin Rupert, en 1400.

55

Kez ge biskispem se nazwał adpozmew gniti Sepaty Ambroz
O pane nezissi swogy pasterzi zmanki sus y wsky Kszyzy wdzu
ze smisze wswodze Spzelaty wpilati gisa wsiminie Bernath

LES HUSSITES

A la fin du XIVe siècle, la Bohême ne connut pas une mais plusieurs querelles religieuses. En effet, plus qu'ailleurs, le clergé tchèque se livrait au commerce des sacrements et des charges ecclésiastiques dont les formidables bénéfices enrichissaient les papes et leurs cours. Ce trafic privait le roi de ressources financières importantes et affaiblissait son pouvoir au profit de la papauté. Dès son accession au trône, Venceslas IV entra en conflit avec l'archevêque de Prague, Jan Jenštejn qui n'hésita pas, en 1384, à lever des troupes (ce qui indique assez l'importance de ses moyens financiers et son degré d'autorité) et à les lancer contre les soldats du roi.

La seconde querelle religieuse, plus profonde, deviendra, à l'échelle de l'Europe, le grand mouvement de la Réforme. A Prague, le spectacle d'un clergé oisif, vénal et perverti commençait à susciter de violentes critiques. Cette condamnation s'appuyait sur les idées de Wycliffe, un prêcheur anglais militant pour le retrait de l'Église du monde temporel. Le mariage de la sœur de Venceslas, Anne, et de Richard II d'Angleterre, en 1398, avait favorisé un rapprochement des deux nations et la large diffusion des idées de Wycliffe dans le pays.

De la contestation à la guerre civile

La contestation avait pour centre la chapelle de Bethléem. Une nouvelle génération de prêtres y prêchaient en tchèque, appelant les chrétiens de toute condition à retrouver la vérité de la foi débarrassée des entraves matérielles. Parmi ces hommes se trouvait Jan Hus (voir page 33), l'âme et le martyr de la réforme tchèque.

La mort de Jan Hus sur le bûcher, en 1415, alluma des foyers de contestation dans tout le royaume. A Prague, une ligue de défense composée d'hussites appartenant à l'aristocratie de Bohême, de Moravie et de Silésie se constitua. Dans un manifeste adressé au conseil du roi, ils affirmèrent leur foi dans une Église du Christ détournée de

A gauche, le pape vu par les hussites vers 1500 ; à droite, un portrait de Jan Žižka.

l'Antéchrist incarné à leurs yeux par la hiérarchie romaine. Mais le mouvement hussite trouva également, et peut-être d'abord, un large soutien dans les classes pauvres des campagnes et des villes. Il cristallisa et fédéra les revendications de différents groupes sociaux : les petits commerçants et les artisans tchèques des villes privés de représentation dans les conseils municipaux dominés par un patriciat souvent d'origine allemande, la petite noblesse contrainte à tomber dans le brigandage pour survivre et enfin l'immense masse paysanne sur qui pesaient des charges écrasantes et dont le statut évoluait irrémédiablement vers le servage. Si

l'on ajoute la propagation, dès le milieu du XIVe siècle, de sectes hérétiques d'origine allemande et autrichienne (notamment les vaudois prônant la pauvreté de l'Église) que l'Inqui-sition n'était pas parvenue à endiguer, tous les éléments d'un puissant conflit social étaient réunis.

Depuis la mort de Jan Hus, les prédicateurs hussites avaient parcouru le pays, s'attachant d'innombrables fidèles prêts à tout pour défendre leurs convictions. Dans le sud de la Bohême, autour d'une colline baptisée Tábor, des milliers de pèlerins (les taborites) créèrent une communauté qui se donna pour but de vivre quotidiennement à l'imitation du Christ et des apôtres.

La guerre des hussites

Au cours de l'année 1419, plusieurs événements firent basculer dans la guerre cette situation de crise. A la fin de l'été, la fraction radicale des hussites de Prague se rendit à l'hôtel de ville et défenestra plusieurs conseillers qui refusaient de relâcher des hussites incarcérés.

A la mort de Venceslas, son demi-frère Sigismond, empereur et roi de Hongrie, partiellement responsable de la condamnation à mort de Jan Hus, réclama le trône, déclenchant la colère de la population praguoise. La fraction conservatrice des hussites sou-

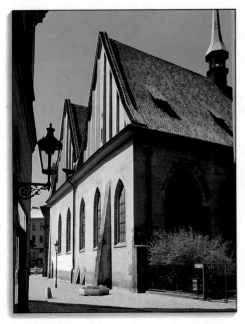

haitait malgré tout poursuivre le dialogue avec la hiérarchie romaine. Les négociations ne menant à rien, au printemps 1420, Sigismond lança une croisade contre Prague où étaient réunis tous les hussites. Face au danger, les différentes composantes du mouvement, parmi lesquelles les taborites, s'unirent autour d'un programme commun, les *Quatre Articles de Prague*. Le 14 juillet 1420, les troupes impériales furent battues au mont Vítkov.

La même année Jan Žižka prit la tête des troupes hussites. Chef militaire énergique, il accumula les victoires, mais surtout, après avoir fait condamner pour hérésie le programme de certains taborites extrémistes, il

décida d'emprisonner ou d'éliminer ceux qui refusaient de se ranger à ce jugement.

A sa mort, en 1424, c'est un prêtre, Procope le Grand, qui lui succéda. Ce dernier infligea deux défaites aux croisés, à Tachov, en 1427 et à la bataille de Domažlice en 1431. Cette série ininterrompue de revers militaires du camp catholique d'une part, l'isolement et l'appauvrissement du pays d'autre part, forcèrent les parties à entrer en négociations au concile de Bâle, en 1433. Infructueuses sur le fond, ces discussions permirent cependant aux prélats catholiques de percevoir les divisions qui affaiblissaient le mouvement hussite et la lassitude d'un peuple en guerre depuis plus de dix ans. Les utraquistes (autre nom des hussites, du latin *utraque*, « l'une et l'autre », en référence à la communion sous les deux espèces) modérés, réunissant les nobles et la bourgeoisie se montrèrent favorables à un compromis avec Rome sur la base des *Quatre Articles de Prague* et proposèrent de dissoudre les troupes permanentes. La fraction radicale refusa net les termes de cette réconciliation et reprit les armes. Procope le Grand à leur tête, ils furent battus à la bataille de Lipany, en 1434, par les forces alliées des catholiques et des utraquistes.

L'Église utraquiste et les forces politiques s'en réclamant furent les grands vainqueurs de ce conflit. Sur le plan de la liturgie, les différences avec le rite catholique étaient importantes sans être fondamentales : communion des fidèles sous les deux espèces, condamnation de l'institution monacale, refus de l'intercession des saints, l'usage du tchèque et au total une conception plus dépouillée des célébrations. La direction de l'Église calixtine (terme dérivé de calice et synonyme d'utraquiste) fut confiée à un consistoire composé de laïcs. La puissance temporelle de l'Église catholique fut considérablement diminuée. En recul partout dans le royaume, elle ne maintint ses positions qu'en Moravie. Politiquement, c'est l'apparition d'une classe intermédiaire tchèque, noble et bourgeoise, qui caractérisa cette période. La condition des paysans ne changea guère, les destructions de la guerre les ayant plutôt appauvris. Au total, le mouvement hussite fut le soulèvement populaire le plus important dans l'Europe médiévale.

A gauche, la chapelle de Bethléem où prêchèrent Hus et ses disciples ; à droite, un portrait de Hus.

JAN HUS

Maître Jan Hus, prédicateur et théologien dont les thèses furent à l'origine du mouvement hussite, est l'une des figures les plus marquantes de l'histoire tchèque. Plus qu'aucun autre héros national, il a inspiré la culture populaire et, depuis peu, des films lui ont été consacrés. L'anniversaire de sa mort, le 6 juillet 1415 (un siècle avant la publication des thèses de Luther sur les Indulgences, en 1517), est encore célébré comme une date nationale.

Jan Hus est né vers 1369 dans une famille de bourgeois pauvres habitant le village de Husinec, dans le sud de la Bohême. Il commença ses études à Prachatice puis se rendit à l'université de Prague, où il obtint une maîtrise ès arts. En 1398, il fut nommé professeur et, deux ans plus tard, ordonné prêtre. Dès son arrivée à l'université, Hus rejoignit les rangs des réformateurs très influencés par les écrits de l'Anglais John Wycliffe dont les thèses fondamentales étaient les suivantes : l'autorité des membres de l'Église ne peut s'appuyer que sur le caractère exemplaire et la perfection de leur vie : entachés par le péché, ils perdent tout droit à diriger les fidèles ; la Bible est la seule vérité absolue de l'Église. Hus reprit ces thèses à son compte et en développa les aspects pratiques et sociaux, avant de leur donner un début d'application.

Guide et martyr

A partir de 1403, Hus prêcha en tchèque à la chapelle de Bethléem, défendant ses idées devant une audience large et variée. Afin d'obtenir une participation plus active des fidèles dans les cérémonies, il traduisit nombre de chants et de psaumes en tchèque, dont il introduisit l'usage dans la liturgie au même titre que l'allemand – le latin demeurant la langue du savoir et de l'écrit.

D'abord vaguement favorable à ce renouveau théologique, l'archevêché de Prague en aperçut vite les dangers, et les interdictions de prêcher frappèrent Hus et ses disciples. Mais Hus jouissait encore du soutien du roi Venceslas IV à qui il inspira une réforme de l'université, celle-ci devenant une institution strictement nationale, dans laquelle étudiants et professeurs tchèques disposèrent d'une majorité. En 1409, Hus devint le premier recteur tchèque de l'université de Prague. Vers 1412, il s'attaqua violemment à la vente des indulgences, qu'il dénonça comme une simonie, et perdit alors le soutien du roi.

Frappé d'interdit, il préféra s'exiler dans le sud du pays tandis que dans son entourage on envisageait déjà l'action violente. Auprès des paysans, il découvrit une réalité encore plus révoltante : l'oppression féodale contraire aux principes chrétiens et le commerce scandaleux des sacrements. A ses yeux, c'était désormais l'ensemble de l'organisation sociale qui faisait obstacle à l'avènement du royaume de Dieu, comme en témoigne son livre le plus célèbre, daté de 1413, *De Ecclesia*.

En 1414 s'ouvrit à Constance, en Allemagne, un concile chargé de mettre un

terme au schisme pontifical qui divisait la chrétienté. En 1415, contre l'avis de ses amis, Hus se rendit à Constance pour s'expliquer devant le pape. Malgré le sauf-conduit délivré par Sigismond, il fut jeté en prison dès son arrivée. Hus défendit ses idées sans en renier aucune, « la vérité vaincra » (la devise du mouvement hussite) écrit-il à ses amis de Bohême.

Le concile, dirigé par Pierre d'Ailly, un cardinal français, le condamna pour hérésie et le livra à la justice des rois. Il fut brûlé vif le 6 juillet 1415. Quelques mois plus tard, un grand érudit, Jérôme de Prague, devait connaître le même sort. La révolution hussite avait ses martyrs et allait s'enflammer.

LA MONARCHIE DES HABSBOURG

A la fin de la guerre des hussites, la Bohême demeura un État indépendant, mais des troubles continuaient d'agiter le pays. Une paix fragile s'instaura avec l'accession au trône, en 1458, du chef de la noblesse utraquiste, Georges de Poděbrady. Ce dernier se rendit célèbre en proposant, en 1464, de former une alliance des souverains européens contre les intrigues du Saint-Siège dans la politique internationale, contre le danger de pénétration des Turcs en Europe et pour la sauvegarde d'une paix durable.

Georges de Poděbrady fut le dernier roi tchèque de Bohême. De 1470 à 1526 lui succédèrent les princes polonais de la dynastie des Jagellon. Sous leur règne, la grande noblesse retrouva ses privilèges et son influence. Avec l'accession au trône de Hongrie en 1490 de Vladislav II, roi de Bohême et de Moravie, la Slovaquie, qui appartenait au royaume de Hongrie depuis l'éclatement de la Grande-Moravie au XIᵉ siècle, fut réunie au royaume tchèque.

La monarchie des Habsbourg

Après la prise de Constantinople, en 1453, les Turcs poursuivirent leur expansion dans les Balkans, prenant Belgrade en 1421. Les moyens diplomatiques ayant échoué, le jeune roi Louis livra bataille aux troupes, en nombre très supérieur, de Soliman II, le 26 août 1426 à Mohacs, et y trouva la mort. La succession au trône tchèque opposa la ligue dite de Cognac (les villes italiennes, la Bavière, la Pologne) conduite par François Iᵉʳ au clan des Habsbourg, Charles Quint et son frère Ferdinand, marié à Anne Jagellon, la sœur du roi Louis. Le 26 octobre 1526, la diète tchèque désigna Ferdinand de Habsbourg comme nouveau roi de Bohême.

Ferdinand entreprit une politique inspirée du modèle espagnol dont les traits majeurs furent l'absolutisme dans l'exercice du pouvoir, une administration centralisée mais efficace et l'ambition d'être le bras séculier

Pages précédentes : reconstitution de la bataille d'Austerlitz. A gauche, Georges de Poděbrady, le dernier roi tchèque de Bohême ; à droite, portrait de Rodolphe II de Habsbourg.

de la Contre-Réforme. En 1528, le roi obtint la disparition des parlements urbains et interdit les congrès régionaux, portant un coup terrible au pouvoir politique de la bourgeoisie et de la petite noblesse. Comme son prédécesseur, Ferdinand chercha à détourner les utraquistes du luthéranisme, puis, à partir de 1550, du calvinisme, mais en vain demanda-t-il à Rome de reconnaître la spécificité de l'Église calixtine.

Dans l'Empire, la lutte armée contre les États allemands passés à la réforme fut un échec. La paix d'Augsbourg de 1556 accorda la liberté religieuse sur le principe « telle la religion du prince, telle la religion du

peuple. » A la fin du XVIᵉ siècle, les États tchèques étaient globalement passés à la réforme, mais n'en conservaient pas moins une très forte identité nationale.

Affaiblies par leurs divisions, les grandes familles religieuses non catholiques décidèrent, en 1575, de mettre en commun leurs revendications et de les présenter au roi. Cette référence commune, la Confession tchèque, ne fut pas officiellement reconnue mais le roi en permit le fonctionnement. Parallèlement les Habsbourg, piliers de la catholicité, favorisèrent l'action des jésuites. En 1562, Ferdinand accorda au collège jésuite, le Clémentinum, le privilège d'université, et l'établissement devint le bastion universitaire des catholiques militants. En revanche, les tentatives jésuites pour ramener les masses dans la foi catholique se soldèrent par des échecs.

Sous le règne de Maximilien (1564-1576), la pression monarchique se relâcha. Le roi n'était pas un catholique militant, et dans les faits il toléra la Confession tchèque. Son successeur, Rodolphe II (1576-1611), s'intéressait davantage aux arts et aux sciences qu'aux affaires de l'État. En 1583, il fit de Prague sa résidence officielle, rassemblant, dans le château de Hradčany, une très belle collection d'œuvres d'art. Plus inquiétantes étaient les longues heures qu'il passait en compagnie

domaine relevant de l'empereur, décida le clan des Habsbourg à se débarrasser de Rodolphe.

Les Moraves se joignirent aux troupes de Mathias, les Tchèques et les Silésiens, craignant pour leurs libertés se rangèrent derrière Rodolphe. Le traité de Liben, en juin 1609, mit fin au conflit : Mathias reçut la Moravie et devint l'héritier de Rodolphe. Un mois plus tard, les États tchèques recevaient le prix de leur fidélité, l'empereur Rodolphe II promulguait la *Maiestas Rudolphina* autorisant tous les non-catholiques à adhérer à la Confession tchèque. Mais en cette année 1609, cette ordonnance,

d'astronomes – parmi les meilleurs du temps, comme l'Allemand Johanes Kepler – et d'alchimistes venant de toutes l'Europe et lui promettant des élixirs miraculeux. Rodolphe montrait les signes certains d'une mélancolie maladive, et, plus grave encore aux yeux de sa famille, il ne répondait plus aux injonctions de Rome et de Vienne appelant à la lutte contre la Réforme.

En 1593, après une longue période de paix relative, les Turcs lancèrent une nouvelle offensive en Hongrie. Mathias, le frère de Rodophe, réussit à contenir la pression ottomane et à négocier une paix (11 novembre 1606), la première paix turco-impériale conclue à égalité. Ces succès, dans un

bien plus tolérante que la paix d'Augsbourg, était loin de refléter la réalité. Le grand conflit religieux n'en était qu'à ses débuts, la paix dura dix ans.

La guerre de Trente Ans

En 1611, Mathias montait sur le trône de Bohême. Un an plus tard, à la mort de Rodolphe, il recevait la couronne impériale. Bien que farouchement hostile à la *Maiestas*, il ne l'annula pas. En revanche, il entreprit une politique d'éviction des réformés. La noblesse catholique obtint toutes les magistratures, toutes les paroisses dépendant des domaines de la couronne reçurent des prêtres catholiques, enfin sur ses terres, l'Église (le plus grand propriétaire foncier du pays) interdit la construction d'églises destinées aux réformés.

Sur le plan européen, la Sainte-Ligue, conduite par le duc de Bavière, Maximilien, financée par l'argent espagnol et galvanisée par Rome, se préparait au conflit. En face, l'Union des protestants, et son chef l'électeur palatin Frédéric V, pouvait compter sur les États allemands, sur une révolte des Pays-Bas et sur la vieille hostilité antihabsbourgeoise des Français. Dans les États tchèques et moraves (ainsi qu'en Silésie), la politique de Mathias portait atteinte aux

En 1619, la diète de Bohême déposa Ferdinand II (l'archiduc de Styrie, Ferdinand avait succédé à Mathias, mort le 20 mars 1619), déposséda et expulsa les jésuites et se donna pour roi l'électeur palatin Frédéric V, un calviniste, espérant ainsi obtenir le soutien des protestants allemands. Après l'isolement des premiers mois, la Moravie, la Lusace, la Silésie, la Basse et la Haute Autriche, également mécontentes de Ferdinand II, se joignirent à la Bohême dans une confédération antihabsbourgeoise dont les troupes avancèrent jusqu'à Vienne. En revanche, si de l'argent arriva bien des Pays-Bas et d'Angleterre, l'Union des protestants

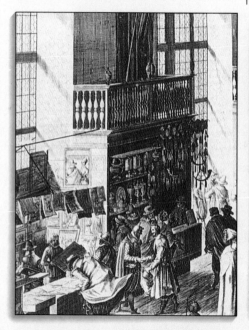

droits des membres de la Diète (bourgeois et nobles) et brimait la Confession tchèque. Le 23 mai 1618, les représentants des États se rendirent au château de Prague pour présenter leurs griefs aux gouverneurs royaux. La séance fut houleuse et s'acheva par la défenestration des deux gouverneurs présents. Cet épisode marqua le début de la révolte des États tchèques et, à l'échelle européenne, le commencement de la guerre de Trente Ans.

A gauche, la seconde défenestration de 1618 ; ci-dessus, la galerie du château de Hradčany à l'époque de Rodolphe II (à gauche) ; portrait d'Albrecht von Wallenstein (à droite).

resta neutre dans ce conflit. A l'été 1620, les troupes impériales, sous le commandement du général Tilly, passèrent à l'offensive, soumirent les régions autrichiennes révoltées et, en septembre, entrèrent en Bohême. Le 8 novembre 1620, sur une colline située à l'ouest de Prague, la Montagne Blanche, la Sainte-Ligue écrasait irrémédiablement l'armée des États tchèques.

Poursuivant Frédéric V, réfugié aux Pays-Bas, Ferdinand II et son chef de guerre, Wallenstein, portèrent la guerre vers le nord. Les princes protestants s'engagèrent contre la Ligue, suivis du Danemark, de la Suède et bientôt de la France. Prague fut occupée par les Suédois en 1631-1632, en 1647 et en

1648. Les deux traités de Westphalie de 1648 mirent fin à la guerre Trente Ans. De ce conflit, sans doute l'un des plus meurtriers que l'Europe ait connu (en un demi-siècle, la population de Bohême-Moravie diminua de 40 % et vers 1680 un tiers des terres cultivables était encore en friche), l'Allemagne sortit plus morcelée que jamais et le pouvoir impérial affaibli. Outre les succès de la France et des Provinces-Unies, cette date marqua l'ascension de la dynastie des Brandebourg, les futurs rois de Prusse (à partir de 1701), dont l'autorité commença à s'étendre sur l'Allemagne au détriment de l'Autriche.

Après la bataille de la Montagne Blanche, une terrible répression s'abattit sur la Bohême et la Moravie. Vingt-sept membres de la Diète furent décapités sur la place de la Vieille Ville à Prague. Tous les prêtres non catholiques furent interdits comme hérétiques et expulsés du pays. Tous les biens de la noblesse et des villes qui avaient participé à la « rebellion » furent confisqués au profit des partisans des Habsbourg, comme Albrecht von Wallenstein. Cette dernière mesure transforma en profondeur la physionomie du pays et accentua le mouvement de concentration des terres (la haute noblesse en possédait 85 %) Enfin, le pays fut soumis

« L'Age des Ténèbres » (1620-1781)

Depuis la moitié du XVIe siècle, toute l'Europe centrale connaissait une montée en puissance de la haute noblesse ainsi qu'un développement du servage. Au système de la rente pécuniaire versée par le paysan à son seigneur s'était substitué le régime des corvées. A la fin du siècle, ces tensions croissantes se traduisirent par des révoltes contre les agents des seigneurs chargés d'imposer ces corvées. Ce phénomène expliqua également pourquoi les États tchèques ne trouvèrent pas le soutien populaire (ni même celui de la petite noblesse) qui avait autrefois fait la force du mouvement hussite.

à une reconversion au catholicisme autoritaire. Refusant de se convertir, près de trente mille familles nobles et bourgeoises (une grande partie de l'élite, notamment intellectuelle et commerçante) s'exilèrent. Privé de toute autonomie politique, privé de sa langue nationale au profit de l'allemand, le royaume de Bohême n'était plus, pour la première fois de son histoire, qu'une partie d'un empire fermement établi à Vienne.

Dans les campagne la situation des paysans continuait de se détériorer. Les chefs militaires impériaux (notamment allemands) s'étant taillé d'immenses domaines, ils souhaitèrent les exploiter intensivement afin d'exporter blé et laine vers les marchés européens. Chaque seigneur pouvait en principe (décret sur les corvées de l'empereur Léopold, en 1680) exiger de ses sujets – qui au surplus lui devaient une partie de leur propre récolte – trois jours de corvée par semaine et davantage au moment des moissons ou des foins. Au total, le seigneur fixait arbitrairement de nombre de jours de corvées dont il avait besoin pour exploiter ses terres. A ce travail imposé s'ajoutait de nombreuses sujétions (relatives au mariage, au déplacement, à l'éducation) destinées à empêcher les paysans d'aller s'établir ailleurs. Dans les années 1650, le servage était, de fait, devenu le statut social le plus

de livres mis à l'index et brûlés. Les tensions se lisent également dans les immenses jacqueries qui secouèrent le pays en 1680 puis en 1693-1695. Outre les châteaux incendiés et les nobles pendus, ces émeutes donnèrent lieu à de véritables batailles opposant des centaines de paysans aux troupes impériales. Famines (aggravées d'épidémies) et répression firent naître ce que Fernand Braudel appelle la « guerre secondaire » : le brigandage qui est à la fois un moyen de survivre et l'expression d'une révolte politique contenue. Ondras, dont les chansons populaires content les exploits, fut ainsi un Robin des Bois morave.

répandu. L'impôt aussi se faisait plus lourd : la guerre avait laissé des ruines et le Turc menaçait plus que jamais (siège de Vienne en 1683).

La charge dut être écrasante si l'on compare la pauvreté de cette époque et l'épanouissement architectural baroque qu'elle a laissé. Aux jésuites, placés à la tête de la Contre-Réforme, tous les moyens étaient bons pour gagner les consciences et l'obéissance : des édifices splendides, une liturgie fastueuse, mais aussi des dizaines de milliers

A gauche, un magasin dans le quartier juif de Prague, en 1900 ; ci-dessus, paysans tchèques au tournant du siècle.

La guerre de Sept Ans

Au début du XVIIIe siècle, un triple constat s'imposait : la reconquête catholique demeurait superficielle, le pays continuait de résister à l'autorité autrichienne, enfin les grandes puissances européennes (la France et l'Angleterre) commençaient à tirer leur puissance de l'industrie. Or le servage conservait jalousement les bras dont les manufactures avaient besoin. Des réformes s'imposaient mais ni l'empereur Joseph Ier (1705-1711), ni son frère et successeur Charles VI (1711-1740) n'y étaient résolus, et les jésuites y faisaient obstacle de toute leur puissance.

De plus, la mort de Charles VI ouvrit une crise de régime. Au terme de la « Pragmatique Sanction » édictée par Charles VI en 1713, sa fille Marie-Thérèse hérita du trône, mais ce problème de succession suscita des convoitises. Frédéric II de Prusse, l'ami des philosophes et l'autocrate ambitieux, en profita pour s'emparer de la Silésie. Pressée sur un autre front par les troupes bavaro-françaises du duc Charles Albert de Bavière – qui marié à une fille de Joseph Ier réclamait le trône de Bohême – Marie-Thérèse céda la Silésie (pourtant dans la couronne de Bohême depuis le XIVe siècle) par le traité de Berlin de 1742.

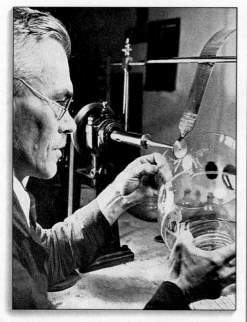

En 1743, l'armée bavaro-française se retira de Bohême. Elle avait occupé Prague en 1741-1742. La guerre de Sept Ans, opposant une alliance franco-autrichienne à la Prusse raffermit le pouvoir des Habsbourg et décida Marie Thérèse à entreprendre des réformes inspirées dans le domaine politique par le centralisme et dans celui de l'économie par le mercantilisme.

L'ère des réformes

En 1749, la Bohême perdit son administration autonome au profit d'une structure directement sous l'autorité de Vienne. L'allemand, unique langue officielle dans les faits, le devint dans le droit. Il fut procédé à un vaste recensement qui fit apparaître un doublement de la population en un siècle. Au développement économique s'opposait le servage et le manque de savoir-faire ; artisans et industriels protestants tchèques avaient fui en 1620, les Hollandais, les Français ou les Anglais redoutaient la politique religieuse de l'Autriche. Pour ces derniers, le pouvoir sut faire des exceptions. Quant aux ouvriers, il les ramassa de force sur les chemins (le servage ne pouvait contenir cette surabondance de main-d'œuvre), parmi les déshérités des villes, il prit aussi quelques enfants. L'État imposa un tarif douanier unique dans toutes les parties de l'Empire et unifia les poids et mesures. Le textile, la verrerie, la papeterie, puis vers 1750, la sidérurgie se développèrent rapidement donnant naissance à une classe ouvrière. La Bohême et la Moravie, riches en charbon et en lignite et proches du dynamique bassin industriel d'Allemagne orientale devinrent le cœur industriel de la monarchie habsbourgeoise.

Dans le même temps, l'agriculture produisait peu, les paysans s'enfonçaient dans la misère (la grande famine de 1772) et des troubles renaissaient, comme ceux qui virent se lever une armée paysanne en 1775. D'autre part, les idées d'égalité du Siècle des lumières commençaient à se répandre dans le pays et à trouver un écho parmi les élites. Très tôt associé au pouvoir par sa mère, Joseph II (1765-1790) fit faire à la Bohême deux bonds décisifs. En 1773, il ordonna la dissolution de l'ordre des jésuites et confisqua leurs biens. Cette mesure s'appliqua quelques années plus tard à tous les ordres contemplatifs. Enfin, en 1781 il mit fin au servage, rétablit la liberté de circulation et publia un édit de Tolérance qui restaura la liberté de culte. Son règne trop court ne permit pas à Joseph II de veiller à l'application des nombreuses lois qu'il avait introduites et presque toutes restèrent lettre morte jusqu'en 1848.

Ces profondes transformations de la société tchèque s'accompagnèrent, au tournant du siècle, d'un renouveau intellectuel qui se traduisit par la renaissance de l'idée nationale tchèque.

A gauche, la Bohême jouit d'une renommée mondiale dans l'art de la gravure sur verre ; à droite, un tramway électrique à Prague, en 1913.

LA MARCHE VERS L'INDÉPENDANCE

Vers la fin du XVIIIᵉ siècle, les pays tchèques connurent un renouveau de la vie intellectuelle. En 1775, paraissait pour la première fois, après un siècle d'oubli, la *Défense de la langue tchèque* du jésuite patriote Balbin. En 1783, le théâtre des États (le théâtre Nostitz) ouvrait ses portes. Quatre ans plus tard on y donnait la première de *Don Juan*. Le monde des sciences fut doté d'une Société royale des sciences (créée en 1784) et les premiers journaux tchèques firent leur apparition. Il restait cependant à lever l'obstacle de l'allemand comme langue officielle de l'université pour que ces courants intellectuels puissent s'épanouir et diffuser leurs idées dans la société. Ce fut chose faite en 1793 avec l'ouverture d'une chaire de tchèque à l'université de Prague.

Le temps des « éveilleurs »

Le terme « d'éveilleurs » désigne ces intellectuels qui, de Dobrovsky à Palacky, ont, au cours de la première moitié du XIXᵉ siècle, mené à bien le travail de restauration et de modernisation de l'idée nationale tchèque. Dobrovsky le premier (*Histoire de la langue et de la littérature tchèque*, 1792) jeta les bases de l'immense travail linguistique qui redonna à la langue tchèque le caractère d'une langue moderne avec sa grammaire et ses dictionnaires.

Joseph Jungmann poursuivit la tâche de Dobrovsky et lui donna un sens politique nouveau. Dépassant la conception régionaliste – bohémienne ou morave – de l'identité tchèque, ancrée dans le Moyen Age, Jungmann associa pour la première fois langue tchèque et nationalité tchèque.

Autour de ces pôles de recherche et de création, de multiples initiatives relayèrent les progrès accomplis : des théâtres amateurs parcouraient les campagnes, la *Matice ceska*, fondée en 1831, s'employait à diffuser

Pages précédentes : descente dans la mine, à Jáchymov. A gauche, Tomáš Guarrigue Masaryk, fondateur et premier président de la République tchécoslovaque ; à droite, l'aigle bicéphale, symbole des Habsbourg, est ôté de la façade du Hradčany, en 1918.

des livres en tchèque. Même la noblesse, à qui l'on doit la création du Musée national en 1818, participa à cet effort.

Restait à ces courants de pensée à se structurer sur le plan politique. Plus qu'aucun autre, l'historien Palacky travailla dans ce sens. Il fut en effet à l'origine de la notion d'« austroslavisme », sur laquelle s'appuyèrent les libéraux tchèques pour se démarquer, en 1848, des mouvements de revendication allemands. A partir 1848, l'idée nationale tchèque acquit une véritable existence politique avec ses militants, ses journaux, ses artistes, ses correspondants à l'étranger, une base sociale et des relais dans

tous les milieux, et enfin, signe indiscutable de la maturité, ses tendances : l'une tournée vers la France, l'autre panslave, tournée vers la Russie.

De la naissance de la monarchie austro-hongroise, en 1867, les Tchèques ne retirèrent aucun avantage. L'écart qui ne cessa de croître entre l'importance économique des pays tchèques et le rôle politique et administratif dérisoire qui leur était réservé contribua à radicaliser le débat. C'est au fond la possibilité de sauver l'Empire qui disparaissait, certaines couches de la société tchèque étant déjà prêtes pour l'indépendance et la démocratie. La Première Guerre mondiale fit pencher la balance en leur faveur.

L'indépendance

L'adoption, en 1907, du suffrage universel fit apparaître de nombreux courants politiques, populistes catholiques (en Moravie et en Slovaquie), agrariens, sociaux-démocrates, socialistes-nationaux, divisés sur les moyens à employer et surtout les buts à atteindre : une fédération austro-slave, la restauration d'une monarchie tchèque, ou une république tchèque inspirée des modèles occidentaux. Au moment de l'entrée en guerre, le courant prorusse, représenté par Karel Kramar, dominait. Mais, dès 1916, le courant pro-occidental, incarné par Masaryk,

tème des alliances qui obligeait des soldats tchèques à combattre d'autres Slaves, Russes et Serbes, suscitèrent des grèves et exacerbèrent le nationalisme de la population. Les projets de fédération élaborés par Charles Ier arrivèrent trop tard. Le 14 octobre 1918, Beněs forma un gouvernement provisoire tchécoslovaque reconnu par les Alliés. Le 28, la République tchécoslovaque était proclamée à Prague.

La question des frontières

Pour la plus grande partie de la Bohême-Moravie, les frontières n'avaient pas bougé

Beněs et le Slovaque Stefanik, se dota des instruments indispensables à sa reconnaisance sur le plan international. A Paris fut créé un Comité national qui fédéra et coordonna l'action des colonies tchèques et slovaques d'Europe et des États-Unis. Des corps tchèques se battirent sur les fronts français et italien au côté de l'Entente.

L'introduction, par le président Wilson, en janvier 1917, de la libération des Tchécoslovaques dans les buts de guerre mit en demeure l'Union tchèque (réunissant les parlementaires), qui siégeait à Vienne, et le Comité national, établi à Prague, de définir une position claire pour ou contre l'indépendance. Les souffrances de la guerre et le sys-

depuis le Moyen Age. Mais les représentants de la minorité allemande souhaitaient leur rattachement à l'Allemagne. Sans fondement historique, cette mesure impliquait pour la Tchécoslovaquie la perte d'une part importante de son industrie. Appuyé par l'Entente, Prague refusa. Au nord, la possession du duché de Teschen l'opposa à la Pologne. Cette région ne comptait pas de majorité tchèque, mais ses mines de charbons et ses industries métallurgiques pesaient lourd dans l'économie nationale et Prague décida de la conserver par la force. Un arbitrage international de juillet 1920 lui en attribuera la moitié. Dans le cas de la Slovaquie, l'histoire ne pouvait trancher – le pays n'ayant jamais eu de frontières. Quant à la délimitation ethnique, simple au nord, elle l'était beaucoup moins au sud. La solution de la frontière naturelle, le Danube, fut retenue. Le traité de Trianon (4 juin 1920) dota le pays d'une partie de la Ruthénie subcarpatique.

Aux problèmes soulevés par la présence d'importantes minorités (22 % d'Allemands et 5 % de Hongrois), l'État tchécoslovaque répondit par la démocratie. D'une part, chaque minorité pouvait, grâce au scrutin proportionnel, envoyer des représentants au Parlement, l'existence d'un État de droit leur garantissait, d'autre part, un traitement équitable, dans les limites imposées par la défense de cet État de droit. Ce système fonctionna jusqu'à la montée des fascismes.

Une démocratie en Europe centrale

Plusieurs traits caractérisèrent le fonctionnement de la démocratie tchécoslovaque de 1920 (la Constitution fut adoptée le 29 février 1920) à 1938. L'atomisation des forces politiques héritée de l'avant-guerre s'accrut. Plus de vingt partis se présentèrent aux élections législatives de 1920. Certains mouvements politiques comme les agrariens comptaient en effet autant de formations qu'il y avait de minorités. Cette dispersion des votes nécessita la formation de coalitions, principalement autour des agrariens et des socialistes tchèques.

Deuxième phénomène marquant, la présence de très fortes personnalités qui assurèrent à la vie politique sa cohésion et, sur le plan de l'action gouvernementale, une certaine continuité. Tomáš Garrigue Masaryk fut réélu à la tête de l'État de 1920 à 1934, Edvard Beneš lui succéda en 1935. D'autre part, bien qu'en vingt ans dix-huit gouvernements se soient succédé, certaines fonctions ministérielles connurent une grande stabilité : Beneš resta dix-sept ans aux Affaires étrangères et Antonín Švehla cinq ans et demi à la tête du gouvernement. Enfin, reflet d'une société déjà très industrialisée, le parti communiste recueillait entre 10 et 14 % des suffrages.

A gauche, le président Masaryk proclame l'indépendance de la République tchécoslovaque, à Philadelphie le 18 octobre 1918; à droite, les escaliers du Musée national de Prague.

Sur le plan économique, la Tchécoslovaquie rencontra des difficultés de débouchés. Son potentiel industriel était immense, mais la conjoncture internationale mauvaise. Les prix agricoles s'effondrèrent, attisant le mécontentement latent de la Slovaquie, tandis que l'État devait faire face à 1,2 million de chômeurs. Or, l'Amérique, qui avait jusque-là absorbé ce surplus de main-d'œuvre, elle-même en proie à un chômage galopant, fermait ses frontières à l'immigration. Ces nécessités économiques conjuguées à ce paradoxe, dans cette Europe de l'entre deux-guerres, d'être à la fois slave et démocratique, conduisirent le pays à mener

une politique étrangère subtile tout autant que fragile.

Munich

Républicaine, elle se tourna naturellement vers la France, réputée militairement invincible, vers la Grande-Bretagne, riche et libre échangiste et attacha une grande importance aux espoirs de paix défendus par la SDN. Pourtant, soucieuse de ménager sa minorité allemande, la Tchécoslovaquie refusa de considérer l'Allemagne comme l'ennemi. D'autre part, son panslavisme et son puissant parti communiste lui interdisaient d'épouser les méfiances des démocraties occidentales à l'égard de l'URSS. Inquiète des velléités hongroises sur ses frontières, elle s'entendit avec la Yougoslavie et la Roumanie (les accords de la Petite Entente de 1920 et 1922). Mais c'était peu face à la montée des régimes fascistes et autoritaires en Italie, en Allemagne, en Hongrie et en Pologne. En 1935, elle signa des traités de défense avec l'Union soviétique.

A l'encerclement extérieur, s'ajoutèrent bientôt les pressions internes. Avec l'arrivée au pouvoir d'Hitler en 1933, la minorité allemande retrouva ses réflexes séparatistes. Konrad Henlein et son parti allemand des Sudètes, le SDP, surent utiliser le méconten-

siastes de l'union avec les Tchèques. C'est cette composante qui se prononça en 1918 pour la création d'un État tchécoslovaque.

Le 12 mars 1938 Hitler, annexa l'Autriche (l'*Anschluss*) en toute impunité et put ensuite se consacrer à son objectif prioritaire : le démantèlement de la Tchécoslovaquie. En septembre 1938, il prit prétexte d'émeutes dans les Sudètes pour exiger le rattachement au Reich des districts à majorité allemande, sans consultation populaire préalable, puis il exigea que les revendications territoriales polonaises (Teschen) et hongroises (le sud de la Slovaquie) soient satisfaites dans les mêmes conditions. La France et la Grande-

tement né de la crise économique et le ressentiment des Allemands à l'égard des Tchèques et réclamèrent ouvertement le rattachement au Reich.

Non moins inquiétante fut l'orientation de plus en plus autonomiste du parti populiste slovaque de l'abbé Hlinka. A la fin du XIXe siècle, deux courants politiques représentaient la conscience nationale slovaque : le mouvement populiste, catholique et antimarxiste de l'abbé Hlinka et les forces sociales-démocrates groupées autour du journal *Hlas* (la *Voix*), comptant les personnalités les plus brillantes (Srobar, Stefanek, Hodza), soutenues par les Slovaques d'Amérique, et surtout partisans enthou-

Bretagne s'inclinèrent et signèrent les accords de Munich du 30 septembre 1938. Le 6 octobre, Joseph Tiso proclama l'autonomie de la Slovaquie et de la Ruthénie, rétrocédée à la Hongrie un mois plus tard. Le 14 mars, le président tchécoslovaque Emil Hacha, qui avait succédé à Benès le 5 octobre, signa l'abandon de souveraineté de la Tchécoslovaquie, qui devint un protectorat du Reich. Le lendemain, les troupes allemandes entraient dans Prague.

Ci-dessus, la population de Prague assiste indignée à l'entrée des troupes allemandes, le 15 mars 1938 ; à droite, lieu de la mémoire, le camp de Terezin a été conservé intact.

LE CAMP DE TEREZÍN

La petite ville de Terezín (Theresienstadt en allemand) est nichée dans la vallée de l'Elbe, au pied de collines fertiles d'origine volcanique. Et pourtant, cet environnement plein de charme dissimule une terrible vérité. En effet, pour la plupart des Tchèques, Terezín symbolise les crimes nazis.

Malá pevnost, la petite forteresse qui domine la ville, fut construite par l'empereur Joseph II, à la fin du XVIIIe siècle. Elle faisait partie d'une ligne de défense destinée à protéger l'Autriche contre une éventuelle agression de la Prusse. Cette menace était alors envisagée avec sérieux, et une dizaine d'années suffirent pour achever la mise en place de ce dispositif. Pourtant, la forteresse ne remplit jamais la fonction qui avait justifié sa construction.

Au cours de la Première Guerre mondiale, elle servit de prison et lorsque les nazis envahirent la Bohême, ils en firent un camp de concentration pour les Juifs. Les troupes d'occupation allemandes transformèrent Theresienstadt en un vaste, et tristement célèbre, camp d'internement qui reçut les premiers déportés en novembre 1941. Les 3 700 habitants de Terezín durent brusquement abandonner leur logement, réquisitionnés pour les nouveaux arrivants, et furent relogés ailleurs. La propagande nazie prétendit qu'elle souhaitait faire de Theresienstadt un lieu où s'établirait la communauté juive qui pourrait s'y administrer librement. C'est Theresienstadt qui fut d'ailleurs choisie par les autorités nazies pour être montré en exemple à une délégation de la Croix-Rouge, et malheureusement bien des victimes crurent longtemps que Theresienstadt n'était qu'un lieu de regroupement et renoncèrent à fuir.

Theresienstadt était bien un centre de regroupement, et jouait même à ce titre un rôle particulier dans l'organisation de la solution finale prévue par Hitler. A côté des prisonniers que la Gestapo envoyait de Bohême et de Moravie, le camp reçut des trains de déportés de toute l'Europe. Sous le porche, affichant cyniquement le slogan « arbeit macht frei » (le travail rend libre), passèrent des milliers de Juifs déportés, venant de Pologne, d'Autriche, de Belgique, des Pays-Bas, d'Italie, de Russie, de Lituanie, de Grèce, de Yougoslavie et de France. Pas moins de 500 trains, soit en moyenne un train tous les trois jours, firent halte à Theresienstadt entre novembre 1941 et avril 1945. Ce sont ainsi 40 000 Juifs de Prague, 9 000 de Brno, 13 500 de Berlin et 4 000 de Francfort qui descendirent de ces trains de la mort. Lorsqu'à la fin de la guerre les troupes américaines et soviétiques s'approchèrent des camps de concentration d'Allemagne et de Pologne, les chefs SS donnèrent l'ordre de les détruire afin d'effacer les traces des horreurs qu'ils avaient commises, et ceux qui avaient échappé à la mort à Treblinka ou ailleurs furent transférés à Theresienstadt.

Au cours des cinq années d'existence du camp de Theresienstadt, 140 000 déportés y transitèrent, plus de 30 000 y trouvèrent la

mort sur place, 88 000 furent envoyés vers les camps d'extermination, et en particulier à Auschwitz. A la libération, en mai 1945, les alliés découvrirent à Theresienstadt des milliers de prisonniers squelettiques et terrorisés. La simple énumération des faits ne rendra jamais compte de l'angoisse insoutenable qui régnait dans ce camp, où des milliers de personnes craignaient à chaque instant d'être envoyées là où la mort était certaine. Aujourd'hui, la forteresse de Terezín est un lieu de mémoire collective.

Depuis, la ville de Theresienstadt a retrouvé une vie normale sous son nom tchèque, Terezín, et elle s'est tournée vers l'industrie de l'ameublement et du tricot.

UNE RÉPUBLIQUE SOCIALISTE

En juin 1940, depuis son exil de Londres, Beneš transforma le Comité national tchécoslovaque (créé juste après l'entrée des troupes allemandes à Prague) en un gouvernement provisoire, reconnu par les Anglais en juillet. De son côté, Moscou accueillit un conseil de communistes tchécoslovaques, mais Beneš réussit à unir ces deux branches de la résistance. Les communistes tchèques conduits par Klement Gottwald entrèrent au Conseil national (le Parlement en exil), reconnurent le gouvernement provisoire de Beneš même s'ils n'y participèrent pas. Et en décembre 1943, l'URSS et le gouvernement provisoire tchèque signèrent un traité d'assistance mutuelle. Conformément aux accords de Yalta, la Tchécoslovaquie se trouvant dans la zone contrôlée par Staline, sa libération revint à l'Armée rouge, qui pénétra en Slovaquie en octobre 1944.

En avril 1945, le social-démocrate Zdenek Zielinger forma un gouvernement de coalition (le Front national) dans lequel les communistes reçurent des postes importants et dont Gottwald fut le vice-président. Pour de multiples raisons – les bons contacts pris pendant la guerre, l'œuvre de libération accomplie par l'Armée rouge et un certain panslavisme – ni le président Beneš, ni son Premier ministre Zielinger ne craignaient la montée en puissance des communistes et de l'Union soviétique.

Aux élections libres de 1946, le PC remporta 38 % des suffrages, mais fut battu par les sociaux-démocrates. Beneš pensa alors que si cet équilibre était maintenu, la Tchécoslovaquie pouvait ouvrir une voie intermédiaire entre les deux blocs. Les communistes n'envisageaient pas une telle combinaison et visaient exclusivement la conquête du pouvoir. Aux commandes du ministère de l'Intérieur, ils commencèrent à exercer des pressions sur tous les centres de décision. Les ministres non communistes s'y opposèrent en menaçant le président Beneš de démissionner. Les journées du 21 au 25 février furent marquées par de gigantesques manifestations organisées par le PC dans le but de peser sur la décision de Beneš. Finalement, le 25, le président de la République nomma Gottwald au poste de Premier ministre. Celui-ci accéléra la collectivisation de l'économie et fit adopter une constitution (9 mai 1948) qui transforma la Tchécoslovaquie en une démocratie populaire. Sur le plan politique, Gottwald épura le Front national dont la composante démocrate fut absorbée par le parti communiste. Le 30 mai 1948, la liste unique du Front national remporta triomphalement les élections.

La fin d'une utopie

Et tandis que s'éloignait l'utopie politique née dans l'enthousiasme de la libération, commençait le sombre épisode des procès

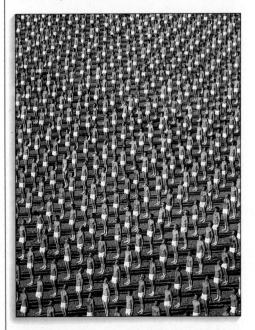

staliniens, parodie de justice cynique et meurtrière, empoisonnant la vie de tous les citoyens. Dans tous les domaines, le pays se vida de sa substance. Tandis que des milliers d'individus, dont beaucoup de scientifiques, de médecins, d'ingénieurs, d'artistes, fuyaient les dangers de leur pays, les ressources économiques et surtout industrielles du pays étaient systématiquement détournées vers les autres démocraties populaires.

La collectivisation achevée, l'économie fut soumise à une planification centralisée, un organisme central, le Gosplan, définissant, pour cinq ans (plans quinquénaux) les objectifs et les moyens de les atteindre. L'adhésion au COMECON en 1949 conduisit la

Tchécoslovaquie à une spécialisation industrielle (équipements lourds, armement) qui la plaça dans une dépendance à l'égard de l'URSS (disposant des sources d'énergie et des matières premières). L'intégration au bloc de l'Est fut parachevée par l'entrée dans le pacte de Varsovie en 1955.

Le Printemps de Prague

Au début des années 1960, ce système commença à montrer des signes de faiblesse : de 1961 à 1963, le taux de croissance annuelle tomba à 3 % contre 7 % dans la période précédente. Au sein même du PC, des voix

s'élevaient pour les dénoncer, soutenues et amplifiées par des écrivains, des cinéastes qui, malgré les menaces d'exil et leurs fréquents passages en prison, reprirent l'habitude de ne plus se taire.

Entamant un processus qui allait toucher, à des degrés divers, toutes les économies socialistes, en juillet 1963, la RDA inaugura l'ère des réformes en lançant le « nouveau système économique », inspiré des thèses de l'économiste soviétique Liberman, et visant à redonner plus de liberté aux entreprises.

A gauche, le sport, objet culte du régime communiste ; ci-dessus, Alexandre Dubček, la figure du Printemps de Prague.

Mais l'expérience tchécoslovaque se singularisa en se déplaçant sur le terrain politique. Le IVe congrès des écrivains tchécoslovaques, en juin 1967, marqua un tournant dans l'aventure du « Printemps de Prague ». Pour la première fois, un certain nombre de jeunes écrivains osèrent publiquement adresser de violentes critiques au régime.

En janvier 1968, Alexandre Dubček, slovaque et ancien ouvrier, devint le secrétaire général du PC (à la place du stalinien Novotný) et annonça l'ère d'un « socialisme à visage humain » respectant les droits civiques. Dans le domaine de l'économie, Ota Sik entreprit une réforme globale du système planifié. Le Printemps de Prague fut ressenti en Tchécoslovaquie et partout ailleurs comme l'ultime chance de construire un socialisme fidèle à ses idéaux. En revanche dans les autres pays socialistes, l'orthodoxie, symbolisée par Brejnev, faisait son retour en force. L'expérience alarma l'URSS et la majorité des démocraties populaires qui, toutes, à l'exception de la Hongrie, avaient abandonné les réformes. Dubček sévèrement critiqué, suspect aux yeux de Moscou, dut s'expliquer, d'abord au cours d'un tête-à-tête avec Brejnev dans un train à la frontière tchéco-soviétique, puis le 3 août, à Bratislava, où Brejnev avait réuni tous les leaders du pacte de Varsovie. Brejnev mit en garde les responsables tchécoslovaques : l'expérience pouvait se poursuivre à condition de ne pas mettre en péril les acquis du socialisme.

Pourtant, dans la nuit du 20 au 21 août, les forces du Pacte pénétrèrent en Tchécoslovaquie et occupèrent toutes les villes. En quelques heures tous les espoirs d'une génération furent anéantis. Dubček partit pour Moscou où il dut faire son autocritique et renier ses idées. C'est un homme brisé qui revint à Prague, où il fut immédiatement remplacé par un partisan de la ligne dure, Gustav Husák. L'agonie de la société tchèque reprit son cours pendant vingt ans. Mais en dépit du désarroi et de la résignation du plus grand nombre, beaucoup se forgèrent de nouvelles convictions dans cette épreuve et entreprirent un nouveau combat. Ceux qui, comme Jiří Hájek, Jan Potočka et Václav Havel, allaient créer et animer la Charte 77 et le mouvement des droits civiques, ne visaient plus une réforme du socialisme mais une transformation radicale de la société et son retour à la démocratie.

LA RÉVOLUTION DE VELOURS

Mille neuf cent quatre-vingt-neuf fera sans doute date dans l'histoire du XXe siècle. En quelques mois un mouvement en chaîne d'une incroyable célérité ébranla et renversa tous les régimes communistes d'Europe de l'Est, que l'on croyait pourtant immuables. Paralysés par des structures et un mode de pensée obsolètes, incapables de réagir autrement qu'en renouvelant le coup de force de 1968, les autorités communistes tchécoslovaques (les mêmes qu'au lendemain du Printemps de Prague) furent à leur tour les témoins impuissants d'une révolution exemplaire.

Le 15 janvier, des manifestants se réunissent pacifiquement place Venceslas pour célébrer la mémoire de Jan Palach, un étudiant qui s'était immolé par le feu en 1969. La police et l'armée interviennent immédiatement et séparent violemment les manifestants. En dépit des interventions brutales de la police et des nombreuses arrestations la mobilisation dure cinq jours. Ces manifestations réveillèrent les consciences et dessinèrent les contours d'une opposition. Pourtant les communistes rejetèrent toutes les propositions de négociation et choisirent la stratégie de la répression. Le 17 novembre, une nouvelle manifestation pacifique se déroule dans Prague, cette fois à la mémoire de Jan Opletal, un étudiant abattu par les nazis pendant la Seconde Guerre mondiale. Plus de 50 000 personnes y prennent part. La police tente d'abord de l'empêcher en disposant des barrages de camions le long du parcours, puis lance des voitures de patrouille pour effrayer la foule. La tension monte encore lorsque des unités de bérets rouges, des miliciens, s'attaquent aux manifestants avec des matraques.

Ce recours délibéré à la violence contre un cortège composé en grande majorité des jeunes générations marqua un tournant dans l'enchaînement des événements. Deux jours plus tard, l'opposition créa le Forum civique (*Občanske fórum* – OF) et demanda la démission de tous les membres du comité

A gauche, bien des événements majeurs de l'histoire tchécoslovaque ont débuté sur la place Venceslas.

central du PC impliqués dans l'intervention de 1968, ainsi que la libération des prisonniers politiques, puis appela à une grève générale. Le 20 novembre, le Mouvement « public contre la violence » (Verejnost prosti nasilu – VPN) se constituait à Bratislava.

Le triomphe de la non-violence

Malgré les multiples provocations, l'opposition démocratique respecta la règle de non-violence qu'elle s'était fixée. « Nous devons conserver notre révolution pacifique, brillante et pure », écrivit Vaclav Havel. C'est au cours de ces journées de manifestation de novembre 1989, que s'est construit le mythe de la « révolution de velours ». Pendant une semaine, du 20 au 27 novembre, des centaines de milliers de citoyens se relayèrent place Venceslas avec calme et détermination pour exiger la démission du gouvernement.

Le 24 novembre, le secrétaire général du parti communiste tchécoslovaque, Milos Jakeš, fut contraint de démissionner. Les autorités annoncèrent le démantèlement du rideau de fer sur la frontière autrichienne. Le 27, tout le pays entama une grève générale. Le 29, les deux assemblées réunies en congrès votèrent une série de dispositions modifiant la Constitution.

La fin de la dictature du parti communiste fut accueillie avec joie dans le pays et suscita l'admiration dans le monde entier par la manière pacifique avec laquelle ce processus s'était déroulé. Ce pas décisif permit à la révolution de velours de se poursuivre dans un climat de liberté et d'ouverture. Le 7 décembre, Ladislas Adamec abandonna ses fonctions de chef du gouvernement, le 10, un communiste réformateur, Marián Calfa, fut appelé à son poste et forma un gouvernement d'Entente nationale dans lequel n'entrèrent qu'une minorité de communistes. Gustav Husák démissionna de ses fonctions de président de la République. Le 28 décembre, l'Assemblée fédérale se choisit pour président une personnalité à la fois éminente et prestigieuse : Alexandre Dubček.

Le 29 décembre, le Parlement tint une séance historique au cours de laquelle, après 41 ans de régime communiste, Václav Havel, écrivain persécuté (il avait passé près de cinq ans en prison) et dissident, devint le premier président d'une nouvelle Tchécoslovaquie démocratique, élu à l'unanimité par des députés presque exclusivement communistes. En juin 1990, le pays connaissait ses premières élections libres depuis 1946. A cette occasion les deux grandes formations d'opposition, le Forum civique tchèque et le Mouvement public contre la violence en Slovaquie, reçurent le soutien de la plus grande partie de l'électorat. Le pays retrouva sa pleine souveraineté à l'été 1991. Dès juin, plus aucune troupe soviétique n'occupait le territoire et, le 1er juillet, le pacte de Varsovie était dissous.

Pourtant, à peine les élections gagnées et l'ennemi commun disparu, les principales figures de l'opposition commencèrent à

mettre en avant leurs divergences. Les clivages d'opinion apparurent en pleine lumière à l'occasion du débat sur les mesures à prendre à l'égard de ceux qui avaient occupé des postes importants au sein du PC ou qui avaient collaboré avec la police politique. Il s'agissait non seulement de condamner sévèrement les hommes clés du système de répression, mais également d'interdire les emplois publics pour cinq ans aux personnalités très compromises avec le régime communiste. Sur ces questions, deux lignes s'affrontèrent : d'une part celle du renouvellement des cadres, des idées et des réformes radicales, de l'autre celle de la succession en douceur.

La séparation

Ces deux tendances se retrouvèrent sur le terrain des réformes économiques, et plus précisément sur le rythme du passage à l'économie de marché. Après les élections de juin 1992, le ministre de l'économie, Václav Klaus, très incisif dans ses déclarations, devint la figure dominante de la vie politique tchécoslovaque, éclipsant même Václav Havel. Fort de sa popularité, il amorça le processus de séparation des Tchèques et des Slovaques, une tentation que le président Havel tentait désespérément d'éviter depuis deux ans.

En effet, lorsque l'économie commença à opérer sa transition vers la loi du marché, la Slovaquie rencontra beaucoup plus de difficultés que les provinces tchèques. Les élections législatives des 5 et 6 juin 1992 se firent l'écho de ce décalage et donnèrent l'avantage aux personnalités représentant le mieux les deux voies possibles : d'un côté Václav Klaus (Parti démocratique civique et le Parti chrétien démocrate), défenseur d'une rapide transformation des structures économiques, de l'autre, Vladimir Meciar (Mouvement pour une Slovaquie démocratique) partisan d'une Slovaquie souveraine qui dicterait le rythme des changements qui lui convient. Les anciens partis d'opposition ne franchirent pas la barre des 5 % nécessaires pour être représentés.

Au début du mois de décembre 1992, le Parlement vota la dissolution de la République fédérative tchèque et slovaque. Beaucoup, aussi bien Tchèques que Slovaques, pensent encore qu'en précipitant la rupture entre les deux pays, les hommes politiques ont trahi les principes démocratiques fondamentaux pour le respect desquels l'opposition s'était battue en 1989. En effet, ni ceux-ci, ni aucune formation politique n'avaient reçu mandat pour voter la sécession. Et l'amertume que cette décision a occasionnée dans le pays s'est transformée en craintes. Le pouvoir grandissant du Premier ministre slovaque, Vladimir Meciar saura-t-il résister aux tentations autoritaires ? De même, bien des partisans de Klaus se demandent maintenant si son ambitieuse doctrine libérale ne va pas conduire le pays dans une impasse ?

A gauche, pour ces prisonniers, un seul candidat : Václav Havel, sur la photo de droite.

VÁCLAV HAVEL

Comment un écrivain persécuté pendant des années par le régime communiste a-t-il pu être élu président de la République tchécoslovaque à l'unanimité par le Parlement, le 29 décembre 1989 ? La réponse tient peut-être en un mot : Prague. « Havel na Hrad », « Havel au château », chantait la foule pendant ces journées d'enthousiasme populaire, un slogan qu'affiches et tracts reprenaient, muets mais omniprésents. Cet événement ne fut pas une surprise ; il avait été longuement préparé par le Parlement (à l'époque encore très largement composé de députés communistes) dans le respect des traditions démocratiques. Mais est-il si surprenant que la révolution de velours ait choisi un homme honnête et modeste pour diriger le pays ?

Václav Havel est né à Prague en 1936 dans une famille de l'intelligentsia praguoise. Mais ce milieu cultivé devint, après la guerre un handicap, notamment pour poursuivre des études de lettres. Il réussit néanmoins à obtenir un diplôme de chimiste en suivant des cours du soir. Il écrivit ses premières pièces dans les années 1960 : *La Fête en plein air* (1963) où domine un style caustique rappelant Kafka, puis le *Mémorandum* (1965), une métaphore évidente de la langue de bois communiste. En 1968, il participa activement au « Printemps de Prague ». Il était alors président du club des Écrivains indépendants. En 1975, il dénonça, dans sa *Lettre ouverte à Gustav Husák*, les mécanismes de la dictature intellectuelle en Tchécoslovaquie. Son engagement politique, Havel le paya de quatre ans d'emprisonnement, de 1979 à mars 1983, au cours desquels il écrivit ses célèbres *Lettres à Olga*.

Son arrestation, en février 1989, alors qu'il participait à une cérémonie commémorant la mort de Jan Palach, déclencha tant de protestations dans le monde entier que les autorités tchèques le relâchèrent neuf mois plus tard. En novembre 1989, l'ancienne et la nouvelle génération d'opposants unirent leurs efforts et créèrent le Forum civique, dont il fut l'un des plus actifs porte-parole.

Dans un message à la Nation, le 1er janvier 1990, il traça le chemin à parcourir : « Sans doute allez-vous me demander à quoi ressemble la république dont je rêve. Eh bien, c'est une république indépendante, une république de liberté et de démocratie, de prospérité économique et de justice sociale.

C'est une république au service des citoyens, mais qui attend de ceux-ci qu'ils soient, à leur tour, prêts à la servir. Enfin, c'est une république dont les citoyens décident en connaissance de cause des politiques à suivre, car sans cette maturité politique, nous ne règlerons aucun de nos problèmes. » Dans un texte antérieur, on trouve cette mise en garde prophétique contre ce qui allait déchirer la Tchécoslovaquie : « Il ne faut pas identifier l'espoir aux prévisions : orientation de l'esprit et du cœur, il va au-delà du vécu immédiat et s'attache à ce qui le dépasse... »

Mais le rêve d'être le président d'une Tchécoslovaquie unie et prospère ne dura pas. Bien avant les élections de 1992, le pays était travaillé par des forces sécessionnistes.

Quelques jours avant les élections, le président Havel lança une mise en garde contre le leader slovaque Meciar et son programme politique. Une fois élu, celui-ci demanda à son parti de retirer son soutien à Václav Havel. Lorsque le parlement slovaque adopta sa propre constitution, il démissionna – le 17 juillet 1992.

Pourtant, peu de temps après son retrait, Václav Havel indiqua qu'il souhaitait présenter sa candidature à la tête de l'État tchèque et il fut élu en janvier 1993. Ce nouveau mandat ne lui redonnera pas l'influence qu'il avait en 1989, mais les Tchèques continuent néanmoins de lui témoigner leur estime, leur admiration et leur confiance.

TCHÈQUES ET SLOVAQUES

La scission de la Tchécoslovaquie en deux républiques totalement indépendantes entra dans les faits le 1er janvier 1993. La « procédure de divorce » se déroula dans le calme et, contrairement à d'autres régions d'Europe de l'Est, les deux nations se séparèrent à l'amiable. Si certains pensent encore que l'union comportait bien des avantages, ni les Tchèques, ni les Slovaques n'avaient jamais, avant 1918, considéré qu'ils appartenaient à un même pays.

Dès lors rien d'étonnant à ce qu'ils n'aient jamais développé de véritable identité nationale commune, même s'ils ont pu poursuivre les mêmes buts et mener à bien ensemble de nombreux projets. Faut-il alors s'étonner si l'assemblée élue en juin 1990, dans l'enthousiasme qui suivit la chute du régime communiste, se montra incapable de rédiger une constitution définissant les nouvelles règles de vie en commun ?

Deux pays, deux histoires

Dès sa création, la Tchécoslovaquie souffrit de n'être qu'une construction politique artificielle formée à partir d'éléments éclatés de l'empire des Habsbourg. La dernière tentative des Tchèques et des Slovaques pour se forger un destin commun remontait, mille ans en arrière, à l'époque du royaume de Grande-Moravie alors que les deux peuples étaient les membres d'une même famille, les Slaves de l'Ouest. Cette page d'histoire tournée, ils prirent des chemins séparés, qui ne convergèrent à nouveau qu'à la fin de la Première Guerre mondiale.

Au cours de ce millénaire, et y compris sous la monarchie austro-hongroise, la Slovaquie fut rattachée à son puissant voisin, la Hongrie. De plus, tandis que les États tchèques, Bohême et Moravie, constituaient le cœur industriel de l'empire, la Slovaquie demeurait le voisin pauvre, englué dans une vie rurale d'un autre temps. Si l'idée des deux nations sœurs fit son apparition pendant la flambée révolutionnaire de 1848, elle ne commença à s'imposer comme projet politique qu'à la fin du siècle.

Magré cela, la fondation du nouvel État tchécoslovaque fut une affaire rondement menée. Ses architectes, Masaryk, Beneš et le général Stefanik, étaient tous trois des intellectuels. Leur approche du problème fut presque exclusivement politique, et ce n'est pas sans raison qu'elle fut qualifiée de « révolution des professeurs ». La « révolution de velours » n'est d'ailleurs pas étrangère à ce style caractéristique de la vie politique tchécoslovaque.

Le poids des intellectuels

En 1967, à l'occasion d'un congrès d'écrivains, Milan Kundera soulignait le poids inhabituel des intellectuels tchèques dans la vie politique de leur pays : ceux-ci, affirmait-il, « portent le poids de la Nation tout entière ». Une responsabilité que Václav Havel a d'ailleurs toujours revendiquée. Si l'origine de ce phénomène remonte sans doute à la révolte des hussites, on en trouve une manifestation caractéristique vers la fin du XVIIIe siècle avec le réveil de l'idée nationale tchèque qui fut d'abord presque uniquement l'affaire des universitaires conduits par le philologue Dobrovsky.

Leur premier geste fut de transformer la langue tchèque, qui n'était alors qu'un dialecte rural méprisé, en une langue écrite capable de transmettre les plus hautes aspirations littéraires et politiques. C'est un Slovaque – en Slovaquie, l'usage du tchèque concurrençait le latin comme langue littéraire depuis le XVe siècle – Jan Kollar, qui dans son poème *La Fille de Slava* (1824) donna au sentiment national renaissant sa première grande expression littéraire en langue tchèque.

L'historien tchèque František Palacký, surnommé le « père de la patrie », commença en 1836 l'œuvre fondatrice qu'il consacra à l'histoire de son pays. Les premiers volumes parurent en allemand sous le titre *Histoire de la Bohême*, mais l'édition tchèque, intitulée *Histoire des peuples tchèques de Bohême et de Moravie*, suivit en 1848. Palacký exerça une influence considérable sur le peuple tchèque tout au long du XIXe siècle. A la même époque, un tel regard sur le passé faisait défaut aux intellectuels slovaques.

Ce qui s'amorça avec le mouvement des études slaves, et son fondateur Štúr joua un rôle capital mais resta limité aux questions linguistiques. Le peuple slovaque avait été si longtemps soumis à la « magyarisation », qu'au début du XVIIIe siècle son dialecte avait presque cessé d'exister. Sous l'influence du réveil culturel tchèque, les Slovaques redécouvrirent leur propre langue et, un demi-siècle après les États tchèques, la Slovaquie connaissait à son tour un essor de sa production littéraire écrite. Mais cet élan fut brisé net une vingtaine d'années plus tard par les Hongrois. En 1875, l'enseignement du slovaque fut interdit, et il faudra attendre 1918 pour voir la création de lycées et d'une université dispensant des cours en slovaque. Cette brutale interruption permet de comprendre le décallage qui s'instaura entre les deux pays sur le plan intellectuel et social.

les arrière-pensées religieuses, les principaux partis politiques tchèques défendaient des positions démocrates et laïques. Profondes, ces disparités perdurèrent après la création de la Tchécoslovaquie.

Une construction difficile

Si des Tchèques et des Slovaques exilés aux États-Unis créèrent dès 1916 le Conseil national tchécoslovaque, l'idée d'union proposée par Masarik ne fut définitivement admise dans les milieux slovaques qu'au moment de la désintégration de l'Empire austro-hongrois. L'acte décisif, dessinant les

Mais la domination hongroise n'explique pas tout. En effet, tandis que l'industrialisation des pays tchèques faisait apparaître une classe ouvrière et une bourgeoisie moyenne qui, dans leur diversité idéologique, aspiraient à la fois à l'indépendance nationale et à un État démocratique, la Slovaquie demeurait un pays rural. Et tandis que le principal mouvement politique slovaque apparu après 1875, celui de l'abbé Hlinka, était marqué par le populisme, l'anti-parlementarisme et

Pages précédentes : couples d'amoureux sur le pont Charles. Ci-dessus, pour ces mineurs du nord de la Bohême, traités en héros par le régime socialiste, l'économie de marché est une menace.

grandes lignes de la future République tchécoslovaque, l'accord de Pittsburgh, ne fut en effet signé que le 31 mai 1918.

Dès son entrée en fonction, le gouvernement de Prague consacra beaucoup d'efforts à doter la Slovaquie d'un système éducatif et à promouvoir une élite slovaque. Ce transfert de compétences nécessita la nomination de Tchèques dans les écoles, les administrations et les tribunaux slovaques. Très vite, cette politique fit naître la méfiance puis l'hostilité des Slovaques à l'égard d'un État plus tchèque que tchécoslovaque et dont ils se sentaient une sorte de protectorat bien que la Constitution reconnût formellement aux deux peuples les mêmes droits.

C'est un évêque, Jozef Tiso, qui, en 1938, prit la tête du parti populiste slovaque, dont l'influence ne cessait de grandir depuis la crise mondiale de 1929. Il profita des accords de Munich pour obtenir l'autonomie de la Slovaquie (7 octobre 1938), et le 14 mars 1939, Bratislava devint la capitale d'un État slovaque indépendant, dirigé par un gouvernement autoritaire, clérical et nationaliste, satellite de l'Allemagne nazie.

La solution centralisatrice

L'arrivée des communistes au pouvoir, en février 1948, se traduisit par la mise en place

Folklore et identité nationale

C'est un trait commun aux nations, explique le philosophe anglais Gelner, que de restaurer et de promouvoir, et parfois de construire artificiellement, les éléments de civilisation et d'histoire qui les enracinent dans la durée.

C'est indiscutablement dans la révolte des hussites que les auteurs romantiques tchèques du XIXe siècle trouvèrent les thèmes (la langue) et les figures (Jan Hus, Jan Žižcka) qui inspirèrent leur revendication nationale. Or cet épisode de l'histoire de la Bohême ne concerna qu'indirectement

d'un Etat centralisé, à nouveau dominé par les Tchèques. La Constitution de juillet 1960 garantissait en principe les mêmes droits aux Tchèques et aux Slovaques, mais ce n'est qu'à partir du 1er janvier 1969 que les deux Républiques disposèrent de la même représentation au sein de l'Assemblée fédérale. Ce fut d'ailleurs la seule réforme décentralisatrice adoptée pendant « le Printemps » qui survécut. Dans les faits, les années 1970 furent marquées par une recentralisation autour du PCT, seule la proportion de Slovaques dans les instances suprêmes augmenta. Les Slovaques – un tiers de la population – détenaient la moitié des postes gouvernementaux.

la Slovaquie qui, de surcroît, resta en grande partie fidèle à l'Église catholique.

Conscient de cette carence de mythes communs, le régime socialiste tenta d'y remédier grâce à une ambitieuse politique de réhabilitation du folklore. Les costumes traditionnels refirent brusquement leur apparition dans les villes et les villages qui les avaient depuis longtemps remisés dans les musées. Un peu partout apparurent des festivals folkloriques, des musées en plein air ouvraient leurs portes et on insufflait une nouvelle vie aux plus anciennes traditions de chaque village. Pas un mois de l'année qui n'ait vu l'annonce d'un concours de chansons folkloriques.

Les écrivains se devaient de participer à cet effort collectif en créant une littérature populaire. Une faible proportion de ce qui fut écrit pendant cette période a survécu. Ces chansons et ces romans, aujourd'hui qualifiés de kitsch, sont allés rejoindre les autres attributs classiques des régimes socialistes : portraits géants des chefs communistes et statues à la gloire du prolétariat. Pourtant, pour la plupart des artistes, qui devinrent par la suite très critiques à l'égard du régime, le mouvement folklorique fut un tremplin. Quoi de mieux qu'une chanson populaire, ou qu'un conte, dans lesquels les personnages sont volontairement très typés,

retour aux traditions : « Personne n'a autant fait pour notre art populaire que le gouvernement communiste. Il a consacré des sommes colossales à la création de nouveaux ensembles. La musique populaire, violon et *cymbalum*, fut tous les jours au programme de la radio. Les chants moraves ont envahi les universités, les fêtes du 1er Mai, les sauteries des jeunes, les galas officiels. Non seulement le jazz disparut complètement de la surface de notre patrie, mais il symbolisa le capitalisme occidental et ses goûts décadents. La jeunesse délaissa le tango comme le boogie-woogie, et préféra danser la ronde en chœur, les mains posées sur les épaules

voire caricaturaux, pour que insensiblement, chacun commence à y voir une farce du pouvoir. Au point que ce qui devait être l'instrument de la culture officielle devint progressivement l'un des hauts-lieux de la critique du pouvoir. Et bien des artistes qui s'y sont illustrés jouissent encore d'une grande popularité.

Dans son roman *La Plaisanterie*, Milan Kundera décrit ainsi les sous-entendus idéologiques qui se dissimulaient derrière ce

A gauche, concert de fanfare donné depuis l'ancien hôtel de ville de Prague ; ci-dessus, traditionnelle ou classique, la danse est un spectacle très apprécié des Tchèques comme des Slovaques.

des voisins. Le parti communiste s'appliquait à créer un nouveau style de vie. Il s'appuyait sur la fameuse définition qu'avait donnée Staline de l'art neuf : un contenu socialiste dans une forme nationale. Cette forme nationale, rien ne pouvait la conférer à notre musique, à notre danse, à notre poésie, sinon l'art populaire. » Ces lignes auraient pu s'appliquer à n'importe quel pays socialiste : pas un en effet qui n'ait largement misé sur le tandem sport-folklore.

Cette remise en valeur du patrimoine culturel local a partiellement survécu à la chute du régime socialiste. Encouragées par le tourisme, certaines régions continuent d'accueillir de grands festivals folkloriques :

Stráznice, dans l'est de la Moravie, ou Vychodna, en Slovaquie. En juillet, Vychodna est le point de ralliement des nombreuses formations musicales slovaques qui perpétuent l'usage des instruments traditionnels : la cornemuse (*gajdy*), le violon local, le tympanon, le pipeau (*píšt'ala*) et les puissants *fujara* des bergers (des instruments à vent médiévaux, à double hanche, de la catégories des hautbois).

Des groupes de danse exécutent de vieilles danses telles que le *chorodový*, une danse villageoise pour les femmes, ainsi que le *kolo*, le *hajduch*, le *verbunk*, le *čardaš*, la polka et le *odzemok*, la danse traditionnelle des ber-

tion y était en majorité hostile. Un grand nombre parmi les Slovaques s'interrogent sur les avantages de la séparation, au moment même où l'Europe tente de s'unir plus étroitement. Ils regardent en arrière, à l'époque où la Tchécoslovaquie possédait une économie parmi les plus performantes d'Europe, forte de sa main-d'œuvre qualifiée, de son solide tissu industriel composé à la fois de PME et de grandes entreprises et dont le fabricant de chaussures Bat'a (prononcer Batia) était le symbole.

Depuis, la marque n'a jamais cessé d'être pour les Tchécoslovaques synonyme de libre entreprise et de réussite économique.

gers. L'interprétation des chansons de Janošik constitue un des temps forts du spectacle. Elles relatent les exploits d'un personnage contemporain des invasions turques, à la fois brigand et héros populaire.

Nostalgie...

Pourtant, beaucoup de citoyens tchécoslovaques ne se reconnaissent pas dans les luttes d'influence qui ont été menées en leur nom depuis un demi-siècle. On peut en effet s'étonner qu'une décision comme la séparation de deux pays n'ait pas fait l'objet d'un référendum. Sans doute parce que de nombreux sondages ont montré que la popula-

Preuve des enjeux cristallisés autour de cette entreprise, en 1949, les communistes rebaptisèrent Gottwaldov la ville où est installé son siège. Celle-ci, vient, il y a peu, de retrouver son nom d'origine Zlín.

Le difficile retour à l'économie de marché

De 1990 à 1991, le pays fonda d'abord de grands espoirs sur les investissements étrangers. Or l'industrie tchécoslovaque attira des capitaux mais pas dans les proportions attendues. C'est dans ce contexte que fut lancé un programme très ambitieux proposant à chacun d'acheter des actions (des coupons) des entreprises privatisées. L'énorme succès de cette mesure (8,5 millions de Tchécoslovaques achetèrent un livret de coupons) décupla la popularité de son auteur, Václav Klaus, ministre de l'Économie et ardent partisan de l'économie de marché. Malgré cet appel massif à l'épargne populaire, la situation économique des deux républiques commença par se détériorer. De décembre 1990 à décembre 1991, les prix à la consommation augmentèrent de 52 % en République tchèque et de 58,2 % en Slovaquie. La production des entreprises de plus de cent salariés a enregistré une chute de 24,4 % en République tchèque et de 25,4 % en Slovaquie. En janvier 1992, le chômage frappait 4,4 % de la population active en République tchèque et 12,7 % en Slovaquie. Ce phénomène relativement inconnu des économies socialistes était le premier sujet d'inquiétude des Tchèques et des Slovaques.

La privatisation de l'économie se poursuivit mais de manière inégale selon les secteurs. Le secteur privé représentait 14,5 % de la production industrielle, 46 % du bâtiment, 66 % de la vente au détail et seulement 9,4 % de l'agriculture, soit 25 % du PIB. A la fin de 1992, il était clair que la reprise escomptée (notamment par les partisans de la séparation) n'avait pas eu lieu.

Un an après, le bilan

Sur le plan économique, les succès tchèques et les difficultés slovaques ne sont pas vraiment une surprise. La République tchèque a ramené son taux de chômage à 3,2 % (le plus bas d'Europe), et son secteur privé (44 % du PIB), fort des capitaux allemands, est en pleine expansion, au point que le Premier ministre tchèque, Václav Klaus, a récemment demandé une pause aux investisseurs étrangers (2,7 milliards de francs sur les neuf premiers mois de 1993) le temps d'achever le programme de privatisation.

L'avenir économique de la Slovaquie s'annonce plus sombre. Le taux de chômage atteint 13,5 % ; l'inertie structurelle de ses grands combinats industriels (notamment dans le domaine de l'armement) limite les

A gauche, bonne humeur et entrain chez ces danseuses d'un festival folklorique en Slovaquie ; à droite, en souvenir du passé, deux jeunes Tchécoslovaques exhibent des cartes des Jeunesses socialistes.

possibilités de reconversion et n'attire guère les investisseurs étrangers qui n'ont d'yeux que pour Prague. A cela s'ajoute un climat politique qui n'offre pas toutes les garanties de stabilité, le gouvernement de Vladimir Meciar ayant tendance à calmer les débordements nationalistes par des mesures discriminatoires à l'encontre de l'importante minorité hongroise. La personnalité de Václav Havel, président de la République tchèque depuis janvier 1993, joue au contraire un rôle déterminant dans la confiance dont jouit le gouvernement de Prague.

Second constat, plus surprenant celui-là, malgré soixante-quatorze ans de vie commu-

ne, les deux nations semblent aujourd'hui totalement indifférentes l'une à l'autre. Quelques contentieux – le partage des équipements militaires, les questions douanières et l'endettement de la Banque nationale slovaque à l'égard de son homologue tchèque – avaient d'abord tendu leurs relations, puis l'indifférence a fait place à l'inimitié. L'histoire séculaire a repris le dessus. En pays tchèques, Bohême et Moravie, les regards sont tournés vers l'Ouest et le grand voisin allemand, tandis que la Slovaquie joue son destin à l'Est. Mais le chancelier autrichien Metternich ne disait-il pas que l'Orient commençait au bout de sa rue, à soixante kilomètres de Vienne, à Bratislava ?

LES MINORITÉS

Les Allemands

Des cinq traités qui réglèrent le premier conflit mondial, les traités de Saint-Germain (10 septembre 1919) et de Trianon (4 juin 1920) furent ceux qui transformèrent le plus profondément la carte de l'Europe. Ils entérinèrent le démantèlement de l'Empire austro-hongrois au profit de la Pologne, de la Yougoslavie et de la Tchécoslovaquie. Les revendications territoriales des patriotes tchèques et slovaques furent satisfaites au-delà de toute espérance. Mais cette abondante dotation comportait également bien des risques. Le jeune et fragile État tchécoslovaque allait devoir affronter les menaces d'éclatement liées aux différentes nationalités rassemblées entre ses frontières.

Sur une population totale de 13,6 millions d'habitants, seulement la moitié étaient tchèques, un peu plus de 2 millions slovaques, 750 000 hongrois, vivant en Slovaquie, 100 000 polonais, établis dans la région frontalière de la Silésie et pas moins de 500 000 ukrainiens installés en Ruthénie subcarpatique. La plus importante « minorité » (1,5 fois plus nombreuse que les Slovaques) demeurait donc les 3,2 millions d'Allemands vivant dans l'ouest et le nord de la Bohême, le sud de la Moravie et les montagnes des Carpates. Enfin, composante indissociable de l'histoire tchécoslovaque : l'importante communauté juive (plus de 100 000 individus) établie dans cette partie de l'Europe depuis des siècles. Or la loi n'autorisait l'usage d'une langue autre que le tchèque et le slovaque devant les tribunaux et la justice qu'aux minorités représentant au moins 20 % de la population d'un district, mesure qui n'était guère de nature à satisfaire des communautés qui occupaient une place importante dans l'économie nationale.

La Tchécoslovaquie est aussi une terre d'exil – le solde migratoire reste légèrement négatif. Outre les petites communautés slovacophones de Yougoslavie (80 000 personnes), de Hongrie (115 000 personnes) et de Roumanie, il existe une importante communauté tchécoslovaque aux États-Unis (300 000 personnes à Chicago, des dizaines de milliers à Cleveland, Pittsburg, etc).

A gauche, costume traditionnel allemand de Vyškov, en Moravie ; à droite, le grand rabbin Rapport, vers 1840.

A la colonisation interne par les Slaves succéda au XIIIᵉ siècle un puissant mouvement de colonisation externe. Un grand nombre de paysans allemands s'installèrent en Bohême et en Moravie. Le roi de Bohême par l'intermédiaire de ses représentants, les « locateurs », incitèrent ces colons à déboiser, assécher, irriguer puis à occuper de nouvelles terres. L'établissement de marchands allemands contribua également à l'essor de bon nombre de villes, comme par exemple Olomouc. Troisième cas de figure : les communautés allemandes qui se développèrent

autour des bassins miniers. « Ces curieuses greffes germaniques dont le rôle historique a été immense » (Fernand Braudel) ne sont d'ailleurs pas propres à la Tchécoslovaquie, on les retrouve jusqu'en Transylvanie. Dès lors, rien d'étonnant à ce que de nombreuses villes comme Ceské Budejovice (Budweis) offrent toutes les caractéristiques architecturales (places rectangulaires, tracé rectiligne des rues) des villes allemandes.

La région frontalière entre la Bohême et la Bavière a toujours été un lieu d'échanges et de mutuelles influences. Au XVIIᵉ siècle, bien des édifices du sud de l'Allemagne s'inspirèrent des lignes baroques de l'église jésuite Saint Ignatius de Prague. Puis ce fut à la Bavière de donner à la Bohême son plus grand architecte baroque, Christophe Dientzenhofer (1670-1752). Né de l'autre côté de la frontière, cet architecte influencé par l'école autrichienne conçut ses plus belles œuvres à Prague.

Aujourd'hui, de nombreux Tchèques travaillent en Franconie (en Allemagne) où beaucoup de magasins emploient du personnel parlant tchèque afin de faire face à l'affluence des consommateurs venant de l'autre côté de la frontière. Ces bonnes relations connurent cependant une éclipse au cours du XXᵉ siècle. En 1918, le nouveau gouvernement de Prague écartant tout éven-

tchèque et à réprimer l'intelligentsia. De 1939 jusqu'à la fin de la guerre tous les établissements d'enseignement supérieur furent fermés. Dès mars 1939, 5 000 personnes suspectées d'opposition étaient arrêtées. A cette politique brutale de germanisation répondit l'expulsion, en 1946, de 3 millions d'Allemands des Sudètes qui, du jour au lendemain, furent contraints de partir, abandonnant la plupart de leurs biens. On estime à 200 000 le nombre de ces expulsés qui trouvèrent la mort dans cet exode.

Si, aujourd'hui, cette communauté préfère évoquer en idéalisant les jours heureux d'autrefois, la blessure hantait encore suffi-

tualité d'un processus d'autodétermination, les Allemands des Sudètes refusèrent de traiter avec lui. A partir de 1933, ils tournèrent leurs regards vers l'Allemagne et accueillirent favorablement les thèses du national-socialisme. Les accords de Munich signés en septembre 1938 ôtèrent à la Tchécoslovaquie une grande partie de son potentiel industriel et défensif. C'était d'ailleurs le but recherché par Hitler qui craignait cette puissance – et ses alliances avec la France et l'Angleterre – située sur ses arrières. La Bohême et la Moravie devenues protectorats allemands, le statut des nationalités s'inversa. Le programme nazi consistait à germaniser la classe ouvrière

samment les mémoires pour que le président Václav Havel décidât en 1990 de présenter au nom de son pays des excuses officielles pour ce qui s'était passé en 1946. Le porte-parole de l'association des Allemands des Sudètes, Franz Neubauer, accepta de recevoir, en signe de réconciliation, une branche d'olivier. Il ne reste que 55 000 Allemands environ en République tchèque. Désormais, plus que jamais, la coopération entre ces deux pays s'amplifie, tant au niveau régional que national. Symbole de ce rapprochement, trois villes – Jelenia Gora, située sur le versant polonais des Krkonoše, Liberec (Reichenberg), dans le nord de la Bohême et Zittau, en Lusace allemande – ont décidé de conjuguer leurs efforts pour un mutuel développement.

Les Hongrois

En Slovaquie, la situation des minorités semble nettement moins favorable. Les 600 000 Hongrois de Slovaquie (11 % de la population) redoutent en effet que le renouveau de la conscience nationale slovaque ne se traduise par une marginalisation des minorités, qui deviendraient de fait des citoyens de deuxième catégorie. Les Tchèques ne pouvant plus être tenus pour responsables des difficultés que connaît le

territoriale autonome –, qui plus est, rattachée à la Hongrie. A cela il faut ajouter que la perspective de mise en chantier du projet Gabcikovo (construction d'un barrage sur le Danube), nécessitant le déplacement de populations hongroises, a contribué à dégrader les relations entre les deux communautés.

Les Tziganes (ou Roms)

Si les minorités hongroise, polonaise ou ukrainienne peuvent se tourner vers la mère patrie, les Tziganes ne doivent attendre de soutien d'aucun pays. Pour le meilleur et, le

pays, les Hongrois craignent d'être pris pour des boucs émissaires. De leur côté, les Slovaques redoutent que la minorité hongroise ne réclame son autonomie. A deux reprises, en 1938 et 1939, la Hongrie, alors l'alliée de l'Allemagne, avait annexé des territoires situés au sud de la Slovaquie.

Déjà affaiblie par la séparation de 1993, la Slovaquie verrait comme une humiliation la création d'une enclave hongroise dans le sud du pays – les élus magyares du sud de la Slovaquie réclamant la création d'une zone

A gauche, les entrepôts de bière Salzmann à Liberec, dans les années 1930 ; ci-dessus, une famille de Gitans pique-nique.

plus souvent, pour le pire, leur sort dépend uniquement de l'attitude qui prévaut à leur égard dans leur pays d'accueil. Or, depuis 1989, la situation du million de Tziganes qui vivent entre les frontières de l'ex-Tchécoslovaquie s'est dégradée. Dans les villes où les communautés tziganes sont importantes, Ostrava en Moravie, Teplice et Most dans le nord de la Bohême, ou à Zizkov, une banlieue de Prague, les responsables tziganes , les *cikani*, sont quotidiennement confrontés à la haine.

A l'époque de la première République, le président Masaryk encouragea les Tziganes à quitter l'est de la Slovaquie pour venir s'établir dans les grands centres industriels de Bohême dont le développement nécessitait de la main-d'œuvre. À cette première grande vague d'émigration s'en ajouta une seconde consécutive à l'expulsion, en 1946, des Allemands des Sudètes. De grandes communautés de Tziganes y vivent encore, mais la situation économiques a profondément changé. Sans emplois, leurs conditions de vie se sont dégradées. Tchèques et Slovaques prétendent que la présence des Tziganes engendre systématiquement une criminalité plus forte. Les autorités tentent de contenir cette montée d'hostilité, mais bien peu de chose est fait pour en soigner les causes. Seulement une poignée de personnes apportent une aide sociale aux milliers de Tziganes qui ont trouvé refuge dans la capitale.

Les Juifs

L'inauguration, à l'automne 1990, d'une modeste plaque commémorative dans le village de Bánovce mit la Slovaquie en effervescence. Deux semaines après la cérémonie, le Premier ministre Marian Calf faisait retirer la plaque, invoquant l'image de marque de la Slovaquie dans le monde. La plaque rendait hommage à la mémoire de Josef Tiso qui, en 1939, avait déclaré l'indépendance de la Slovaquie, placée sous la protection de l'Allemagne nazie. Tiso fut directement impliqué dans l'extermination des Juifs de Slovaquie. A l'automne 1942, 58 000 Juifs slovaques furent déportés, sur les 135 000 Juifs qui vivaient dans le pays, un tiers survécut. Mais l'incident ne fut pas clos par le retrait de la plaque de Bánovce, nationalisme et antisémitisme étaient alors en Slovaquie en pleine résurgence. En mars 1991, à l'occasion d'une visite du président Havel, 7 000 partisans de Tiso manifestèrent pour l'indépendance de la Slovaquie et lancèrent des slogans antisémites.

Ainsi que le souligne Fernand Braudel, le sort des Juifs dans l'Europe chrétienne fut étroitement lié à la conjoncture économique et politique. En phase de croissance, ce sont ces artisans industriels qui contribuent largement à la prospérité des villes et ils sont tolérés voire protégés. En revanche, en phase de crise, les rois puisent sans retenue dans les richesses de cette communauté vulnérable ou les sacrifient pour des motifs politiques ou religieux. Ainsi, rompant avec les persécutions du XIe siècle, le roi Otakar II avait invité les Juifs allemands à s'installer à Prague.

En 1648, leur dévouement à la défense du pays contre les Suédois leur valut des louanges publiques, mais un siècle plus tard, en 1744, l'impératrice Marie-Thérèse tenta de les chasser du royaume pour des motifs religieux. Son fils Joseph II, soucieux de moderniser l'économie dans laquelle les Juifs tchèques jouaient un rôle considérable et attentif aux protestations que cette mesure avait soulevées en Angleterre et aux Pays-Bas, revint sur cette décision. Mais il fallut encore un siècle pour que la loi leur reconnaisse l'égalité des droits. L'apaisement de l'intolérance religieuse et la prospérité économique allaient contribuer à enraciner plus profondément que jamais la communauté juive dans l'Empire austro-hongrois, dont elle adoptait la langue, l'allemand, et le mode de vie. Avant la Seconde Guerre mondiale, les Juifs formaient le noyau de l'élite libérale praguoise.

Le génocide

Lorsque les troupes allemandes entrèrent dans Prague, 56 000 Juifs habitaient la capitale. A la fin de 1939, alors qu'Adolf Eichmann avait pris la direction du tristement célèbre Office central pour l'émigration des Juifs, seulement 19 000 d'entre eux étaient parvenus à émigrer en Palestine, les autres ayant été déportés vers le camp de concentration de Terezín, avant d'être dirigés vers les camps d'extermination.

Les autorités allemandes créèrent également un organisme destiné à recueillir puis à vendre les biens des Juifs déportés. L'ensemble des objets réunis – objets du quotidien ou destinés au culte, livres, œuvres d'art, etc. – formaient un ensemble sans doute unique au monde. Avec la disparition, à la fin de la guerre, de cette collection, c'est une composante essentielle de la mémoire des pays d'Europe centrale qui a été perdue. A la synagogue Pinkas de Prague, une plaque commémorative rappelle que 77 812 Juifs périrent en l'espace de dix ans. Parmi les milliers de Juifs qui revinrent à Prague après la guerre, la moitié émigrèrent au cours des vingt ans qui suivirent, fuyant l'antisémitisme qui sévissait dans les pays du bloc socialiste (interdiction de pratiquer le culte et d'étudier l'hébreu, arrestation de militants juifs).

A droite, les Gitans des villes trouvent difficilement du travail et un logement.

LE MONDE RURAL

Depuis des siècles, l'agriculture tchécoslovaque était parmi les plus productives d'Europe. Le blé tchèque (mais également le beurre et le saindoux) s'exportait par voie de terre vers les pays alpins ou descendait l'Elbe vers les provinces allemandes. La vigne fit même son apparition au XIVe siècle – on compta jusqu'à 20 000 ha de vignobles dans la seule Bohême – avant d'être définitivement supplantée par le houblon au XVIIIe siècle. La révolution industrielle ôta beaucoup de bras aux campagnes tchèques et, malgré l'union avec la Slovaquie, essentiellement agricole, l'agriculture n'occupait plus dès l'après-guerre qu'une place secondaire dans l'économie tchécoslovaque. Mais cette faible importance relative ne doit pas cacher que l'agriculture slovaque figure parmi les plus productives d'Europe de l'Est.

L'ère des réformes

En avril 1919, le gouvernement de Masaryk lança la première réforme agraire, expropriant et redistribuant 1,2 million d'hectares de domaines appartenant à de grands propriétaires principalement autrichiens et hongrois. En juin 1945, les communistes entreprirent à leur tour le démantèlement des grands domaines allemands et hongrois et redistribuèrent 1,7 million d'hectares. Puis ils menèrent une politique de remembrement visant à combiner les parcelles mitoyennes pour en faire des pièces d'un seul tenant, faisant disparaître au passage talus et bordures. Contrairement à la Pologne, pratiquement la totalité de l'agriculture tchécoslovaque fut collectivisée (le premier plan quinquennal 1949-1953). Un tiers des terres cultivables furent allouées à des fermes d'État, le reste revint à des coopératives locales. Le monde rural et ses réseaux étant considérés par l'idéologie communiste comme le socle du conservatisme, les autorités s'attaquèrent en priorité

Pages précédentes : une ferme dans le nord de la Moravie, avec en arrière-plan les contreforts des Beskides. A gauche, des potirons et des épis de maïs dignes du palmarès d'un salon de l'agriculture ; à droite, un paysan slovaque rentre son foin.

aux koulaks (exploitants agricoles possédant plus de 50 ha), n'hésitant pas à user de la force.

Jusque-là, trois hommes conduisaient les affaires locales : le maire, l'instituteur et le curé de la paroisse. Les communistes s'attachèrent à faire disparaître ce mode de vie traditionnel au profit d'une organisation centralisée. Les petites communautés passèrent sous le contrôle de villages plus importants, centralisant les investissements. Les postes clés jusqu'alors occupés par les personnalités locales les plus respectées, échurent désormais à des hommes membres du parti ou appuyés par lui. Dans quelques

régions seulement, la Slovaquie, le sud de la Moravie, les prêtres réussirent à conserver une certaine autorité. L'éducation religieuse fut naturellement interdite. Les signes du déclin de l'Église en milieu rural se lisent dans l'état de dégradation de beaucoup d'édifices religieux et dans le vieillissement du clergé. L'influence de l'instituteur déclina à mesure que des centaines de petites écoles furent fermées au profit d'établissements plus grands.

Le goût des communistes pour les villes – supposées incarner les vertus du collectivisme – les conduisit même à transformer en villes, parfois artificiellement, de nombreux villages. Nombre d'entre eux virent ainsi s'élever d'ostentatoires maisons de la culture, où, durant l'hiver, on donnait des bals, des soirées musicales ou culturelles, et où, à l'occasion, des musiciens réputés venaient jouer. L'entretien et l'utilisation de ces vastes édifices sont devenus un vrai casse-tête financier pour les autorités locales. D'autant que depuis quelques années les loisirs individuels, à la maison, c'est-à-dire bien souvent la télévision, se sont imposés au détriment des loisirs collectifs.

Pourtant quarante ans plus tard, la perspective d'un retour en arrière ne semble guère soulever l'enthousiasme. Les salariés des coopératives recevaient une rémunéra-

reste le lourd et encombrant matériel soviétique et est-allemand, inutilisable sur des surfaces plus petites et incompatible avec de nouvelles méthodes agricoles.

A la recherche du passé

Malgré ces sombres perspectives, les régions rurales, avec leurs villages reliés les uns aux autres par des routes bordées d'arbres, continuent de séduire les visiteurs. On y assiste encore à des scènes qui rappellent les tableaux champêtres des maîtres des XVIIIe et XIXe siècles : des canards qui se dandinent en traversant la route, des chiens étendus

tion fixe qu'ils pouvaient confortablement augmenter en travaillant sur de petits lopins privés. Cette situation leur offrait la sécurité et le moyen (indispensable dans des économies perpétuellement perturbées par des pénuries alimentaires) d'obtenir le « superflu ». Qui voudrait renoncer à ces avantages pour travailler, à ses risques, une terre exsangue, épuisée par quarante ans d'exploitation irresponsable. Ces déséquilibres seront longs à résorber, et la République tchèque comme la Slovaquie doivent continuer de produire tout en préservant les conditions d'un retour à des taux de fertilité satisfaisants. Or ces pays ne disposent pas de la technologie adaptée à ces objectifs. Il leur

paresseusement sur le pavé chaud des cours, et des poules qui grattent méthodiquement le sol des talus. Mais pour découvrir ce monde intact, il vous faudra quitter la route principale et vous engager sur de mauvaises voies en lacets, creusées de nids-de-poule et coupées de petites mares.

Malheureusement, l'aspect extérieur de nombreuses maisons traditionnelles s'est dégradé et l'apparition à leur côté de bâtiments récents assez laids n'a rien arrangé. Dans les régions les moins développées, comme le sud de la Bohême, est apparue une architecture rurale assez particulière. Ce sont en effet des citadins, propriétaires de maisons de campagne, qui ont, les premiers, pris conscience de la nécessité de sauvegarder les élégantes charpentes des maisons et des fermes d'autrefois, les villageois n'hésitant ni à les démolir, ni à s'en servir pour d'autres usages.

Le voyageur qui souhaite découvrir les joies et les beautés de la campagne doit néanmoins s'attendre à certaines difficultés d'intendance en plus des mauvaises routes. Là où dans le passé, vous trouviez plusieurs restaurants et tavernes, aujourd'hui vous risquez d'en trouver au mieux un et pas nécessairement en mesure de vous offrir un repas chaud. Ne vous plaignez pas trop si l'on vous sert du porc, du chou et des boulettes de

Vie domestique

Si la cuisine demeure le centre et l'âme de la vie quotidienne, son aspect extérieur a fait quelques concessions à la modernité. Des éléments de cuisine ont remplacé le vaisselier et la cuisinière à bois ou à charbon en fonte recouverte de porcelaine a laissé la place à une cuisinière à gaz. Les ustensiles de cuisine en plastique chassent inexorablement leurs homologues de bois et de métal. Enfin, toutes ces innovations s'agencent autour du maître des lieux, l'énorme congélateur, que l'on remplit chaque été de fruits, de porc, de lapins et de volaille. Le soir venu

pâte, car dans bien des cas le patron n'a que quelques saucisses, de la viande froide, ou du goulash en boîte. Il faut également savoir qu'il existe très peu de petits hôtels familiaux et de chambres d'hôtes, les établissements les plus répandus appartenant à des coopératives de consommateurs. Mais la privatisation de l'économie et l'essor du tourisme vont sans doute faire naître de nouveaux équipements hôteliers.

A gauche, la production de fruits et légumes sur des lopins de terre privés a longtemps pallié les carences d'une agriculture collectivisée ; ci-dessus, de retour du marché sur les pentes des Hautes Tatras.

seulement, la famille se transporte vers la salle de séjour discrètement décorée d'étagères faites à la maison, de quelques meubles sans goût datant du socialisme, de photographies, parfois d'un crucifix ou d'un portrait de la Vierge. La place de choix est naturellement réservée au symbole par excellence de la prospérité : le poste de télévision couleur.

Si autrefois plusieurs générations vivaient ensemble à la ferme, ce cas de figure est aujourd'hui plutôt rare. Il est fréquent de voir des maisons dont un étage est totalement inoccupé. Les jeunes couples tentent d'échapper le plus tôt possible au contrôle de leurs parents en faisant construire leur propre maison ou en s'installant dans la ville voisine. Seules les vacances et les grandes réunions de famille redonnent au foyer son animation d'antan.

Finalement, comme un peu partout en Europe, la seule façon de se faire une idée du mobilier rustique tchécoslovaque, c'est encore de visiter les résidences secondaires des citadins qui, bénéficiant déjà du confort moderne, vouent une passion aux vieux objets, cuisinière, coffres et tiroirs décorés à la main, qu'ils restaurent avec soin. Ils sont prêts à dépenser des « fortunes » pour acquérir des tasses, des cruches, des pots, des barattes à beurre et des rouets. De

même, on trouvera dans le jardin, devant la maison, de vieilles roues de charrettes et parfois même des répliques de charrues d'avant-guerre. Et si cette recherche de l'authentique a quelque chose d'artificiel, elle témoigne en tous cas du souci de préserver un passé, que les vicissitudes de l'histoire ont ailleurs fait totalement disparaître.

Le retour à la campagne

Comme un peu partout en Europe, les forêts situées à proximité des villes accueillent, chaque week-end, des citadins qui viennent y oublier les contraintes de la vie moderne. Dans les années qui suivirent

la guerre, les habitations des Allemands expulsés furent prises d'assaut. Ce fut le début d'une ruée vers les campagnes qui obligea le gouvernement à intervenir. Pour mettre un terme au développement anarchique des *chalupy* (des petites fermes) et des *chaty* (des cottages), il définit limitativement les zones constructibles. A l'époque, les nouveaux propriétaires devaient se contenter de petites maisons préfabriquées, ce qui explique leur apparence uniforme. Mais avec la crise du logement et l'austérité du régime communiste, ce phénomène s'amplifia et certaines zones atteignirent une telle densité d'habitations que l'administration dut restreindre les conditions d'accès à la propriété.

Déjà, dans les années 1920, des groupes de jeunes anarchistes, issus pour la plupart des milieux défavorisés de la société tchèque et hostiles au mode de vie capitaliste alors en pleine expansion, s'installèrent à la campagne afin d'y mener une existence radicalement différente. Chez ces pionniers d'un idéal fondé sur le retour à la nature et à la fraternité, il est tentant de voir une résurgence de l'utopie taboriste. Et même si cette expérience ne dura qu'un temps elle a, semble-t-il, influencé le comportement des Tchécoslovaques. En effet, si presque personne ne songe vraiment à se passer du confort moderne, la nostalgie pour un mode de vie passé demeure.

Pour beaucoup de Tchèques, la *chalupa* forme le véritable centre de la vie familiale. Au fil des années, ce qui n'était bien souvent qu'une modeste hutte est devenu une résidence confortable, et le rêve de s'y retirer un jour est devenu réalité. Champignons et mûres abondent dans les bois voisins ; viande et légumes sont généralement apportés de la ville et la bière s'achète à la taverne du village. Derrière chaque maison se trouve un tonneau de bonne taille destiné à recevoir les fruits dont le jus une fois fermenté et distillé donnera la *slivovice*, une eau de vie indispensable aux longues journées d'hiver. La production privée de cet alcool est strictement interdite par la loi, mais que serait la vie pour les Tchèques s'ils ne manifestaient pas de temps à autre leur esprit d'indépendance ?

A gauche, toiture en bulbe d'oignon typique de l'architecture rurale tchécoslovaque ; à droite, le porc vient au premier rang de l'élevage.

L'ENVIRONNEMENT

Tchèques et Slovaques n'ont pas attendu les événements de 1989 pour prendre conscience de l'état de dégradation avancé de leur environnement. Parmi les dix pays les plus industrialisés du monde dans les années 1980, la Tchécoslovaquie a construit son développement industriel sur l'utilisation de ressources énergétiques extrêmement polluantes (le charbon et la lignite) sans se soucier d'en diminuer les effets nuisibles. Mais son cas n'est pas isolé, l'accident de

fumées industrielles, le plus grave danger écologique en Tchécoslovaquie, sont-elles encore considérées comme le symbole du progrès. Le constat est pourtant sans appel : on estime qu'au rythme actuel, en l'an 2000, la pollution de l'air aura détruit ou gravement endommagé 70 % des forêts en République tchèque et 40 % en Slovaquie.

La pollution atmosphérique

Elle est principalement provoquée par les dégagements des centrales thermiques (charbon et lignite fournissent les deux tiers de la production d'énergie) composés

Tchernobyl et les menaces qui pèsent sur de nombreuses autres installations nucléaires d'Europe de l'Est sont là pour le rappeler.

La question est maintenant de savoir si les nouveaux dirigeants du pays vont, ou non, intégrer les aspects environnementaux dans leur politique industrielle ? Le projet de canalisation du Danube destiné à alimenter la centrale électrique de Gabcikovo (dans le sud de la Slovaquie) semble prouver le contraire. En effet, ce projet, décrit comme une catastrophe écologique par un grand nombre d'experts internationaux, n'a pas été remis en question par le nouveau gouvernement slovaque. Mais en matière d'environnement les vieux mythes ont la vie dure. Les

d'oxydes de soufre, de carbone, d'azote et de métaux lourds.

Le nord-ouest de la Bohême (la région de Most) est la zone la plus touchée par ces fumées. Tous les seuils de tolérance y sont largement dépassés et les experts n'hésitent plus à parler de catastrophe. La région abrite une grande partie des ressources en lignite du pays et des mines à ciel ouvert sont extraits 70 % de la production tchèque. La plus grande partie de ce lignite, très riche en soufre, est brûlé sur place dans des centrales thermiques qui fournissaient un tiers de la production tchécoslovaque d'électricité. Ces activités ont transformé la région de Most en un paysage lunaire stérile dont la réhabilitation, si elle est entreprise, nécessitera bien des années. Dans l'immédiat, aucune de ces installations n'est équipée de filtres contre les rejets de soufre et la population locale est constamment exposée à ces fumées toxiques. Les experts ont établi que l'espérance de vie moyenne était dans cette région de cinq ans inférieure au reste de la Tchécoslovaquie. Dans certaines villes particulièrement touchées, les autorités ont distribué des masques aux enfants afin de les protéger contre les gaz les plus toxiques. Enfin, il ne fait plus aucun doute que les émissions de soufre sont à l'origine des pluies acides qui détruisent des forêts situées sur les pentes des Ore et des Krkonoše.

Le bassin minier de Moravie du Nord, autour des villes de Ostrava et Karvina, vient en deuxième position des régions menacées. A Ostrava, l'industrie lourde (sidérurgie et métallurgie lourde) s'est implantée au début du siècle dernier et depuis, les fours à coke crachent d'épaisses fumées noires.

Prague et son agglomération constituent la troisième zone à risques. Les fumées industrielles (centrale thermique à Melnik, pétrochimie à Kralupy, etc.) et les gaz d'échappement des véhicules (la plupart très anciens) forment une couche de brouillard suspendu au-dessus de la ville. Depuis 1993, les voitures neuves doivent être équipées d'un pot d'échappement catalytique, mais cette mesure n'a pas d'effet sur la pollution existante. Lacs et rivières n'ont pas non plus été épargnés, au point que l'Elbe est considéré comme le fleuve le plus sale d'Europe. Pratiquement aucune des villes implantées le long de son cours ne dispose d'équipements de retraitement des eaux usées.

Développement économique et protection de l'environnement

En dépit du bond en avant économique réalisé par la Slovaquie en trente ans (29 % de la production industrielle nationale en 1981 contre 7,8 % en 1950), le tissu industriel de ce pays, occupé aux quatre cinquièmes par des montagnes, ne peut être comparé aux anciens bassins miniers de Bohême et de Moravie. Les problèmes d'environnement y sont donc nettement moins aigus. Mais la Slovaquie, tout comme la République tchèque, possède un parc de machines obso-

A gauche, le passé et le présent ; à droite, mine de lignite à ciel ouvert à Most.

lètes (la technologie date souvent d'avant guerre), dangereuses pour l'environnement, et ne dispose pas des moyens financiers pour le renouveler. De plus, l'avenir de ces grands combinats pose des problèmes très complexes. En effet, de leur survie dépendent non seulement des centaines de milliers d'emplois, mais des écoles, des hôpitaux et la plupart des équipements collectifs. Or l'expérience des quinze dernières années (en France et en Grande-Bretagne notamment) a montré que ces sites étaient rarement choisis par les investisseurs pour y développer de nouvelles activités. Dans le même temps, les Républiques tchèque et slovaque

sont pour la première fois confrontées à la concurrence économique internationale, et c'est sur ce terrain que les nouveaux régimes démocratiques jouent leur survie.

Le contexte est donc favorable aux projets industriels rentables à court terme même s'ils présentent d'énormes dangers à moyen et long termes. Conscients du coût que représente la protection de l'environnement, les pays occidentaux aident financièrement des projets de sauvegarde du patrimoine naturel tchécoslovaque. Or les deux pays y ont un intérêt non négligeable. En effet, le tourisme est devenu une de leurs principales ressources, et la qualité de l'air et de l'eau est un capital à protéger.

LA VIE RELIGIEUSE

Pendant quarante ans, les Églises, et singulièrement l'Église catholique, ont offert aux Tchécoslovaques des valeurs refuges face aux pressions idéologiques du régime communiste et à une certaine détresse morale. Le retour à la démocratie les a rétablies dans leur rôle d'acteur majeur de la société. Mais, ce renouveau spirituel indéniable cache des situations contrastées. Si l'Église catholique est récompensée de sa fermeté face au régime communiste, les autres confessions doivent faire oublier une certaine compromission. On peut d'autre part se demander si ce regain d'intérêt forgé dans l'opposition survivra au rétablissement des libertés et à la recherche du bien-être matériel.

La visite historique du pape

Presque six siècles après la mort sur le bûcher de Jan Hus, condamné comme hérétique par le concile de Constance, le chef de l'Église catholique consacra une visite à la Bohême natale du prêtre réformateur. Le 21 avril 1990, le pape Jean-Paul II célébra à Prague une messe devant 500 000 fidèles. Le Saint Père fit ensuite l'éloge de Hus, de sa vie exemplaire, de son dévouement en faveur de l'éducation et de l'édification morale du peuple tchèque. Un geste significatif, certes, mais le Vatican n'a jamais eu la réputation de réviser ses positions à la hâte, même lorsque celles-ci sont vieilles d'un peu moins de six siècles. Le pape s'est donc contenté de ne pas écarter l'idée d'une réhabilitation du héros national tchèque. Il a indiqué qu'il appartenait désormais aux experts de se prononcer sur le rôle exact que Hus a tenu dans l'histoire de l'Église.

Le voyage du pape dans ce pays récemment revenu à la démocratie et à la liberté de culte prit les allures d'une procession triomphale. A Velehrad, haut lieu de pèlerinage de Moravie où se trouve la tombe de Méthode, le moine grec évangélisateur des Slaves, il reçut l'accueil enthousiaste de dizaines de milliers de fidèles. Puis ce furent toutes les cloches des églises de Slovaquie

A gauche, le pèlerinage de Levoča (dans les Hautes Tatras) consacré à la Vierge Marie rassemble jusqu'à 150 000 fidèles.

qui sonnèrent l'arrivée de l'avion papal à l'aéroport de Bratislava.

L'Église catholique, hier et aujourd'hui

Conduite par les archevêques de Prague, les cardinaux Beran puis Tomasek, l'Église catholique joua, après la rupture de 1949, un rôle déterminant dans l'opposition au régime communiste. Mais cet engagement aux côtés de l'opposition, l'Église l'a payé d'un lourd prix, et le bilan des années de répression, peut-être la plus dure du bloc de l'Est, est inquiétant. En effet, l'État socialiste frap-

d'actions tant dans le domaine spirituel, diffusion de publications interdites ou organisation de cours de théologie, que sur le plan politique et social. Ses membres formaient une congrégation conduite par un prêtre secrètement ordonné, qui célébrait la messe au cours de « marches en montagne ». Le nombre de ces prêtres clandestins est estimé à deux cent soixante. La hiérarchie les reconnaît officiellement comme prêtres même si certain d'entre eux ont, au cours des années, négligé quelques-uns de leurs vœux, notamment en se mariant. Il reste que leur future position au sein de l'Église pose quelques problèmes.

pa l'Eglise non seulement dans ses forces vives, en envoyant de nombreux prêtres en prison, ou en les privant de ressources, mais également dans ses racines, interdisant pratiquement toutes les congrégations et imposant un contrôle très strict sur l'accès aux collèges théologiques. Aujourd'hui, la libéralisation politique et économique engendre bien des déceptions et l'Église doit faire face à de nouvelles missions pour lesquelles elle manque cruellement de jeunes prêtres.

Depuis 1977, une Église « souterraine » s'est développée parallèlement à l'institution catholique officielle. Ce réseau clandestin entretenait d'étroites relations avec les activistes de la Charte 77 et menait une série

Au problème des hommes s'ajoute celui des moyens. La rétrocession à l'Église de ses biens confisqués soulève également bien des difficultés. Beaucoup de monastères sont non seulement dans un piètre état, mais sont encore occupés par des services publics tels que des bibliothèques, ou des archives.

Enfin, lorsqu'il est devenu clair que la Tchécoslovaquie s'acheminait de manière irréversible vers la séparation en deux États indépendants, l'Église catholique a dû faire face à des divergences au sein des clergés tchèque et slovaque. En effet, tandis que la conférence des évêques de Bohême et de Moravie, en accord avec le concile œcuménique des Églises de Tchécoslovaquie, lançait une mise en garde contre la désintégration de la Fédération, la conférence des évêques de Slovaquie mettait davantage l'accent sur les dangers de la politique de privatisation ultra-libérale proposée par Klaus.

Les hussites

Née en 1918, l'actuelle Église calixtine tchécoslovaque (environ 7,5 % de la population de l'ex-Tchécoslovaquie) n'a que des liens lointains avec le mouvement hussite du xve siècle, si ce n'est avec l'idée de créer une Église nationale indépendante de Rome.

Vratislav Stepanek, évoqua les nombreux péchés qui avaient entaché le passé et définit la recherche d'un terrain commun avec l'Église catholique comme la priorité pour l'avenir. Mais l'Église hussite ne renonce pas pour autant aux points forts de son crédo : l'Eucharistie sous les deux espèces, le mariage des prêtres et l'ordination des femmes.

Frères tchèques et protestants

Après la bataille de Lipany, l'Église calixtine comptait encore de nombreux fidèles partisans d'une ligne radicale. Plusieurs groupuscules de fidèles coexistaient mais tous

A la veille de la Seconde Guerre mondiale, elle revendiquait 750 000 fidèles. C'est précisément ce caractère national qui l'a rendue tolérable aux yeux des communistes. Recrutant plutôt dans les milieux populaires, l'Église calixtine a d'abord connu un certain succès en Bohême-Moravie. Mais après la répression du Printemps de Prague son alignement sur le PC l'a profondément discréditée et elle traverse aujourd'hui une crise d'identité. A l'occasion de sa prise de fonction, le nouveau Patriarche des hussites,

A gauche, saint Guy flanqué de Charles IV et de Venceslas IV, sur la tour du Pont de la Vieille Ville ; ci-dessus, le cardinal Tomášek, en 1989.

reconnaissaient l'autorité de Petz Chelčický (1380-1460), installé dans le sud de la Bohême sous la protection des taborites. C'est autour de la communauté des Frères de Chelčický que se forma, en 1457, l'Unité des frères tchèques. Les frères et les sœurs laïcs élisaient eux-mêmes les prêtres qui, à leur tour, désignaient les évêques. Nobles et bourgeois ne pouvaient entrer dans cette communauté qui se voulait rurale et pacifique. En dépit du décret de Tolérance de 1781, l'Unité demeura interdite.

L'Église évangélique des Frères tchèques (1,5 % de la population de l'ex-Tchécoslovaquie) est née en 1918. De leurs lointains aînés, les Frères tchèques ont hérité une profonde conviction progressiste, et il n'est pas étonnant de retrouver Masaryk parmi eux. Après 1948, cette tolérance et ce goût du dialogue conduisirent les Frères tchèques à tenter d'instaurer un dialogue entre chrétiens et marxistes. Le Coup de Prague interrompit ce processus et de nombreux membres de la communauté entrèrent dans le camp de la dissidence et notamment aux côtés de la Charte 77.

L'Église évangélique des Frères de Bohême est dotée d'une constitution presbytérienne dans laquelle l'autorité suprême appartient à un synode général. Elle compte de très nombreux fidèles et hommes et

Orthodoxes et catholiques gréco-byzantins

Depuis de nombreux siècles, l'est de la Slovaquie est le théâtre du conflit qui oppose l'Église orthodoxe à l'Église catholique gréco-byzantine de Slovaquie, également appelée l'Église uniate depuis son rattachement à Rome en 1646. Cette dernière comme ses sœurs d'Ukraine, de Roumanie, et du Moyen-Orient (Irak, Israël, Liban, Syrie) ont pour origine commune l'Église orientale catholique d'Ukraine fondée en 1596. Les prêtres du bas-clergé gréco-byzantin peuvent se marier et président à une

femmes y jouissent des mêmes droits et des mêmes devoirs. Au moment de la chute du communisme, c'est le doyen du synode, Josef Hromadka, qui reçut la double charge de Premier ministre et de ministre du Culte.

Les Tchèques sont fiers d'avoir lancé le mouvement de la Réforme, un siècle avant Luther. Ceci explique que le luthéranisme et le calvinisme (6,5% de la population de l'ex-Tchécoslovaquie) se soient développés en Bohême-Moravie dans des proportions moindres qu'ailleurs, et plutôt au sein de la bourgeoisie. Géographiquement, le luthéranisme domine en pays tchèque, tandis que le calvinisme et le zwinglisme sont mieux représentés en Slovaquie.

liturgie assez proche du rite orthodoxe. En revanche, leur formation théologique, leur engagement dans les combats temporels et leur soumission à l'autorité du pape les rapprochent des prêtres catholiques. L'une et l'autre représente environ 2,5 % de la population de l'ex-Tchécoslovaquie.

Après la Seconde Guerre mondiale, partout où elle existait, l'Église gréco-byzantine fut contrainte de se fondre avec sa rivale orthodoxe, seule reconnue par les autorités communistes. En 1952, tous les biens de l'Église uniate slovaque, pourtant mieux implantée que sa rivale dans cette région, revinrent à l'Église orthodoxe. Le rétablissement de la liberté de culte après le

Printemps de Prague et la loi de 1990 sur la rétrocession des biens confisqués par les communistes ont envenimé les relations entre les confessions, d'autant que si les uniates ont le soutien de Rome, les orthodoxes slovaques peuvent désormais se tourner vers une Ukraine indépendante et orthodoxe.

La religion au quotidien

Les comportements religieux font apparaître une coupure assez nette entre l'est et l'ouest de l'ex-Tchécoslovaquie, entre des régions où l'exode rural et l'industrialisation sont déjà

des phénomènes anciens (la Bohême et dans une moindre mesure la Moravie) et des régions encore fortement rurales et tournées vers l'agriculture.

En République tchèque, les pratiques religieuses, ou l'identification à une Église, sont le fait d'une minorité. En 1980, seulement 4 % des mariages ont été célébrés à l'église et 13 % des nouveau-nés ont été baptisés – ces chiffres reflètent également la difficulté de pratiquer un culte durant cette période. En revanche, 30 % des décès ont donné lieu

A gauche, tableau de Julius Marak représentant la ville de Tábor ; ci-dessus, le monastère de Broumov.

à une cérémonie religieuse, cette proportion soulignant le poids des traditions parmi les générations plus anciennes. Les chiffres obtenus à la même date dans l'est de la Slovaquie décrivent une réalité bien différente : 84 % des mariages célébrés à l'église, 86 % d'enfants baptisés et 92 % de personnes enterrées selon les rites de l'Église. Des statistiques plus récentes confirment d'ailleurs ce constat : 39,2 % de la population des pays tchèques se déclarent catholiques (contre 39,5 % sans religion) et 50 % en Slovaquie.

Vers un compromis ?

Tous les observateurs s'accordent à penser que dans les ex-républiques socialistes, les Églises vont jouer un rôle important dans les choix politiques. Pour autant, la chute du communisme n'a pas restauré ces Églises dans leur puissance d'autrefois et elle devront, comme toutes les forces en présence, tenir compte des nouvelles préoccupations des citoyens. Déjà, des voix s'étaient élevées pour critiquer l'omniprésence de l'Église catholique dans les semaines qui suivirent la Révolution de velours et mettre en garde contre le retour d'un nouveau cléricalisme. On parla même, évoquant les événements de 1620, de « recatholisation ».

En effet, la Bohême est une vieille terre laïque, fidèle par-delà les siècles à la tradition hussite et à son scepticisme à l'égard des doctrines. Marquée par l'absolutisme religieux des Habsbourg, la population conserve une certaine méfiance à l'encontre de l'Église catholique et son autoritarisme, souvent considéré comme incompatible avec les idées démocratiques. Un théologien praguois a qualifié cette opinion fort répandue « d'athéisme doux ». Au total, si les Tchèques se sont rapprochés d'une Église catholique combattante, ils conservent un fond d'anti-cléricalisme lorsqu'il s'agit de lui rétrocéder ses biens. Faisant preuve d'une remarquable compréhension de cet état d'esprit les autorités catholiques ont d'ailleurs tenu des propos très modérés sur la question de la rétrocession à l'Église (le plus riche propriétaire privé du pays) de ses biens confisqués par les communistes. Dans une région qui a toujours posé des problèmes à son clergé, le cardinal n'a pas jugé opportun de réclamer des bâtiments transformés en écoles.

LA MUSIQUE

Peut-on évoquer la musique tchèque sans que, immédiatement, ne se présente à l'esprit le glorieux trio formé par Smetana, Dvořak et Janáček ? Des huit opéras que le fondateur de la musique tchèque moderne, Bedřich Smetana (lire page 93), composa, *La Fiancée vendue* est peut-être l'œuvre lyrique tchèque la plus jouée dans le monde. Cet opéra comique, qui met en scène de simples villageois, contribua, presque autant que le majestueux cycle de poèmes symphoniques *Ma patrie*, à faire connaître la Bohême en Europe. A la génération suivante, Antonín Dvořák, ami de Brahms et directeur du conservatoire national de musique de New York, étendit au monde entier la renommée de la musique de son pays. Contrairement à ses deux illustres prédécesseurs, Leoš Janáček ne connut la notoriété que tardivement (après 1918). Mais c'est sans doute lui qui, avec sa méthode originale d'analyse musicale de la langue parlée, révolutionna le plus profondément la musique tchèque.

Des origines au réveil national

Comparée à ses voisines allemandes et autrichiennes, la musique tchèque ne prit son essor que tardivement. Pourtant, une tradition musicale existait depuis le haut Moyen Age. Dès l'époque du royaume de Grande Moravie, des chants liturgiques en slavon accompagnaient la messe et des chansons profanes divertissaient la cour.

A l'époque de la Réforme, vers la fin du XIVᵉ siècle, les prédicateurs (l'Allemand Waldhauser, ou Jan Hus lui-même) introduisirent des chansons populaires dans la liturgie, comme ce « Dieu tout-puissant » à la mélodie rude que chantaient les foules avant le prêche. Mais la Contre-Réforme brisa cet élan : la cour impériale quitta Prague pour Vienne, beaucoup de nobles – qui entretenaient des formations musicales – périrent ou s'exilèrent, le chant religieux revint aux canons romains.

Pages précédentes : une fanfare à Mariánské Lázně (Marienbad). A gauche, une école de musique à Prague ; à droite, le buste de Mozart de la Villa Betramka.

Au XVIIᵉ siècle, les Italiens mirent la musique instrumentale à la mode. Dans ce domaine, quelques compositeurs tchèques tels que Adam Michna d'Otradovice (1600-1676) et le Morave Pavel Vejvanovský (1640-1693), se distinguèrent par des œuvres très accomplies où se lit encore cependant l'influence de la musique religieuse populaire. Un peu plus tard, la musique retrouva le chemin des châteaux. C'est justement dans l'un d'eux, au château de Jaroměřice, en Moravie, que travailla le grand compositeur baroque F. V. Míča (mort en 1744) dont le talent pour les sonates inspira l'école de Mannheim.

Les musiciens tchèques ne manquaient pas de talent mais de moyens pour l'exprimer et la plupart étaient contraints à l'exil. Tel ce Johann Wenzel Stamitz (1717-1757), compositeur à la cour de l'électeur Karl Theodor, à Mannheim, qui excella lui aussi dans la composition de sonates. Ses fils, ainsi que F. X. Richter (1709-1789), perpétuèrent cette tradition et firent de « l'école de Mannheim » une source d'inspiration pour toute la musique européenne et notamment pour Haydn et Mozart.

Vienne, déjà si riche en talents, attira également les musiciens tchèques. Le violoniste virtuose et chef d'orchestre Pavel Vranický s'y installa et fut choisi par Beethoven pour diriger la première interprétation de *la Première Symphonie*. Jan Leopold Koželuh y connut, dit-on, une réputation d'interprète égale à celle de Mozart. Quant à Jan Václav Hugo Voříček (1791-1825), il y fut le maître incontesté du classicisme tchèque. Georg Benda (1722-1795), l'inventeur du mélodrame scénique, se fixa à Berlin. Par ses opéras, Josef Mysliveček (1737-1781) conquit le public italien, qui le baptisa « il divino Boemo ». Jan Václav Stich et Antonín Rejcha (1770-1836) s'installèrent à Paris.

En dépit de cet exode, la vie musicale tchèque restait dynamique. Un voyageur anglais de passage en Bohême qualifia

même le pays de « conservatoire de l'Europe ». Cette pépinière de talents puisait dans l'abondant réservoir de musiciens régionaux, chanteurs de cantiques religieux, influencés à la fois par le folklore local et les œuvres des maîtres italiens. Parmi ceux-ci, le plus important fut sans doute Jan Jakub Ryba (mort en 1815), instituteur de son état. Nombre de ses compositions se sont perdues mais sa *Messe pastorale tchèque* et son *Noël de Bohême* demeurent parmi les œuvres les plus jouées pendant la saison des festivals.

Le réveil national tchèque – qui coïncida avec le vaste mouvement de renaissance du monde slave – marqua profondément la création musicale tchèque. Indissociable du courant romantique qui lui donna sa forme et son énergie, ce mouvement fit définitivement entrer la musique tchèque dans sa maturité. En 1811, l'Association des artistes musicaux tchèques (créé en 1803) fonda, sur l'exemple parisien, le Conservatoire musical de Prague. En 1823, le premier drame lyrique tchèque, la *Famille suisse*, de Joseph Weigel y était donné. Mais il fallut encore attendre un demi-siècle pour que soit joué le premier opéra authentiquement tchèque, *Les Brandebourgeois en Bohême* de Smetana.

Dvořák

Antonín Dvořák (1841-1904) fit ses débuts de musicien professionnel comme second violon dans l'orchestre de Smetana, à Prague. Il avait pour le maître une immense admiration, que celui-ci récompensa en l'aidant dans son travail de compositeur. Pourtant les partisans de l'un et de l'autre ne cessèrent presque jamais de s'affronter. A l'occasion de la première représentation de *Roussalka*, l'opéra de Dvořák, l'ardent défenseur de Smetana, Zdeněk Nejedlý, écrivit : « Depuis qu'il n'y a plus pour nous d'autre forme de drame lyrique que le drame musical, nous ne pouvons que voir dans *Rusalka* une profonde erreur de conception, et au total un échec. » Nejedlý devint par la suite ministre de la Culture, et contribua largement à la disgrâce dont les œuvres de Dvořák furent victimes dans les années 1950.

Ce sont sans doute ses succès à l'étranger qui lui valurent le plus de critiques dans son propre pays, peut-être parce que cette gloire internationale n'avait pas couronné Smetana de son vivant. Son premier triomphe, Dvořák le connut à Londres où son oratorio, *Stabat Mater*, reçut une ovation, puis ce fut le tour de New York, de Berlin, de Vienne et de Budapest. Son vieil ami et maître Johannes Brahms lui apporta une aide considérable. Il invita, à ses frais, Dvořák et sa famille à Vienne, l'incontournable capitale de la musique, le mit en relation avec le grand éditeur de Leipzig, Simrock, et corrigea lui-même beaucoup de partitions. C'est aussi sa réputation internationale qui lui

A gauche, Antonín Dvořák, le compositeur de la célèbre Symphonie du Nouveau Monde *; à droite, Bedřich Smetana, le musicien préféré des Tchèques.*

SMETANA

Bedřich Smetana (1824-1884) est le compositeur préféré des Tchèques, même si les œuvres de Dvořak, son contemporain de vingt ans plus jeune, connaissent plus de succès sur le plan international. La carrière de ces deux hommes sont d'ailleurs étrangement liées. Lorsque Dvořak arriva pour la première fois à Prague, la répression autrichienne contraignit Smetana – il avait participé aux émeutes de 1848 – à s'expatrier. Il travailla à Weimar avec Liszt, puis fut chef d'orchestre à Göteborg, en Suède. A son retour, en 1861, Dvořák avait achevé sa première composition. Et lorsqu'à son tour Dvořák revint dans la capitale tchèque, au sommet de sa gloire, après une visite triomphale en Angleterre, Smetana venait d'être placé à l'asile d'aliénés de la ville, où il mourut peu de temps après.

L'une des constantes préoccupations de Smetana fut de définir l'opéra populaire tchèque. Or, en ces années de flambées révolutionnaires, ce thème passionnait le peuple tout entier. Tandis que la vieille école proposait une synthèse des mélodies traditionnelles, Smetana, s'appuyant sur le renouveau artistique de la langue tchèque, réclamait un style résolument dramatique de manière à traduire pleinement la force mélodique de cette langue. Comme Wagner, il voulait mettre un terme à la tyrannie du chant, alors compris comme une performance, et faire de la musique un moyen plutôt qu'un but. On le lui reprocha, l'accusant de wagnérisme et de germanisme0. Il fallut presque dix ans à Smetana pour imposer ses conceptions, et le public, comme la critique, bouda les poèmes symphoniques, *Le Camp de Wallenstein*, *Richard III*, *Haakon Jarl*, qu'il avait écrits dans les années 1858-1861.

A côté des combats, Smetana connut également des joies dans sa carrière de musicien. En 1866, la première représentation de son premier opéra *Les Brandebourgeois en Bohême* (écrit en 1863, sur un livret de K. Sabina) remporta un grand succès. L'œuvre portait à son maximum l'idéal patriotique défendu par Smetana. Deux ans plus tard, il déposa la première pierre du Théâtre national de Prague, et dirigea le soir même son opéra dramatique *Dalibor*. Pourtant bien accueillie ce soir-là, l'œuvre ne fut ensuite jouée qu'en de rares occasions, et disparut des scènes après la mort de l'auteur.

Dalibor et *Libuse*, qu'il présenta en 1881, sont les plus romantiques de ses œuvres et les plus proches du Lohengrin et du Tannhäuser de Wagner. *La Fiancée vendue* connut le destin contraire. La première représentation en 1866 fut une catastrophe, puis l'œuvre conquit définitivement le public tchèque. Elle survécut brillamment à Smetana, et entama une longue carrière internationale en remportant un triomphe à Vienne en 1892, dans l'interprétation de l'orchestre du Théâtre national tchèque.

Mais, en dépit du succès de son opéra comique, Smetana lui préférait largement *Dalibor*. A l'occasion de la centième représentation de *La Fiancée vendue*, en 1882, le musicien déclara : « En fait, messieurs, *La Fiancée vendue* est une œuvre sans importance que j'ai composée par distraction. Mon intention n'était pas dénuée d'ambition, mais plutôt animée par la volonté de répondre à mes détrac-

teurs qui, après les *Brandebourgeois*, m'accusaient d'être un wagnérien incapable de composer quelque chose mettant davantage en valeur la finesse de notre langue. »

Après l'échec de *Dalibor*, Smetana revint au genre comique avec trois opéras, *Les Deux Veuves* (1874), *Le Baiser* (1876), *Le Secret* (1878), et fit même une incursion dans le fantastique avec *Le Mur du diable* (1882). La maladie le frappa brusquement en 1874, le privant de l'ouïe. Il dut renoncer à ses fonctions de directeur du Théâtre National de Bohême et quitter Prague pour la campagne, où il composa les six pièces symphoniques *Má Vlast* (*Ma patrie*), dont la très célèbre *Vltava* est extraite.

valut le poste de directeur du Conservatoire national de musique de New York, en 1891. Mais contrairement à Smetana, qui ne quittait la ville que contraint et forcé, Dvořák aimait la campagne et ne se sentit jamais vraiment chez lui en ville. Durant son séjour en Amérique, il resta, comme ces paysans de Moravie, un lève-tôt. Célébré et admiré dans toutes les capitales, il leur préféra toujours Vysoká, sa maison de campagne.

Au cours des trois années qu'il passa là-bas, il composa son œuvre orchestrale la plus célèbre, la symphonie *Du Nouveau Monde*, une des œuvres les plus jouées au monde. La première au Carnegie Hall à New York, en 1893, fut un triomphe. Dvořák écrit à un ami : « Ma symphonie a remporté les 15 et 16 décembre un succès magnifique. Les journaux affirmèrent qu'aucun autre compositeur n'avait jamais connu un tel triomphe. J'étais dans une loge, toute la crème de New York occupait la salle, et les gens applaudissaient avec un tel plaisir que j'ai dû me lever et remercier cette ovation avec des gestes de roi – exactement comme Mascagni [compositeur italien, né en 1863 et mort en 1945] à Vienne (ne souris pas !). Tu sais que, quand je le peux, je préfère éviter ces applaudissements frénétiques, mais ce soir-là, il m'a fallut absolument me montrer. » Les critiques soulignèrent la tonalité américaine des thèmes de la composition. Mais Dvořák affirma toute sa vie son enracinement dans le monde slave, et son succès fut aussi avant tout celui de la musique tchèque.

Comme Smetana, Dvořák refusa de transcrire directement des mélodies folkloriques dans ses œuvres. Ses adaptations de chansons populaires sont le fruit d'une véritable recomposition. Son cycle de *Musique de Moravie*, qui lui apporta la reconnaissance sur le plan international, montre avec quelle sensibilité il sut comprendre et interpréter le folklore morave. Tantôt l'accompagnement du piano est simple, tantôt il contient des progressions harmoniques sophistiquées qui traduisent à merveille la poésie de ces chants traditionnels.

Dvořák laisse une œuvre considérable : 31 pièces de musique de chambre, 14 quatuors à cordes, 50 pièces orchestrales dont 9 symphonies et des compositions telles que les *Danses slaves*, dont la richesse mélodique leur a bien souvent valu d'être qualifiées de musique légère.

Leoš Janáček

Avec Dvořák, la musique tchécoslovaque entra résolument dans le XXᵉ siècle, celui de l'exploration des formes. Et qui, mieux que Leoš Janáček (1854-1928), sut à la fois s'inspirer du folklore et de ce qu'il porte d'universel et élaborer un langage propre. Comme en témoignent ses œuvres symphoniques, où se mêlent des motifs moraves et des motifs russes, Janáček , plus que ses prédécesseurs, comprit l'unité et la richesse musicales du monde slave.

Professeur de musique au conservatoire de Brno, Janáček fut longtemps considéré comme un compositeur d'importance régionale. Le plus célèbre de ses neuf opéras, *Jenufa*, ne fut monté à Prague qu'en 1916. Depuis, ses œuvres (des opéras, *Le Rusé Petit Renard*, *De la Maison des Morts*, d'après Dostoïevski, des poèmes symphoniques, *Tarass Boulba*) ont reçu l'audience qu'elles méritaient.

La musique d'avant-garde

La génération suivante, Josef Suk (1874-1935) et Viteslav Novák (1870-1949), resta fidèle à cette double préoccupation : exploration des formes (elle fut attentive aux styles français et allemand) et contact étroit avec la culture musicale tchécoslovaque. Installé en France dès 1920 (où il reçut l'enseignement de Roussel et de Stravinski), puis à New York à partir de 1940, Bohuslav Martinů (1890-1959) a dominé la musique tchèque contemporaine, après avoir été l'un des plus brillants représentants de l'école de Paris. Au cours d'une carrière extrêmement riche en œuvres (six symphonies, des mouvements symphoniques, *Half-Time*, des opéras, *Ariane*, des concertos, de la musique de chambre), Martinů explora tous les chemins de la création musicale contemporaine : le jazz, la musique aléatoire, la musique sérielle. Parmi ses élèves et disciples, certains ont poursuivi dans les domaines d'avant-garde, d'autres, comme le grand symphoniste Kabelac (1908-1979) ont conservé un langage plus traditionnel, qualifié de néo-classique. La normalisation intervenue après 1968 a pratiquement fait disparaître le courant expérimental.

A droite, concert en plein air, place de la Vieille Ville, à Prague.

LA LITTÉRATURE TCHÈQUE ET SLOVAQUE

Au lecteur étranger, l'évocation de la littérature tchécoslovaque suggérera sans doute trois noms : Milan Kundera (naturalisé français en 1981), Václav Havel – bien qu'il soit plus connu pour son action politique que pour ses pièces de théâtre – et Jaroslav Hašek, dont le célèbre soldat Švejk (*Les aventures du brave Soldat Švejk au temps de la grande guerre*), est devenu la figure emblématique du Tchèque moyen. Mais à l'image de Prague, qui fut une de ses plus riches sources d'inspiration, la littérature tchécoslovaque ne peut être réduite à l'écriture en langue tchèque. Et qui, mieux que Franz Kafka, incarna cette subtile symbiose des cultures allemande, juive et slave ?

L'essor de la langue tchèque

Les origines de la tradition littéraire dans les États de la couronne de Bohême remontent au IXe siècle. Face à la pression tant politique que religieuse et culturelle exercée par les Francs, le roi de Grande-Moravie, Ratislav, se tourna vers l'Empire byzantin. Pour mener à bien leur tâche d'évangélisation, les moines de Salonique Cyrille et Méthode apportèrent avec eux des traductions de textes liturgiques en vieux slave (l'idiome paléoslave), écrites à l'aide de l'alphabet glagolitique dérivé de l'alphabet grec. C'est dans cette même langue que furent fixées, un siècle plus tard, les premières légendes relatives à saint Venceslas. Avec le retour dans l'orbite du Saint Empire romain germanique, à la fin du XIe siècle, le vieux slave perdit de son importance au profit du latin devenu la langue liturgique officielle.

Le texte fondateur de la littérature tchèque fut sans conteste la *Chronique de Cosmas*. Deacon Cosmas (mort en 1125) était un chanoine tchèque et un érudit qui avait fréquenté les cours de l'école de Liège. Sa chronique, rédigée en latin, relate l'histoire de la Bohême, depuis l'époque légendaire de son fondateur, Čech, jusqu'au

début du XIIe siècle. Ce texte constitue à la fois un document historique d'une grande richesse – Cosmas voyagea en Allemagne, en Italie et en Hongrie – et sans doute la première expression littéraire du patriotisme tchèque. Fidèle à la famille des Přemyslides, Cosmas laisse en effet transparaître dans son œuvre son hostilité à l'égard de l'hégémonie politique et culturelle allemande.

Pourtant, ce sont bien les princes přemyslides qui encouragèrent l'essor d'une littérature de cour en allemand. Beaucoup de textes profanes tchèques se transmirent d'abord oralement et ne furent consignés qu'à la fin du XIIIe siècle. Le règne de Charles IV (lui-même auteur d'une légende de saint Venceslas) fut une période faste de la culture médiévale. Les modèles étaient latins, mais les œuvres en tchèque qui s'en inspirèrent, comme l'*Alexandréide* (une vie d'Alexandre de Macédoine), firent preuve d'originalité. Plusieurs textes marquèrent cette époque : la chronique Dalimil (du nom d'un copiste), qui déjà déplorait le pouvoir grandissant du patriciat allemand, des pièces religieuses, comme la légende de sainte Catherine, l'histoire du royaume de Bohême de Přibik Pulkava de Radenin, ou cette pièce de théâtre aux thèmes populaires, *Le Guérisseur*.

Hus et Comenius

Le vaste débat, tout autant religieux que moral et culturel, amorcé par le mouvement hussite au XVe siècle, engendra une abondante littérature polémique dont la langue tchèque profita. Jan Hus contribua doublement à la défense et à l'enrichissement de sa langue natale, par ses sermons et ses lettres mais également en se consacrant à une réforme de l'orthographe qu'il développa dans un traité intitulé *De orthographica bohemica*.

L'humaniste Jan Ámos Komenský (1592-1670), plus connu sous son nom latin de Comenius, joua un rôle considérable dans l'histoire intellectuelle tchèque. Né dans une famille protestante, il étudia à l'université de Heildelberg. « *Komenský poursuit et parachève les traditions littéraires de la Réforme tchèque et de l'humanisme de la Renaissance. Ce sont surtout ses ouvrages pédagogiques qui lui ont valu la plus haute considération ; ils résument non seulement l'expérience personnelle de l'auteur, mais celle, en général, de*

A gauche, portrait de Jan Ámos Komenský (1592-1670), la principale figure de l'humanisme tchèque.

plusieurs générations d'enseignants dans les écoles de l'Unité des Frères tchèques. Komenský, lui-même membre et plus tard évêque de l'Unité, tenta de jeter les bases de l'éducation scolaire d'une portée internationale », écrit Jocef Macek. Comenius mettait l'accent sur la nécessité d'accompagner l'enseignement d'exemples concrets et de faire appel au jeu et à l'imagination, comme l'illustre son fameux *Orbis sensualium pictus*, qui associe textes et illustrations.

Humaniste, il le fut par l'étendue de son savoir et le caractère universel de ses idées : il voyait dans la démocratisation de l'éducation et de la culture le moyen de développer la tolérance et d'assurer la paix. Il écrivit également plusieurs œuvres en tchèque, dont *Le Labyrinthe du monde et le Paradis du cœur*, dans lequel il porte un regard critique sur son époque. Mais c'est sans doute son *Testament de la mère mourante*, où il affirmait son espoir qu'un jour « le gouvernement des choses publiques retournerait entre les mains du peuple tchèque », qui a le plus sûrement guidé le peuple dans sa lutte pour l'indépendance.

Le courant patriotique

Au début du XIXe siècle, les travaux des philologues Joseph Dobrovsky (1753-1829) et Joseph Jungmann (1773-1847), baptisés les « éveilleurs » (lire p. 47), et celui des traducteurs des œuvres romantiques européennes (dont l'*Atala* de Chateaubriand) ouvrirent la littérature tchèque (mais aussi les sciences et la philosophie) aux influences européennes. Jusqu'autour de 1848, la poésie tchèque demeura résolument romantique et panslave.

Mais si les thèmes patriotiques dominaient, des tendances nouvelles se faisaient jour. Le polémiste et journaliste Karel Havlíček (1821-1856), par exemple, vivement impressionné par le despotisme qu'il avait rencontré en Russie, dénonça les excès de « la fraternité slave » qui faisait alors figure de dogme parmi les intellectuels. Dans ses écrits satiriques (*Les Élégies tyroliennes*), qui introduisirent un ton nouveau dans la littérature tchèque, il s'en prenait à la bureaucratie autrichienne et à son empressement grotesque à étouffer toute liberté. Mais dans le journal, la *Gazette nationale*, qu'il fonda en 1848, il s'attaqua également « au patriotisme grandiloquent et

inefficace » du dramaturge Joseph Kajétan Tyl (1808-1856), l'auteur des paroles de l'hymne national (*Où est mon pays ?*) et de pièces historiques consacrées notamment à Hus et à Žižka.

Mácha et ses disciples

Le plus grand poète lyrique tchèque et fondateur de la poésie moderne tchèque, Karel Hynek Mácha (1810-1836), défendait une position identique. Avec lui surgit une œuvre profondément originale, influencée mais non imitative, lyrique mais loin de toute propagande. Son « grand poème lyrico-épique sur

la montée du printemps, l'amour désespéré et les misères de la vie terrestre, *Le Mai* (1836), demeura jusqu'à nos jours l'un des fondements vivants de la littérature tchèque ».

C'est dans le cercle de poètes qui se forma autour de Mácha que Jan Neruda (1834-1891) fit ses premières armes, comme en témoigne son recueil de vers d'inspiration romantique *Fleurs de cimetière* (1857). Mais c'est davantage comme observateur réaliste qu'il se fit connaître, à travers des contes (*Les Contes de Malá Strana*, 1878-1885) et des feuilletons (*Tableaux de l'étranger*, 1873). La romancière Božena Němcová (1820-1862) suivit un itinéraire assez parallèle. Elle débuta avec un recueil de contes de style romantique, mais attacha son nom à des récits réalistes, puisant ses thèmes dans la vie paysanne. Son roman autobiographique, *La Grand-Mère* (1855), est devenu un grand classique de la littérature tchèque.

L'émancipation

La seconde moitié du XIXe siècle vit la multiplication de ces écoles, qui défendaient leurs options esthétiques dans des revues ou des almanachs. Aux « patriotes » groupés autour de l'almanach *Ruch* (1868) et dont les *Chants de l'esclave* (1895) de Svatopluk Čech (1846-1912) étaient l'hymne, s'opposaient

les « cosmopolites » qui s'exprimaient dans la revue *Lumír* (1877). Leur chef de file, Jaroslav Vrchlicky (1853-1912), ardent défenseur des Lumières et de la Révolution française, fut à la fois un poète d'une extraordinaire fécondité – ses *Fragments d'épopée*, inspirés de la *Légende des siècles* de Victor Hugo, forment plus de vingt recueils – et un infatigable traducteur, notamment de la poésie française. Sur le plan politique, Tomáš Garrigue Masaryk (1850-1937) fut le

A gauche, Jan Neruda (1834-1891), célèbre feuilletonniste, auteur des Contes de Malá Strana*; ci-dessus, Egon Erwin Kisch (1885-1948), disciple de Neruda et grand reporter.*

principal artisan de « l'occidentalisation » de la pensée tchèque.

L'apparition, vers la fin du siècle, du courant des « poètes décadents » (notamment Viktor Dyk), qui s'exprimaient dans la *Revue moderne*, traduisait une lassitude de fin de siècle, présente dans la société tchèque de l'époque, à l'égard d'un patriotisme vain. A l'opposé de ces thèses décadentes, et tout aussi éloigné du nationalisme traditionnel que défendait l'école moderne catholique, allait se constituer ce que l'on appelle l'école moderne tchèque, animée par le critique littéraire František Xaver Šalda (1867-1937), familier de la poésie française, et influencé par le philosophe Thomáš Garrigue Masaryk.

Le XXe siècle

La Tchécoslovaquie connut dans l'entre-deux-guerres un essor éblouissant des arts et des lettres. Toutes les avant-gardes s'y croisèrent et s'y affrontèrent : celle du théoricien Karel Teige (1900-1951) et de son groupe le Devěstsil (Neuf Forces) ; celle de la poésie « prolétarienne » de Jiří Wolker (1900-1924) ; celle du « poétisme » de Jaroslav Seifert (1901-1986) – qui deviendrait, bien des années plus tard, en 1984, le premier prix Nobel de littérature tchèque – ; ou encore celle du groupe surréaliste de Vítězslav Nezval (1900-1958), constitué en 1934. Mais, signe de la maturité, à côté de ces courants de puissantes personnalités se distinguèrent, comme les poètes Josef Hora (1891-1945) et František Halas (1901-1949). Retenons enfin le nom d'Arne Novák (1888-1939) comme représentant du mouvement traditionnaliste.

Tout comme à Paris, dont Prague était un peu la rivale, la vie littéraire praguoise se déroulait dans les cafés, les brasseries et les tavernes. Chaque cercle, chaque courant avait son lieu de rencontre privilégié ; certains, le café Zentral, le café Louvre, la taverne Le Montmartre (que fréquentaient Hašek et Kisch) et le célèbre Café Arco (le quartier général de Werfel et de son groupe), symbolisent toute une époque.

Karel Čapek

L'auteur de pièces satiriques Karel Čapek (1890-1938) fut une des figures de proue de cette période. Dans son œuvre majeure, la comédie utopique *R.U.R.*, *Rossum's Universal Robots* (1920), qui met en scène un ouvrier androïde baptisé Robot (néologisme dérivant du tchèque *robota*, corvée), l'auteur s'en prend au totalitarisme, à l'idéologie scientifique et à la folie technologique qu'il décèle dans les slogans bolcheviques. Plus sobre, moins expressionniste que le *Metropolis* (1926) de Fritz Lang, *R.U.R.* possède cette fantaisie macabre typiquement praguoise qu'illustre le vieux mythe du Golem.

Si la moitié de son œuvre (romans et pièces de théâtre, dont certaines écrites avec son frère Josef) se déroule dans des univers

d'anticipation, le thème majeur de Capek demeure les menaces qui pèsent sur les valeurs fondamentales de l'humanisme.

Les écrivains de langue allemande

La liste des écrivains de langue allemande qui ont vécu à Prague est longue : Franz Kafka, Max Brod, Franz Werfel, Egon Erwin Kisch, Rainer Maria Rilke, Gustav Meyrink et Leo Perutz, pour ne citer que les plus connus. Nouvelle preuve que Prague fut bien au début de ce siècle la ville des poètes. Pourtant tous ces artistes n'ont pas entretenu les mêmes relations avec la cité vltavine et le monde tchèque. Rilke, par exemple,

exprima une vision raffinée de Prague, presque extérieure. C'est d'abord un Allemand, souvent partagé entre le dédain de sa caste et ses amitiés tchèques. D'autres, en revanche, ont puissamment exprimé l'âme de Prague. Angelo Ripellino écrivit « *Ils* [les poètes allemands de Prague] *font de Prague une métropole occulte, irréelle, enveloppée dans le voile humide et léger des Gaslaternen* [becs de gaz]*, une ville exténuée au bord de la décrépitude, un enchevêtrement de vulgaires bistrots, de recoins lépreux et blafards, de ruelles du diable, pavlace bavardes, de cours obscures, d'entrepôts de brocanteurs, d'éventaires de marché aux puces [...] Comme si, paradoxalement l'âme des écrivains allemands et plus particulièrement celle des Juifs s'était imprégnée de la mélancolie, de la langueur, de la perplexité des jours qui suivirent le désastre de la Montagne Blanche...*»

Werfel, Kisch et Brod

Les Juifs de Prague, de langue allemande, étaient étrangers au patriciat allemand, comme à la majorité des Tchèques, qui étaient en train de redécouvrir leur nationalité slave. De plus, ils étaient généralement fidèles à la monarchie habsbourgeoise, garante de leurs droits et l'unique moyen, hormis la fortune, de s'élever sur le plan social. En retour, l'État trouvait parmi eux des fonctionnaires dévoués, qui devenaient bien souvent une cible pour le patriotisme tchèque. Pourtant, la plupart des écrivains juifs se sentaient proches des Tchèques et beaucoup parlaient leur langue : Franz Kafka, Max Brod, Franz Werfel, Egon Erwin Kisch, etc.

On a souvent écrit que les écrivains juifs de Prague, point névralgique de la Mitteleuropa, avaient, plus que d'autres, senti le caractère crépusculaire de cette époque, comprise entre l'effondrement de l'Empire austro-hongrois et la montée des fascismes. Franz Werfel (1890-1945), proche du courant expressionniste, a traduit cette inquiétude, ce sentiment du déclin et de l'agonie. Des prémonitions angoissées que l'on retrouve dans les romans souvent morbides de Meyrink, Leppin et Perutz.

A gauche, Franz Kafka et sa fiancée Felice Bauer. Leur relation dura trois ans, mais il ne se décida jamais à l'épouser; à gauche, un portrait célèbre du « brave soldat Švejk ».

JAROSLAV HAŠEK

La biographie de Jaroslav Hašek, né le 30 avril 1883 à Prague, tient largement du roman picaresque. Si le créateur de *Švejk* a fait tous les métiers, il fut surtout un farceur cynique, un bouffon, un provocateur, un mystificateur, plus amateur de désordre qu'anarchiste, et un éternel ivrogne, réputé dans toutes les tavernes de Prague. C'est d'ailleurs dans une de ces tavernes que se déroule la pièce de Berthold Brecht *Švejk dans la Seconde Guerre mondiale* (1962).

Cette admirable carrière Hašek la débuta dans une droguerie. Švejk raconte dans *Les Nouvelles Aventures du soldat Švejk* le malheureux incident qui mit fin à cet épisode : « [...] et un jour que, par erreur, j'ai mis le feu à un tonneau d'essence qui a brûlé, alors il m'a chassé [...] ». Entre-temps, Hašek est tombé amoureux de la fille d'un respectable plâtrier, mais sans profession, pas de mariage. Il devient alors le rédacteur en chef d'une revue de zoophilie, *Le Monde des animaux*. Outre qu'Hašek vantait les mérites de son journal en traversant Prague en compagnie d'une guenon domestiquée, il s'engagea dans une ligne éditoriale très audacieuse. Ses lecteurs découvrirent l'existence de « la puce paléozoïque », de « la chauve-souris d'Islande », ou du « chat domestique des cimes du Kilimandjaro », et de bien d'autres espèces aussi étonnantes qu'évoque le soldat Marek, le double de Hašek dans *Les Nouvelles Aventures du soldat Švejk*. A côté de cette rubrique découverte, Hašek, sous un pseudonyme, ouvrait dans ses colonnes de grands débats concernant l'alcoolisme chez les animaux, ou du goût de ceux-ci pour la musique. Bien que renvoyé du journal, Hašek obtint (le 15 mai 1910) la main de Jarmila Mayer et promit de devenir un époux modèle. Promesse fugitive, Hašek retourna à sa vie de vagabond. On dit même qu'un jour il oublia son fils (né en 1912), alors bébé, dans un bistrot.

L'année 1911 marqua un tournant dans les aventures de Hašek. A l'occasion des élections à la diète de Bohême, il se lança en politique et fonda, avec quelques amis de taverne, le « parti du progrès modéré dans les limites de la loi ». Tenant séance dans des tavernes, Hašek se lançait dans d'interminables harangues sur ses thèmes de prédilection, la réhabilitation des animaux, l'alcoolisme, pastichant, parodiant et carica-

turant tout. L'année suivante, il créa avec *Le Brave Soldat Švejk* (1912) celui qui deviendra son inséparable compagnon.

La Première Guerre mondiale lui donna l'occasion d'interpréter de nouveaux rôles. Plusieurs fois on le crut mort, pour le retrouver ensuite sous un nouveau masque dans le camp qu'il feignait de combattre quelques mois plus tôt. Soldat austro-hongrois en 1915, il passe en 1916 dans les corps tchèques qui combattent avec les Russes, puis, fin 1918, il réapparaît commissaire politique dans l'armée rouge. Au passage il épouse Šura, une Russe. Il rentra à Prague en décembre 1920, reprenant là où il l'avait laissé son éternel vagabondage, avec simplement d'innombrables histoires supplémen-

taires, vraies et fausses, à raconter. Pourtant, dans les dernières années de sa vie son ardeur à pourfendre ses ennemis et à provoquer déclina. En 1921, il commença à publier les *Aventures du brave soldat Švejk* (qu'il laissa inachevées), qui furent adaptées à la scène l'année même. Avec ses droits d'auteur, Hašek le sans-logis put même acheter une maison, à Lipnice, où il mourut le 3 janvier 1923.

Avec *Švejk*, Hašek a créé un personnage indiscipliné, esbrouffeur, bravache mais aussi irrémédiablement résistant à toutes les machineries bureaucratiques et idéologiques, celles de l'Empire austro-hongrois, puis celle du bolchevisme.

Influencé par les chroniques policières de Jan Neruda, Egon Erwin Kisch (1885-1948) fut d'abord l'observateur le plus attentif de la vie nocturne et des bas-fonds de la capitale tchèque, parcourant les tripots, les gargotes, les prisons et les soupes populaires. De ses déambulations nocturnes, il rapporta des tableaux saisissants sur la misère, l'injustice et sur la fragilité de cette société. Engagé dans la guerre civile espagnole aux côtés des républicains, il allait devenir un témoin de l'histoire, se rendant en Chine, au Mexique, etc.

Max Brod (1884-1968) fut l'ami, le biographe, l'exégète et surtout l'éditeur de Kafka. Passionné par la littérature tchèque, il contribua également à faire connaître Jaroslav Hašek. Enfin, troisième aspect de ce personnage aux multiples facettes, Brod milita énergiquement pour la cause sioniste et émigra en Palestine au moment de la montée du nazisme.

Kafka

Kafka est né à Prague en 1883 dans une famille juive où la tradition rabbinique était fortement respectée. De sa vie, que nous connaissons bien grâce à Max Brod, on retient traditionnellement ses études à l'université de Prague (doctorat en droit), ses fonctions administratives dans des compagnies d'assurances, sa liaison (1912-1917) avec Felice Bauer, qu'il ne put jamais se résoudre à épouser, sa passion pour l'écrivain Milena Jesenská, et la tuberculose pulmonaire qui l'atteignit en 1917 et qui causa sa mort au sanatorium de Kierling, près de Vienne, le 3 juin 1924. Son œuvre comprend des récits courts : *La Métamorphose* (1915), *La Colonie pénitentiaire* (1919), *La Muraille de Chine* (1931) et des romans inachevés publiés après sa mort par Max Brod, son exécuteur testamentaire, à qui il avait pourtant demandé de détruire ces textes : *Le Procès* (1925), *Le Château* (1926), *L'Amérique* (1927), une correspondance abondante et un *Journal intime* (1948-1949).

C'est sans doute à tort que Kafka est parfois rattaché au courant expressionniste ; il n'a pas véritablement de généalogie littéraire : « ... *Sans ancêtre, sans femme et sans*

A gauche, Milan Sládek ; le mime est un spectacle très apprécié des Tchèques et des Slovaque s ; à droite, un acteur praguois.

postérité », écrit-il. Le judaïsme, la médiocrité de l'univers petit-bourgeois, l'absurde, toutes les formes de l'angoisse, constituent quelques-uns des thèmes majeurs de son œuvre.

L'occupation

L'occupation allemande frappa durement les milieux intellectuels et artistiques tchécoslovaques. L'effondrement brutal de cette nation jeune et prospère marquera profondément la mémoire collective des Tchécoslovaques, qui associeront désormais ces trente années (1918-1938) de liberté à

une sorte de paradis perdu. Beaucoup d'écrivains furent exécutés, déportés ou exilés. Certains romanciers se replièrent sur des sujets intimistes, comme Jan Weiss (1892-1972), Marie Pujmanová (1892-1958), ou Václav Řezáč (1901-1956), tandis que d'autres échappèrent à la pression des événements en portant leur attention sur des thèmes ou des personnages historiques.

Au lendemain de la prise de pouvoir par les communistes, beaucoup d'écrivains, à l'image de Václav Řezáč, se déclarèrent en faveur d'une nouvelle littérature, plus à même de traduire les enjeux sociaux de la mise en place du socialisme. En revanche, le critique Václav Černý (1905-1987) – l'héritier de Šalda – et les auteurs qui collaborèrent à sa revue continuèrent de défendre l'héritage occidental et les valeurs de la première république.

Le réalisme socialiste

On a dit de cette année 1948, qui vit la mise en place du carcan idéologique stalinien, qu'elle avait agi comme la répression religieuse au lendemain de la bataille de la Montagne Blanche. La diversité de courants (catholiques, socialistes, libéraux, surréalistes, ruralistes, existentialistes) et la tolérance qui avait caractérisé la vie

de maisons d'édition et de revues, et placée sous le contrôle de la puissante union des écrivains tchécoslovaques, créée à la fin des années 1940.

On date traditionnellement de la seconde moitié des années 1950 le début de la phase de « dégel ». Les poésies de Milan Kundera, la parution du roman de Josef Škvorecký *Les Lâches* (1958) et le Congrès des écrivains en 1956 donnèrent le signal d'un renouveau intellectuel qui alla en s'amplifiant jusqu'à l'invasion de Prague par les troupes du Pacte de Varsovie, en août 1968.

La figure la plus en vue parmi les écrivains contemporains est sans doute Bohumil

intellectuelle tchécoslovaque furent déclarées incompatibles avec la construction du socialisme et l'émergence d'un homme nouveau. Cette normalisation ne frappa pas uniquement les écrivains vivants, elle procéda à une réévaluation du patrimoine culturel à la lumière du réalisme socialiste.

Quelques écrivains importants, parmi lesquels Nezval (*Staline*, *Chants de la paix*), prêtèrent d'abord leur plume à ce programme. Quant aux autres, certains cessèrent de publier, ou, plus souvent, furent interdits de publication. Un grand nombre fut même condamné à des peines de prison, d'autres encore choisirent l'exil. La publication était alors monopolisée par un nombre restreint

Hrabal. « *Né en 1914, il a renouvelé la prose tchèque par ses récits baroques et imagés, empreints d'un humour lyrique et d'un surréalisme quotidien. La complexité et la richesse de son œuvre en font un condensé des vertus les plus typiques de la littérature tchèque.* » Il est notamment l'auteur de *Trains étroitement surveillés*, *Une trop bruyante solitude* (1983), *Vends maison où je ne veux plus vivre* (1989).

La littérature slovaque

Au XVe siècle, le tchèque s'imposa en Slovaquie au détriment du latin. Mais qu'elle fût profane, ou sacrée, la poésie se chargea progressivement d'expressions slovaques. Parallèlement, dans ce pays de montagne, rebelle et difficile d'accès, toute une littérature orale (chansons, ballades, contes populaires) conservait une grande vitalité. L'oppression des nobles hongrois ou la menace turque fournissaient la toile de fond aux exploits des héros – tel ce Juro Janošík, dont on peut encore entendre les nombreuses histoires qui lui sont consacrées – incarnant la fierté et les valeurs slovaques.

Vers la fin du XVIIIᵉ siècle, un groupe d'écrivains – Anton Bernolák (1762-1813), le romancier Jozef Ignác Bajza (1755-1836) et le poète Ján Hollý (1795-1861) – tentèrent

(1744-1803). Élève de Kant, Herder développa une conception de la poésie considérée comme étant une « langue-mère ». Condamnant l'imitation des classiques, il encourageait les poètes à redécouvrir le génie poétique de la culture populaire. Philosophe romantique de l'histoire, Herder promettait aux peuples slaves un avenir glorieux. Désormais, la création littéraire slovaque allait confondre sa défense avec la promotion du panslavisme.

Linguiste, homme politique, écrivain, Ľudovit Štúr (1812-1856) est considéré comme le « créateur » de la langue slovaque moderne. Štúr engagea la littérature slo-

de donner à cette langue essentiellement rurale ses lettres de noblesse. Pourtant, à la même époque, l'« âme slovaque » avait déjà trouvé, dans le poète Ján Kollár (1793-1852) et l'historien Jozef Šafárik (1795-1861), ses géniaux interprètes, bien que l'un et l'autre écrivissent encore en tchèque.

Ces générations d'écrivains et de penseurs furent profondément influencés par l'Allemand Johannes Gottfried Herder

A gauche, la façade du théâtre des États, construit en 1781; on y donna la première de Don Giovanni de Mozart en 1787; ci-dessus, représentation au Théâtre national de l'opéra le plus connu de Smetana, La Fiancée vendue.

vaque dans une direction dont pas un de ses disciples et successeurs ne s'écarta jusqu'au début du XXᵉ siècle. En effet, dans un contexte rendu plus difficile par la politique de magyarisation entreprise par les Hongrois après 1867, les écrivains slovaques se devaient en premier lieu de combattre pour la survie de leur culture et de leur langue. Le poète P. O. Hviezdoslav (1849-1921) et le romancier Martin Kukučín répondirent à ces exigences tout en élevant le niveau esthétique des lettres slovaques.

Le poète symboliste Ivan Krasko (1876-1958) se situa à la charnière de deux époques. Poète patriote, il fut également l'un des premiers à s'ouvrir à l'influence des courants littéraires étrangers. Comme en pays tchèque, l'année 1918 marqua le début d'une grande effervescence créatrice. Rassemblé autour du poète Ladislav Novomeský (1904-1976) et de la revue *Dav*, un groupe d'intellectuels de gauche tentèrent de conjuguer leur préoccupations artistiques et leur engagement politique. Ce mouvement progressiste et humaniste très important fut pourtant impitoyablement condamné par le régime communiste qui se mit en place en 1948. Le Soulèvement national d'août 1944 sera – pour des auteurs tels que D. Tatarka (1913), Peter Jílemnický (1901-1949) – le thème majeur de leurs

cette période « militante ». L'époque de la Première République (1918-1938) vit l'émergence d'un théâtre aux thèmes à la fois plus universels et plus critiques, renouant avec l'esprit satirique tchèque. Karel Čapek fut le chef de file de cette nouvelle dramaturgie. Son frère Josef, un caricaturiste qui s'était rendu célèbre avec un recueil intitulé *Les Bottes du dictateur*, faisant clairement allusion à l'ascension d'Adolf Hitler, coécrivit certaines de ses pièces et en assura la production. La compagnie D-34, fondée en 1933, apporta le goût de la performance scénique que l'on retrouve aujourd'hui encore dans les spectacles de la

œuvres dans les premières années d'après-guerre. De 1956 à 1968, puis de 1968 à 1989, la vie intellectuelle slovaque a vécu les mêmes éclipses et les mêmes renouveaux qu'en pays tchèque. Signalons la contribution déterminante de la revue *Kultúrny Zivot* (*La Vie culturelle*) dans les luttes menées pour la liberté de penser et d'écrire.

Le théâtre

Comme tous les arts, le théâtre devint, à la fin du XVIIIᵉ siècle, un lieu d'expression de l'identité nationale. La construction du Théâtre national à Prague, en 1883, consacra l'existence du théâtre tchèque et clôtura

Laterna Magica (lire p. 173). Mais, mieux que tout autre, ce fut le Théâtre libéré et son compositeur attitré Jaroslav Ježek (1906-1942) qui symbolisèrent cette période de l'entre-deux-guerres. Les chansons et les musiques de Ježek, conjuguant le jazz et la musique classique, en exprimaient la légèreté, la joie et les menaces.

L'occupation allemande puis, presque immédiatement après la guerre, le dirigisme artistique du régime communiste portèrent des coups sérieux à la création théâtrale. Pourtant, de petits théâtres se créèrent, adoptant des structures souples pour faire face à ce climat de censure : le théâtre des Palissades (Divadlo na Zábradlí), le

Semafor, le Rokoko, le Club des Acteurs et le Théâtre-derrière-le-Pont. Václav Havel commença sa carrière au théâtre l'ABC, avant de rejoindre le Divaldo na Zábradlí, qui deviendrait son unique maison. Fondée en 1958, cette scène acquit très vite une réputation fondée sur sa programmation ambitieuse. Son directeur artistique y présenta en effet des pièces de Beckett, de Ionesco, d'Arrabal, de Jarry, de Mrožek et, naturellement, de Havel. Ce foisonnement d'initiatives perdura jusqu'en 1968, année marquée par le retour de l'immobilisme et de la censure : les principaux auteurs dramatiques tchèques – Ladislav Klima (1878-

tonalités délicieusement praguoises. Son spectacle est composé d'une suite de petits tableaux construits autour d'une image, d'une idée ou d'une attitude. L'hommage que Fialka rend à Jean-Baptiste Deburau, grand mime français du XIXᵉ siècle né en Bohême, intitulé « Funambules », en est l'un des moments forts. Fialka évoque également les grands acteurs du passé : Chaplin, Grock, Lloyd, etc. L'art du mime a connu un important développement à Prague au cours de la dernière décennie. Depuis sa création, en 1981, le théâtre de mime Branik (Bránické Divaldo Pantomimy) accueille plusieurs troupes, comme le Cvoc ou le Mimtrio.

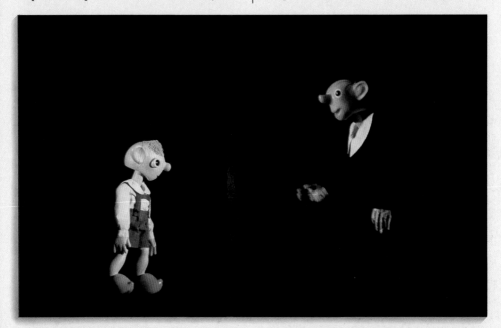

1928), Pavel Kohout, Václav Havel et Josef Topol – n'étant plus joués qu'à l'étranger. Depuis 1989, d'innombrable salles de spectacles sont apparues un peu partout, couvrant un large éventail de programmation allant de l'opérette aux productions d'avant-garde.

Mime et marionnettes

Le Divaldo na Zábradlí est littéralement pris d'assaut par les spectateurs enthousiastes à chaque passage du mime Ladislav Fialka. Fidèle à la grande tradition de la pantomime incarnée en France par Marcel Marceau, cet artiste a su affirmer un style personnel, aux

Les spectacles des marionnettes Špejbel et Hurvínek remportent un énorme succès auprès des petits comme des grands. Josef Skupa créa le personnage de Špejbel en 1920 puis, en 1926, celui de Hurvínek. Špejbel, le père, est un personnage borné tandis que son fils, Hurvínek, incarne l'intelligence et la vitalité. Popularisés par la télévision et par des films d'animation, ces deux figures praguoises sont aujourd'hui connues bien au-delà des frontières.

A gauche, représentation de La Traviata, *de Verdi, au théâtre Smetana ; ci-dessus, les marionnettes Špejbel et Hurvínek.*

ART NOUVEAU

Peu de domaines de la création sont aussi étroitement liés au fonctionnement économique et politique d'une époque que l'architecture. Les réalisations urbaines de Charles IV, ou le grand élan baroque de la Contre-Réforme résultèrent à la fois de la mobilisation d'immenses moyens financiers et de la volonté de servir une vaste ambition (politique ou religieuse). Vers le milieu du XIXᵉ siècle, ce qui avait été jusqu'à présent le privilège des rois, de l'aristocratie et de l'Église s'ouvrit à la nouvelle classe dominante, la bourgeoisie.

Au style impérial autrichien, et à ses nombreuses variantes, succéda une architecture bourgeoise inspirée des valeurs de cette classe (le confort, l'utilité, etc.) et de ses goûts (la Renaissance et le gothique tardif). Le style néo-renaissance fut particulièrement apprécié de la bourgeoisie tchèque et se retrouve dans de nombreux bâtiments privés et publics praguois (comme le Théâtre national de Prague et le « Rudolphinium » construits par Jan Zítek). A la fin du siècle, l'architecture élabora ses propres principes et se fixa de nouveaux objectifs, inaugurant une période d'intense créativité qui se poursuivra jusque dans les années 1930.

Le style Sécession

Dans les années 1890, de jeunes architectes, élèves d'Otto Wagner à l'Académie des beaux-arts de Vienne, s'installèrent à Prague décidés à mettre en œuvre une conception progressiste de l'architecture et de l'urbanisme. Ce fut le début du style Sécession (terme dérivé de « Wienner Sezession ») représentés par František Krásny, Josef Hoffmann, Ján Kotěra, etc. Mais il fallut attendre les années 1900, et les grands travaux de démolition effectués dans les quartiers Josefov, de la Vieille Ville et de la Nouvelle Ville, pour que surgissent les grands édifices qui firent de Prague une des capitales de l'Art nouveau.

Pages précédentes : salle d'audience de la Maison municipale décorée par Mucha. A gauche, une affiche de Mucha ; à droite, une porte Art nouveau.

« Hommage à Prague » annonce fièrement la mosaïque placée au-dessus de l'entrée principale de la Maison municipale, l'un des plus importants monuments Sécession d'Europe. Construit près de la tour Poudrière entre 1905 et 1912, cet édifice, où fut proclamée la première République tchécoslovaque en 1918, est l'œuvre des architectes Osvald Polívka et Antonin Balšanek. Les plus grands artistes tchèques de l'époque contribuèrent à son embellissement. Karel Spillar conçut la mosaïque qui orne l'entrée ; Ladislav Šaloun créa les sculptures qui illustrent le thème *Humiliation et Renaissance de la patrie* ;

Karel Novák réalisa les principaux éléments de décoration de la façade, ainsi que les atlantes qui portent les luminaires éclairant les balcons. La décoration de l'intérieur fut confiée à Alfons Maria Mucha, le peintre le plus représentatif de l'école Sécession de Prague et dont le nom est devenu synonyme d'Art nouveau dans le monde entier.

Alfons Maria Mucha

Né en Moravie en 1860, il étudia à Prague, Munich et Vienne avant d'aller s'installer à Paris (1887) où il travailla dans l'atelier de J. P. Laurens (en 1894). Peintre et dessinateur de formation, il se passionna très tôt pour les supports alors en plein essor : l'affiche, l'illustration (il illustra *Clio* d'Anatole France) et la lithographie. Les affiches, mais aussi les bijoux et les costumes, qu'il créa pour Sarah Bernhardt, lui valurent une immense notoriété. Peut-être autant qu'un peintre, Mucha fut un décorateur et un designer de génie. Les reproductions de ses affiches et de ses toiles sur « panneaux » de papier ou de soie rencontrèrent un immense succès commercial. Ses portraits de femme sophistiqué, son art de l'ornementation florale, la combinaison d'une ligne sinueuse et d'un graphisme exacerbé forment ce qui est devenu le style

« Moderna », cubisme et constructivisme

Les premiers édifices de style Sécession frappèrent l'opinion publique par la qualité de leurs détails décoratifs. Émanation plus sobre, plus épurée, de l'architecture Sécession finissante, le « moderna », le mouvement moderne, connut une période très fertile entre 1906 et 1914. Parmi les représentants de cette école, on trouve naturellement des « sécessionnistes », disciples d'Otto Wagner et des élèves de Jan Kotěra de l'école des Arts appliqués de Prague, notamment Josef Gočár et Otakar Novotný.

Mucha, dont on retrouve l'influence dans le mobilier domestique et urbain ainsi que dans le design industriel de cette époque. En 1904, il fit un voyage aux États-Unis, où il travailla comme designer et enseigna à l'Institut d'art de Chigago. De retour à Prague quelques années avant la Première Guerre mondiale, il composa une série de vingt toiles monumentales inspirées de la mythologie slave, et intitulée *Épopée slave*. En 1913, il conçut, pour une chapelle de la cathédrale Saint-Guy, un magnifique vitrail aux couleurs éclatantes retraçant des vies de saints tchèques. Mort à Prague en 1939, Mucha repose au cimetière de Vysehrad, le panthéon des artistes tchèques.

Le « moderna » ne se contenta pas de simplifier l'ornement sécessionniste, il en épura les lignes de sorte que ce furent les caractéristiques propres du bâtiment qui formèrent sa décoration. Plusieurs réalisations de Kotěra illustrent ce passage vers ce qu'on a appelé le « protopurisme » : l'hôtel Evropa, récemment restauré, la maison Peterka, ancienne Banque populaire (1898-1910), les deux situés place Venceslas, et enfin les lignes très rigoureuses et la sévère brique rouge du musée municipal de la ville de Hradec Králové (1908-1912).

Le cubisme architectural fut un phénomène tchèque de courte durée, né d'un groupe (Janák, Gočár, Hofmann, Chocol) mais favorable à un style plus individualiste. Il s'inspira à la fois des peintres cubistes, Picasso, Braque, et de l'architecture gothique tchèque tardif. L'expression artistique la plus originale de cette tendance se trouve principalement à Prague : la maison *A la vierge noire* de Gočar, la maison cubiste édifiée par Josef Chocol en 1913 dans le quartier Vyšehrad à Prague, ou l'immeuble cubiste construit dans la Vieille Ville par Novotný en 1917-1919. Après la Première Guerre mondiale, l'influence de Le Corbusier, d'Ozenfant et des architectes du Bauhaus jouèrent en faveur de la modération et du déclin du purisme architectural.

les entreprises commerciales qui firent appel aux architectes d'avant-garde. Ces édifices se caractérisèrent par des alignements de fenêtres à la manière de Le Corbusier, des toits en terrasses et des façades blanches d'une grande sobriété. La Tchécoslovaquie fut dans les années 1930 un centre de réflexion et d'innovation où se réunirent les figures dominantes de l'architecture européenne. Parallèlement renaissait une tendance classicisante, représentée notamment par l'architecte slovaque Jože Plečnik, à qui le président de la République tchécoslovaque Masaryk demanda de collaborer à la réhabilitation du château de Prague.

Dans les années 1920, Prague et Brno (la capitale de la Moravie), bien avant les autres métropoles, créèrent les conditions favorables aux réalisations intransigeantes et de grande envergure du premier constructivisme et du fonctionnalisme. Le palais des Foires, à Prague (construit par J. Fuchs et O. Tyl) fut la première œuvre constructiviste de grande ampleur en Europe. Puis ce furent les organismes à caractère social, écoles, hôpitaux, immeubles de rapport, et

A gauche, un ange orne le fronton d'une maison dans Celetná, à Prague ; la façade de l'hôtel Evropa ; ci-dessus, le dôme de la Maison municipale, une décoration Art nouveau, dans la rue de la Carpe, à Prague.

La sauvegarde du patrimoine architectural moderne continue de rencontrer de nombreuses difficultés. Sous le régime communiste, deux définitions du patrimoine architectural prévalaient. La première, strictement historique, visait ce qui avait été construit avant le milieu du XIXe siècle, la seconde, idéologique, entendait protéger les lieux de mémoire du communisme. Cette conception et les grandes transformations du tissu urbain nécessitées par les problèmes liés au transport ont fait disparaître beaucoup d'édifices Sécession, cubistes et fonctionnalistes. Aujourd'hui, les nécessités économiques font peser les mêmes risques sur ce qui demeure de ce patrimoine.

LES PARCS NATURELS

Bien des héros de John Le Carré ont tenté de passer d'un camp à l'autre, dissimulés par l'épais manteau de sapins qui s'étend des deux côtés de la frontière austro-tchèque, au nord-est de Passau. La limite séparant cette Autriche neutre, terrain d'affrontements privilégiés des espions aux heures les plus sombres de la Guerre froide, de la Tchécoslovaquie, le pays géographiquement le plus à l'ouest du pacte de Varsovie, fut, au même titre que le mur de Berlin, un des lieux mythiques de l'affrontement est-ouest.

Aujourd'hui, cette zone, qui comprend le sud-ouest de la Bohême, le sud-est de la Bavière et la région autrichienne de Mühlenviertel, fait l'objet des soins les plus attentifs des écologistes. Ce vaste espace, démilitarisé en 1991, est devenu un immense parc naturel, et les projets, baptisés « Toit vert de l'Europe », Intersilva, Euro-Région, ne manquent pas. Ils visent tous plus ou moins à préserver ce potentiel naturel unique, et à en faire une « région écologique pilote ».

Šumava : un projet d'avant-garde

La création, en mars 1991, du parc national de Šumava (*šumava* signifie forêt en tchèque) traduit la volonté des autorités tchèques d'aller dans ce sens. Ensemble, le parc national de Šumava et le parc national de la forêt bavaroise, forment un site naturel protégé de 80 000 ha. Presque complètement épargné par le système routier, c'est l'espace forestier le plus vaste d'Europe centrale.

Déclarée « zone prioritaire de protection de la biosphère » en juillet 1991, le parc national de Šumava se trouve à l'avant-garde des réflexions cherchant à conjuguer développement, protection de l'environnement et bien-être des populations locales, trois objectifs qui, jusqu'à présent, ont rarement pu être conciliés. Concrètement cela

Pages précédentes : toutes les couleurs de l'automne dans les Hautes Tatras. A gauche, une falaise dans la région de Nová Ves, en Slovaquie ; à droite, le canoë est une passion que partagent Tchèques et Slovaques.

pourrait signifier : privilégier les transports ferroviaires au détriment de la route, favoriser des projets industriels de taille moyenne, compatibles avec des exigences environnementales élevées, et enfin encourager un tourisme qui permette de découvrir le patrimoine naturel sans le mettre en danger (les ressources dégagées pouvant même servir à l'entretenir).

Ce programme suscite des avis partagés parmi les parties concernées. De nombreux maires de village y voient surtout un frein au développement économique et l'amorce d'une nouvelle forme de dirigisme contre lesquels ils sont bien décidés à se battre.

D'autres mettent en avant que la protection de cet héritage naturel commun aux pays frontaliers, et unique en Europe, est devenue un devoir impérieux qui devrait dominer les intérêts particuliers.

Préserver et faire découvrir

L'état de l'environnement recouvre dans l'ex-Tchécoslovaquie des situations très contrastées (lire pages 80 et 81) – l'État n'a commencé à intervenir sur ces questions qu'en 1986 et la privatisation des entreprises, engagée depuis 1990, ne facilite pas son action. Les premières initiatives destinées à préserver la nature remontent pourtant au siècle dernier. En 1838, les régions forestières de Hojná Voda et Žofinsky, dans le sud de la Bohême, furent classées zones protégées. Vingt ans plus tard, la forêt de Boubínsky (en Bohême) était classée à son tour.

A la fin de la Seconde Guerre mondiale, le gouvernement lança un programme de protection des sites naturels et archéologiques les plus importants. Mais on sait aujourd'hui que la pollution se déplace et que la protection d'un site ne vaut que si elle s'accompagne de réglementations visant, par exemple, à contrôler et à réduire la toxicité des fumées industrielles.

Gerlachovsky (2 655 m) et le Lomnicky (2 632 m). Le parc national des Hautes Tatras a été créé en 1948, prolongé dans la partie polonaise des Tatras par le parc national de Tatrzanski Narododowy. Il s'étend sur une superficie de 770 km^2, dont les deux tiers sont protégés. On ne peut pas passer d'un parc à l'autre mais ils sont gérés conjointement par les deux pays.

Durant l'ère quaternaire, la plus grande partie des Tatras était recouverte par des glaciers dont l'érosion a façonné le relief actuel, comme en témoignent ses sommets escarpés, ses lacs de montagne, ses vallées glaciaires, ses moraines et ses cirques (il y

En 1987, l'ex-Tchécoslovaquie comptait six régions classées parcs naturels nationaux. Ces parcs, et les 1 679 sites naturels protégés répartis dans tout le pays, couvraient une superficie de 17 272 km^2, soit 13 % de la superficie totale du pays. A titre de comparaison, les parcs nationaux américains s'étendent sur 65 000 km^2, soit 0,6 % de la superficie total du pays.

Le parc national des Hautes Tatras

Les Vysoké Tatry, les Hautes Tatras, constituent la partie la plus septentrionale de la chaîne des Carpates et comptent les plus hauts sommets de Tchécoslovaquie, le

en a plus de cent). Ces montagnes, où l'épicéa et le pin nain dominent, offrent un décor idéal pour les amateurs de randonnées et pour pratiquer le ski en hiver. Ces atouts expliquent aussi une grande affluence touristique, dont les débuts remontent à la fin du XIXe siècle. Le physicien, géographe et voyageur écossais Robert Towson a été l'un des premiers à ramener un ensemble d'observations précises (rassemblées dans un livre, *Voyages à travers la Hongrie de l'année 1793*) sur cette région, et à réussir des premières vers certains de ses sommets.

Plusieurs mesures montrent que la préservation de la faune et de la flore est devenue une priorité : la construction hôtelière a été stoppée et du 1er juillet au 31 août, les routes reliant Poprad, la principale agglomération à proximité du parc national, aux hôtels et aux airs de loisirs sont interdites aux véhicules individuels (à moins d'avoir une réservation dans un de ces hôtels). Il est prévu d'étendre cette limitation aux mois d'hiver. Bus et trains permettent de finir le trajet.

Les Hautes Tatras abritent de nombreuses espèces animales disparues dans la plupart des autres pays européens. On y rencontre des ours bruns (environ cinq cents en Slovaquie), des loups, des lynx, des

sauvages et plusieurs espèces de canards. Les oiseaux rares, l'aigle royal, le grand-duc, le vautour, la cigogne, le balbuzard, le grand coq de bruyère et l'outarde sont en revanche protégés.

Le parc national des Basses Tatras

Par l'altitude, les Basses Tatras viennent au second rang des chaînes montagneuses slovaques (le mont Dumbier culmine à 2 043 m, le mont Chpok à 2 024 m), mais elles s'étendent sur une superficie nettement plus vaste que les Hautes Tatras. Les forêts denses qui recouvrent les sols argi-

chats sauvages, des marmottes, des loutres, des martres, des visons et des chevaux sauvages. Le chamois des Tatras, considéré depuis de nombreuses années comme une espèce menacé, a fait sa réapparition dans les montagnes slovaques. La chasse est strictement interdite dans les parcs nationaux mais la plupart de ces espèces sont encore chassées dans le reste du pays. Parmi les oiseaux communs de la région, on trouve des faisans, des perdrix, des oies

A gauche, cette espèce de chamois ne se rencontre que dans les Hautes Tatras ; ci-dessus, ramassage du foin à l'ancienne dans le parc national de la Forêt bohémienne.

leux à faible altitude s'estompent progressivement pour laisser apparaître des sommets arrondis, formés de granits et pauvres en végétation. D'est en ouest, les Basses Tatras s'étendent sur 80 km.

C'est au cœur de ces montagnes que se situe le parc national des Basses Tatras (Národny Park Nizké Tàtry), d'une superficie de 811 km². Au nombre des curiosités de cette région figure l'ensemble des grottes de Demänová dont les galeries s'étendent sur 20 km.

Seules deux cavités calcaires sont accessibles au public, dont la Demänovská. Creusée par la rivière Demänovká, cette grotte, dont 700 m sont ouverts au public, est considérée comme la plus ancienne de Slovaquie. Dans sa partie la plus étroite, les parois sont recouvertes de glace toute l'année.

Depuis quelques années, la région s'équipe en hôtels et en remontées mécaniques pour le ski. Mais les amateurs d'espaces sauvages pourront toujours se rendre dans la partie est des Basses Tatras, qui demeure à peu près intacte. Ils auront peut-être la chance d'apercevoir des ours, des loups, des lynx et des oiseaux de proie. La pêche est autorisée dans la rivière Čierny, ainsi que dans le lac de retenue situé près de Liptovsky Mikuláš.

plantés aux XVIIe et XVIIIe siècles et des pins nains au-dessous de 1 300 m) qui perdent leurs aiguilles, sont atteints de maladies et rongés par les insectes ; à long terme, cette rupture de l'équilibre écologique menace tout le massif. Plus bas, sur les pentes de faible altitude, les forêts de hêtres souffrent d'être trop abondamment fréquentées.

Les parcs de Slovensky Raj, Malá Fatra et Pieninsky

Situé au sud-est de Poprad, le parc national de Slovensky Raj a été créé en 1988 et s'étend sur une superficie de 140 km². A

Le parc national des Krkonoše

Situé à 140 km au nord de Prague, le parc national des Krkonoše (d'une superficie de 385 km²) a été créé en 1963 dans la région la plus montagneuse de Bohême (le plus haut sommet, le Sněžka, s'élève à 1 602 m d'altitude). La région porte encore les traces des langues glaciaires qui la recouvraient autrefois : cuvettes, moraines et vallées glaciaires y alternent, couverts d'une végétation d'altitude, la gentiane, l'ellébore blanc, l'aconit, etc.

Le parc est aussi l'un des plus touchés d'Europe par les pluies acides. Ce sont environ 10 000 ha de pins (des épicéas

première vue, ce décor de hautes collines aux formes arrondies n'offre rien d'exceptionnel. Pourtant, ces plateaux, composés de calcaires purs datant de l'ère secondaire, cachent, dans leurs entrailles, des phénomènes naturels très spectaculaires. Le vent, l'eau et le gel ont, au cours des âges, usé et creusé ces couches calcaires formant d'étroites gorges, de profonds ravins, des cascades et des chutes d'eau.

Un ensemble d'échelles, de mains courantes et de ponts, parfois réduits à un tronc d'arbre, facilite la randonnée et l'escalade. L'étroit défilé où serpentent la rivière Hron et la grotte de glace de Dobšina (la seule des nombreuses grottes qui soit ouverte au public) sont les sites naturels les plus visités de Slovensky Raj, mais l'ensemble du parc comblera tous les amateurs de randonnées.

Le parc national des Malá Fatra, en Slovaquie centrale, occupe 200 km² dans la partie nord-est de la chaîne des Malá Fatra (les « Petites Fatras »), dont le plus haut sommet, le Vel' Kriváň, culmine à 1 709 m. S'il est peu étendu, ce massif offre néanmoins une grande variété de roches (granit, grès, dolomite), de plantes, d'animaux et de reliefs.

Le plus petit des parcs nationaux slovaques, le parc national de Pieninský Narodny, n'occupe que 21 km². Il s'étend de part et d'autre d'une chaîne de montagnes calcaires traversée par une profonde vallée d'érosion creusée par la rivière Dunajec. La pratique du rafting, en plein essor dans l'ex-Tchécoslovaquie, explique l'essor du tourisme dans cette région.

Fleuves et forêts, les passions de tout un peuple

Les Tchèques et les Slovaques ont toujours éprouvé pour leurs rivières, leurs fleuves et leurs lacs un attachement particulier. L'été, pas une rivière, pas un lac qui n'accueillent son lot d'amateurs de joies nautiques. Relativement épargnés par la pollution, les affluents de la Vltava, la Luznice et la Sazava deviennent le domaine des canoéistes, et celui des familles qui, d'une berge à l'autre, effectuent un paisible rafting, au terme duquel elles se rassemblent pour le traditionnel feu de camp et ses indispensables *spekacek*, la saucisse nationale. La démilitarisation de plusieurs grandes zones forestières (notamment en Bohême) a rendu à la plaisance bon nombre de torrents et de rivières qui enchanteront sûrement les canoéistes chevronnés, amateurs de difficulté.

Pourtant, l'hydrographie du pays ne favorise guère cette passion nationale. Les principaux cours d'eau qui le traversent atteignent leur maturité hors des frontières, ou vont grossir les eaux d'un fleuve étranger. Depuis des siècles des efforts considé-rables ont été accomplis pour conserver cette eau à l'intérieur du pays le plus longtemps possible. Les lacs artificiels, qui constituent une proportion importante des eaux de surface du pays, servent à la fois à la pisciculture, à la production d'énergie hydro-électrique et de réservoirs pour prévenir les inondations. Au XVIᵉ siècle, la pisciculture était en plein essor, la Bohême comptait alors plus de 78 000 étangs. Dans ce domaine, un ingénieur de génie, Krčin de Jelčany, se distingua en réalisant le plus grand étang de Bohême, le Rožmberk (1 000 ha), alimenté en eau grâce un canal artificiel.

La construction de réservoirs et de barrages à des fins industrielles commença pendant la première République. Après la Seconde Guerre mondiale, les besoins en énergie de l'industrie nécessitèrent la multiplication de ces équipements. Au nombre des plus grands ouvrages construits à cette époque, on compte le barrage de Lipno, édifié sur les hautes rives de la Vltava, le réservoir d'Orava et le barrage installé en aval du château d'Orlík. Le pittoresque lac artificiel de Slapy, au sud de Prague, est devenu une des aires de loisirs favorites des Praguois. Le long de ses berges sont amarrés des habitations flottantes, des bateaux à voile et de petits canots destinés à la pêche.

A gauche, la fréquentation des parcs nationaux tchèques et slovaques est soumise une réglementation très stricte ; à droite, les Tatras sont les montagnes les plus élevées des Carpates.

DEUX PAYS À DÉCOUVRIR

Après quarante ans d'isolement, la République tchèque et la Slovaquie apparaissent comme deux des destinations les plus fascinantes d'Europe centrale. Elles possèdent en effet tous les atouts pour satisfaire les formes de tourisme les plus diverses.

On avait tendance à l'oublier, mais les deux pays possèdent l'un des patrimoines historiques les plus riches d'Europe. On y compte pas moins de 2 500 châteaux et palais (Karlštejn, Spiš, Hluboká, Lednice). Bon nombre de villes (Telč, Česky Krumlov, Tabor, Domažlice, Trenčin, Košice) ont conservé et restauré leur centre historique, composé d'édifices gothiques, Renaissances et baroques, et certaines d'entre elles sont encore ceinturées d'enceintes médiévales (Bardějov, Levoča). Le quartier de Malá Strana, à Prague – la ville aux Cent Tours –, est souvent considéré comme le plus bel ensemble baroque d'Europe. Enfin, ces contrées sont parsemées de milliers d'églises et de monastères, dont quelques basiliques romanes (Saint-Pierre, près de Plžen), et de magnifiques cathédrales gothiques (Saint-Guy à Prague, Sainte-Élisabeth à Košice, Saint-Martin à Bratislava). Au total, c'est l'occasion de découvrir le produit d'une évolution longue de plus de mille ans, où se mêlent l'influence des grands foyers culturels de l'Italie, de la France, des Flandres lointaines et le génie propre des bâtisseurs tchèques et slovaques.

Mais que les amateurs de sites naturels et de vacances sportives se rassurent, la beauté des paysages n'a rien à envier aux trésors de l'architecture. Les vingt et un itinéraires proposés dans ce guide invitent le lecteur à découvrir les stations thermales de l'Ouest de la Bohême, et celles de la vallée de la Váh ; à flâner dans la région des lacs et des étangs poissonneux, près de Třeboň, et dans la grande forêt de Šumava ; à s'aventurer parmi les formations de rocheuse de la Suisse bohémienne, ou dans les profondeurs des grottes du karst morave ; à descendre à ski les pentes des monts Krkonoše, Orlické, et des Beskides, à partir en randonnée dans les Petites Fatras, les Basses et les Hautes Tatras, dont les plus hauts sommets dépassent 2 500 m et où demeurent encore quelques ours ; à longer les rives du Danube et à parcourir les coteaux de vigne ensoleillés du sud-est de la Slovaquie.

Si, concernant les noms de rue, et plus généralement les informations pratiques, aucun guide de voyage ne peut prétendre à la perfection, le retour à la démocratie de la « Tchéquie » et de la Slovaquie et les profondes transformations qui en découlent rendent cette ambition encore plus difficile à satisfaire. Pas une ville, pas un village qui ne rebaptisent telle rue, telle place, ou tel édifice (gares, stations, stades, parcs, etc). Les héros du communisme laissent progressivement la place aux personnages illustres d'avant-guerre, ou à quelques célébrités de la dissidence. Le plus souvent, les rues ont retrouvé leurs noms d'origine. Si vous achetez un plan vérifiez sa date d'impression : les rues des Défenseurs-de-la-Paix, des Pionniers, ou Lénine ont probablement disparu, et il arrive que les Slovaques et les Tchèques eux-mêmes ne soient pas très sûrs du nouveau nom. Deuxième difficulté : tel château jusqu'à présent ouvert au public, l'est-il toujours, ou bien a-t-il été rétrocédé à son propriétaire d'avant-guerre ? Autant d'interrogation qui ajoutent au charme de l'Europe centrale.

Pages précédentes : bouquets printaniers dans les Beskides. Gothiques, baroques, Sécession, ou même staliniennes, les innombrables statues de Prague ponctuent l'histoire tchèque.

LE VIEUX PRAGUE, STARÉ MĚSTO

La Vieille Ville de Prague occupe, sur la rive droite de la Vltava, l'espace délimité au nord et à l'ouest par le fleuve, au sud et à l'est par les rues Národní, Napřikopě et Revoluční, qui suivent le tracé des anciennes fortifications édifiées au début du XIIIᵉ siècle. Au-delà de ces artères, ouvertes dans les années 1760-1781, commence la Ville Nouvelle (Nové Město) fondée au XIVᵉ siècle par Charles IV.

La Vieille Ville est née au XIᵉ siècle autour du quartier juif installé depuis le début du Xᵉ siècle près du gué sur la Vltava (l'actuel pont Mánesův), du quartier du Týn et du marché situé au carrefour des routes commerciales. La création, un siècle plus tard, des rues Karlova, Kaprova, Siroká et Husova, amorça la période d'urbanisation médiévale de la Vieille Ville. Mais dès la fin du XIIIᵉ siècle, on procéda à son remblayage afin de la protéger contre les fréquentes inondations, et la ville romane disparut sous deux à trois mètres de terre.

La place de la Vieille Ville

Toutes les rues importantes du quartier, et notamment celles qui prolongent les ponts Karlův, Mánesův et Čechův, convergent vers la **place de la Vieille Ville** (*Staroměstské náměstí*) et en font le centre naturel de la ville. Et qui d'autre mieux que maître Jan Hus méritait d'occuper le cœur de cette place ? Le monument qui lui rend hommage fut érigé le 6 juillet 1915, à l'occasion du 500ᵉ anniversaire de la mort du réformateur.

Dominées par les tours serties de clochetons de Notre-Dame-du-Týn, les demeures qui bordent la place offrent une variété de styles caractéristique de Staré Město. Sur la gauche s'élève le **palais Kinský** dont la façade baroque tardif présente déjà certains éléments rococo. Le palais fut construit entre 1755 et 1765 par Anselmo Lurago sur des plans de Kilian Ignaz Dientzenhofer

Pages précédentes : le pont Charles (du côté de la Vieille Ville) au petit matin. A gauche, l'une des deux sculptures monumentales qui flanquent la porte d'entrée du Hradčany.

alors décédé. Au XIXᵉ siècle, il abritait une école en langue allemande dont Kafka suivit les cours. Il accueille à présent les collections d'arts graphiques du Musée national. A la droite du palais, la maison de style gothique (du XIVᵉ siècle) « **A la cloche de pierre** » (*Dům u Kamenného zvonu*) a été restaurée en 1988 et abrite une salle d'exposition. Les deux maisons contiguës sont reliées par un passage à arcades dont la voûte est nervurée.

A gauche se tient l'**école du Týn**, un édifice, gothique à l'origine, puis remanié dans le style Renaissance, qui accueille des expositions. Accolée à droite se trouve l'ancienne pharmacie « **A la Licorne** », où se tenait un salon littéraire qui fut fréquenté par Kafka et ses amis.

On accède à **Notre-Dame-du-Týn** par l'école du Týn ou à partir du nº 5 de la rue Celetná. Construite entre 1365 et 1511 sur le site d'une petite église romane, Sainte-Marie, Notre-Dame-du-Týn resta jusqu'en 1620 le principal lieu de culte des hussites et leur archevêché. La nef fut dotée d'une voûte baroque après un incendie. L'église possède les plus vieux fonts baptismaux de Prague (1414).

Les peintures du maître-autel, une Assomption, et celles des autels latéraux sont l'œuvre de Karel Škréta (1610-1674), le père de la peinture baroque tchèque. A droite du maître-autel, on remarque la pierre tombale de marbre rouge de l'astrologue – et alchimiste – danois Tycho Brahé (1546-1601) qui vint à Prague en 1559 sur l'invitation de Rodolphe II. L'autre curiosité de cette église consiste en une fenêtre pratiquée dans le mur situé à droite du portail sud et donnant directement sur une pièce de la maison attenant à l'église, rue Celetná. Franz Kafka habita quelque temps cette maison.

Située de l'autre côté de la place, l'**église Saint-Nicolas** (*Kostel sv. Mikuláše*), achevée en 1735, fut également conçue par K. I. Dientzenhofer. Les statues qui ornent la façade sont de A. Braun, le neveu de Mathias Bernard Braun. A l'origine, des maisons se tenaient en face, séparant le bâtiment de la place ce qui explique les propor-

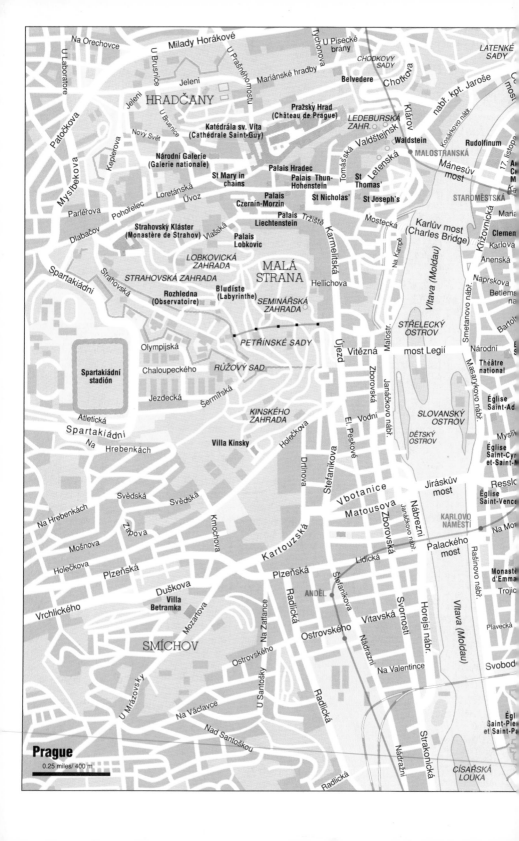

Na Orechovce · U Laboratoře · U Brusnice · Milady Horákové · U Prašného mostu · Tychonova · U Pisecké brány · LATENKÉ SADY

Jeleni · Jeleni · Mariánské hradby · CHODKOVY SADY · Belvedere · Chotkova · Klárov · nábř. kpt. Jaroše

HRADČANY · U Brusnice

Pražský Hrad (Château de Prague) · LEDEBURSKÁ ZAHR. · Kosářkovo nábř.

Patočkova · Nový Svět · Katédrála sv. Víta (Cathédrale Saint-Guy) · Tomášská · Valdštejnsk · Waldstein · Rudolfinum · 17. listopa

Keplerova · Národní Galerie (Galerie nationale) · Letenská · MALOSTRANSKÁ · Mánesův most · 17. A · C · M

Myslbekova · Loretánská · St Mary in chains · Palais Hradec · Palais Thun-Hohenstein · St Thomas' · STAROMĚSTSKÁ · Ka

Parléřova · Pohořelec · Úvoz · Palais Czernín-Morzin · St Nicholas' · St Joseph's · Mostecká · Karlův most (Charles Bridge) · Maria

Dlabačov · Strahovský Klášter (Monastère de Strahov) · Vlašská · Palais Liechtenstein · Tržiště · Karmelitská · Clemen · Karlova

Spartakiádní · Strahovská · Palais Lobkovic · Na Kampě · Vltava (Moldau) · Křižovnická · Anenská

LOBKOVICKÁ ZAHRADA · MALÁ STRANA · Naprskova · Betlems · na

STRAHOVSKÁ ZAHRADA · Rozhledna (Observatoire) · Bludiště (Labyrinthe) · Hellichova · SEMINÁŘSKÁ ZAHRADA · Smetanovo nábř. · Bartol

Olympijská · PETŘÍNSKÉ SADY · Újezd · Vítězná · STŘELECKÝ OSTROV · Malostr. · most Legií · Národní · E · S

Spartakiádní stadión · Chaloupeckého · RŮŽOVÝ SAD · Zborovská · Janáčkovo nábř. · SLOVANSKÝ OSTROV · Masarykovo nábř. · Théâtre national

Jezdecká · Šermířská · KINSKÉHO ZAHRADA · Vodní · El. Peškové · DĚTSKÝ OSTROV · Église Saint-Ad

Atletická · Spartakiádní · Na Hrebenkách · Villa Kinsky · Holečkova · Štefánikova · Mysli · Église Saint-Cyr et-Saint-M

Švédská · Švédská · Drtinova · Vbotanice · Jiráskův most · Nábrezni · Ressla · Église Saint-Vence

Na Hřebenkách · Žápova · Matousova · Zborovská · Janáčkovo nábř. · KARLOVO NÁMĚSTÍ · Na Mo

Mošnova · Kmochova · Kartouzská · Lidická · Palackého most · Rašínovo nábř.

Holečkova · Plzeňská · Plzeňská · Monaste d'Emma

Vrchlického · Duškova · Villa Betramka · ANDĚL · Horejsi nábř. · Trojic

SMÍCHOV · Mozartova · Radlická · Štefánikova · Vitavská · Svornosti · Vltava (Moldau) · Plavecká

U Mrázovský · Ostrovského · Ostrovského · Nádražní · Na Valentince · Svobod

Na Václavce · U Santošky · Radlická · Nádražní · Strakonická · Égl Saint-Pie et Saint-Pa

Nad Santoškou · Radlická · CÍSAŘSKÁ LOUKA

Prague

0.25 miles/ 400 m

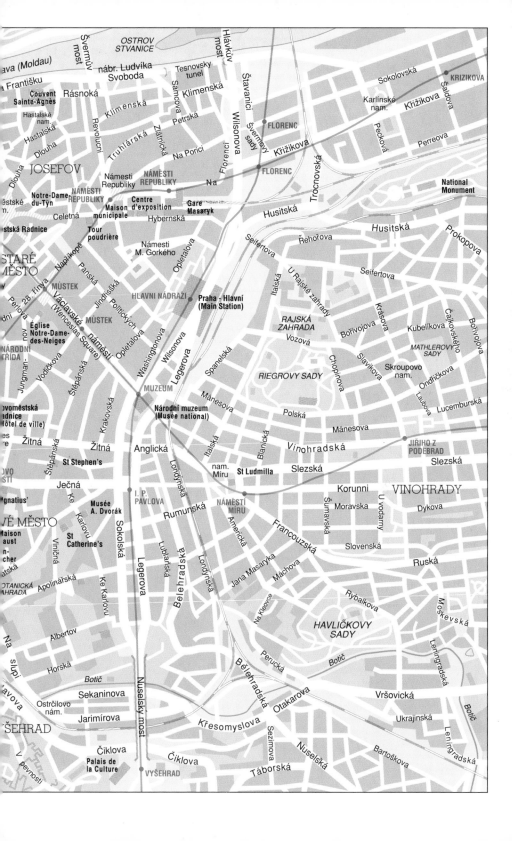

tions inhabituelles de l'édifice. Signalons enfin que Franz Kafka naquit dans la maison située à gauche en sortant de l'église, **rue Maislova**.

L'ancien hôtel de ville

A l'emplacement du jardin qui fait face à l'église se trouvait autrefois une aile néo-gothique de l'**hôtel de ville** de Staré Město (*Staroměstská radnice*), où le maire de Prague siégeait au XIXᵉ siècle. Elle fut détruite lors du soulèvement de Prague, en mai 1945. En contournant l'hôtel de ville, qui s'avance sur la place de la Vieille Ville, on a une vue dégagée de la partie ancienne du bâtiment. Lorsqu'ils reçurent leur charte municipale du roi Jean de Luxembourg, en 1338, les citoyens de Prague achetèrent la maison située à gauche de la tour et en firent l'hôtel de ville. Trois autres maisons furent ensuite acquises en complément. La tour fut construite en 1364, la chapelle et son oriel en saillie furent ajoutés par la suite.

L'**horloge astronomique** de la tour remonte à 1410 pour sa partie la plus ancienne. Elle est constituée de trois parties. Le cadran central est une véritable horloge qui indique également le mouvement du soleil et de la lune selon les conceptions géocentriques de l'époque. Il surmonte le calendrier avec les signes du zodiaque et des scènes de la vie rurale qui symbolisent les douze mois de l'année. L'artiste tchèque Josef Mánes exécuta la décoration du calendrier, en 1894.

Toutes les heures, les personnages de la partie supérieure de l'horloge jouent la même scène. Un squelette, symbolisant la mort, sonne la cloche funèbre, retourne un sablier, puis fait un signe de la tête au Turc qui est à ses côtés, ainsi qu'aux deux figures situées sur sa droite et qui représentent la vanité et la cupidité. Ensuite, lorsque les cloches se mettent à sonner, les deux petites fenêtres situées au sommet de l'horloge s'ouvrent laissant apparaître les douze apôtres, tandis qu'un jeune coq bat des ailes et pousse son cri.

Les plaques commémoratives disposées sur la tour rappellent les événements importants qui se sont déroulés sur la place : l'assassinat en 1422 – par des hussites sur l'ordre de Jan Žižka – du prêtre Jan Želivský, chef du mouvement chiliastique (lire pages 31-32) ; l'exécution, en 1621, après la défaite de la Montagne Blanche, de vingt et un gentilshommes tchèques ; et enfin la libération de Prague par l'Armée rouge, le 9 mai 1945.

Dans les rues adjacentes

En passant devant la **maison Minuta** et ses sgraffites du XVIIᵉ siècle – que la famille Kafka habita de 1889 à 1896 – on arrive à la **Petite-Place** (*Malé náměstí*), dont la forme triangulaire rappelle les places italiennes. Au centre s'élèvent une fontaine et sa grille Renaissance, entourée d'élégantes demeures qui ont toutes une histoire particulière.

Au n° 11, un certain Signore Agostino de Florence établit, en 1353, la première pharmacie de la ville. Plus spectaculaire est la maison sise au n° 3 dont la cave

A gauche, un oriel et une fresque présentant saint Venceslas ornent cette maison de la place de la Vieille Ville ; à droite, beauté praguoise.

était autrefois le premier étage d'une bâtisse de style roman, où fut imprimée la première bible en tchèque, en 1488. Au tournant du XXᵉ siècle, le nouveau propriétaire, un quincaillier, rénova la maison et fit repeindre la façade avec son symbole d'origine, les trois roses.

Le réseau de ruelles adjacentes réserve bien des surprises à celui qui se lance à sa découverte. La Vieille Ville est un labyrinthe de **passages** dont certains sont si bien dissimulés qu'ils demeurent ignorés des Praguois. « Il est possible de traverser tous les quartiers de Prague sans passer par la rue. », écrivait Egon Ervin Kisch dans sa *Monographie des passages*. Dans une ville qui aime autant le mystère que Prague, il n'en fallait pas davantage pour que le passage prît un sens ésotérique d'accès vers d'autres mondes.

Engageons-nous par exemple dans la rue Karlova qui tourne à gauche avant de déboucher dans la **rue Jilská**. Vous ne tarderez pas à apercevoir sur la gauche, au n° 18, la maison des « **Deux Cerfs à tête commune** ». Un porche ordinaire, baptisé « la porte de Fer », ouvre sur un passage qui conduit à la **rue Michalská**. De l'autre côté de la rue commence un autre passage qui traverse la cour d'une demeure Renaissance, la maison Teyfl (en allemand *Teufel* signifie diable).

Si au lieu de poursuivre vous suivez le chemin de gauche, il vous conduira dans la cour d'un monastère qui abrite l'**église Saint-Michel** (où Jan Hus prêcha). Les deux itinéraires se rejoignent **rue Melantrichova**, juste avant l'intersection avec la **rue Kožná**. La première maison à gauche, « **Aux deux ours d'or** » – où habitait justement la famille Kisch –, est un bel exemple d'architecture Renaissance. Au n° 10 de la rue Kožná commence un autre labyrinthe…

La rue Karlova

Ferdinand V fut le dernier empereur d'Autriche à venir se faire couronner à Prague et à suivre la traditionnelle « voie royale » : un axe historique reliant la tour Poudrière, la place de la

L'horloge astronomique de l'ancien hôtel de ville construit par Nikolaus Kaaden, en 1410.

Vieille Ville, le pont Charles, la place de Malá Strana et le Hradčany. Étroite et tortueuse, la **rue Karlova** (rénovée dans les années 1960) assure depuis toujours le lien entre le pont Charles et la place de la Vieille Ville.

Au n° 4 de la rue Karlova, « **A la Couronne française** », vécut quelque temps l'astronome Johannes Kepler, qu'un édit contre les protestants avait conduit, en 1600, à demander la protection de Rodolphe II. Un peu plus loin, la maison **Au Serpent d'or** abrita le premier café de Prague, ouvert en 1714 par un Arménien, Yorgos Hatalah Namashki.

Construit en 1653-1679, le collège du **Clementinum** occupe l'espace délimité par les rues Karlova, Seminářská, Platnéřská et Křižovnická. Pour édifier cet énorme bloc, qui abrite aujourd'hui la Bibliothèque nationale et la bibliothèque Universitaire, les jésuites firent disparaître trente-deux maisons, trois églises, deux jardins et un couvent de dominicains.

La **rue Seminářská** s'ouvre sur la **place Mariánské**, bordée par le bâtiment Art nouveau du **nouvel hôtel de ville**. Quatre atlantes sculptés par M. B. Braun ornent le portail d'entrée du **palais Clam-Gallas** construit par J. B. Fischer von Erlach en 1713-1725 et occupant l'angle de la place et de la **rue Husova**. En face du palais, au nord de la place, la **bibliothèque municipale**, construite dans les années 1930, accueille le département d'art tchèque du XXe siècle du Musée national, ainsi qu'un théâtre de marionnettes et un cinéma.

Le sud de la Vieille Ville

Au n° 19 de la rue Husova (de l'autre côté de la rue Karlova), la façade de style Renaissance italienne appartient à la **galerie de Bohême centrale** qui expose des collections d'art régionnal. Comme souvent dans la Vieille Ville, les caves abritent les vestiges d'une construction romane.

Un peu plus loin sur la gauche se trouve l'**église Saint-Gilles** (*Kostel sv. Jiljí*) dont les lignes extérieures d'un gothique très pur – datant probable-

ment des années 1230 – contrastent avec la surcharge de l'ornementation baroque (du XVIIIe siècle) intérieure. Les dominicains acquièrent l'édifice en 1626 et lui ajoutèrent un monastère. La petite porte située à gauche de l'entrée principale conduit au cloître.

Un peu avant Saint-Gilles, sur la droite, au n° 3 de la **rue Řetězová**, la demeure des seigneurs de Kunštát et Poděbrady a conservé intact le rez-de-chaussée d'un palais baroque de la seconde moitié du XIIe siècle. Ses salles sont ouvertes au public et accueillent les expositions du centre de préservation des monuments de Prague.

Plus loin, vous rencontrerez la **rue Liliová** où, selon la légende, chaque vendredi après minuit, près du **cloître Saint-Laurent**, apparaît un chevalier templier monté sur un cheval blanc. De l'autre côté de la rue Liliová, l'atmosphère paisible de la petite **place Anenské** invite à faire une halte.

A son extrémité sud, la rue Liliová coupe la **rue Na Prstkova**, qui, plus loin sur la gauche, donne sur la **place**

La façade du théâtre des États.

Betlemské. La **chapelle Bethléem** (*Betlémská kaple*) rappelle avec force le mouvement hussite. Bâti en 1949-1954, l'édifice actuel est une réplique de la chapelle d'origine, fondée en 1391, démolie à la fin du XVIIIᵉ siècle, et qui pouvait accueillir jusqu'à 3 000 fidèles.

L'intérieur, sobre, est tourné vers la chaire et non vers l'autel. Jan Hus y prêcha de 1402 à 1412. D'autres prédicateurs célèbres s'y illustrèrent : le compagnon de Hus, Jacques de Střibro puis, en 1521, le chef de file de la fraction radicale des protestants allemands, Thomas Münzer. Également ouverte au public, la **maison des Prêcheurs**, située juste à côté, expose des documents relatifs à la vie et l'œuvre de Hus.

Sur le côté ouest de la place, le **Musée ethnologique** (*Náprstkovo muzeum*) présente des collections consacrées aux cultures d'Asie, d'Afrique et d'Amérique latine. Au bout de la **rue Konvitská** (en direction du fleuve), à l'angle de la **rue Karoliny Světlé**, se dresse l'**église de la Sainte-Croix**, une rotonde romane datant du début du XIIᵉ siècle. Pour tous les Praguois, la **rue Bartolomějská** rappelle de mauvais souvenirs. C'est là, en effet, qu'étaient installés les bureaux de la **police secrète** tchécoslovaque, la STB, qui comptait, en 1989, 140 000 permanents et de nombreux informateurs occasionnels, les *estebaci*.

Une autre église intéressante vous attend rue Martinska. Romane à l'origine, **Saint-Martin-dans-le-mur** fut reconstruite dans le style gothique. C'est dans cette église qu'en 1414, pour la première fois, la communion fut donnée à l'assistance sous les deux espèces : le pain et le vin.

La cité Saint-Gall

La **rue Martinska** conduit dans ce qui était autrefois la **cité Saint-Gall**, fondée en 1232. Les abords du **marché au charbon** (*Uhelny trh*) étaient au Moyen Age le carrefour commercial de la Vieille Ville. dans la **ruelle V. kotcich**, aux auvents délavés, le temps paraît s'être arrêté. D'origine romane, l'**église**

Les deux tours de Notre-Dame-du-Týn dominent la place de la Vieille Ville.

Saint-Gall (rue Havelská) reçut sa splendide façade baroque à la fin du XVIIIᵉ siècle.

Non loin, entre le **marché aux fruits** (*Ovocny trh*) et la rue Železná, se dresse le plus ancien théâtre public de Prague, le **théâtre Tyl**, également appelé **théâtre des États**, ou **Nostitz**. Il fut construit pour le comte Nostic-Rieneck par l'architecte de la cour, Antonín Haffenecker. La première pierre fut posée le 7 juin 1781 et l'inauguration eut lieu le 21 avril 1783. Cette scène acquit une réputation internationale grâce à deux créations de Mozart : *Don Giovanni* (1787) et *Clémence de Titus* (1791). Carl Maria von Weber en fut le directeur de 1813 à 1816 et Paganini y donna des récitals. Mais pour le peuple tchèque la date du 21 décembre 1821 revêt une signification particulière. Ce jour-là en effet, on y joua, dans la pièce de Josef Kajetán Tyl, l'air « Où est ma patrie ? », qui devint l'hymne national tchèque en 1918.

Le théâtre a subi plusieurs modifications, notamment dans les années 1858-1859, et en 1882, avec le projet d'Achille Wolf lorsque le bâtiment fut agrandi du côté est. La belle ordonnance de la construction, d'un goût baroque raffiné est dominé par un avant-corps que des murs incurvés raccordent au reste de l'édifice. Déclaré insalubre en 1983, il a été complètement restauré.

En 1348, Charles IV fonda à Prague, à l'exemple de la Sorbonne, la première université d'Europe centrale. Construit vers 1370, comme le montre l'encorbellement de style gothique tardif, le **Carolinum** (9 rue Železná) était le siège du recteur de l'université Charles. L'édifice subit des modifications dans le style baroque vers 1718.

Josephov, l'ancien ghetto de Prague

Si les plus anciens documents attestant la présence d'une communauté juive à Prague datent de 1091, sa fondation est probablement plus ancienne et remonte au Xᵉ siècle. Au cours des âges, l'attitude du pouvoir à l'égard des Juifs fut mar-

Le café st indissociable de l'atmosphère praguoise.

quée par l'alternance de la tolérance et de la discrimination. Le ghetto proprement dit fut créé au milieu du XIIIᵉ siècle, à la suite des garanties qu'Otakar II accorda à la communauté juive. En contrepartie, le Trésor royal prélevait d'importants revenus fiscaux sur les marchands et les artisans juifs. A la fin du XVIIIᵉ siècle, le ghetto de Prague était sans doute le centre israélite le plus florissant d'Europe centrale.

Dans le contexte de tolérance instauré par Joseph II, le ghetto fut d'ailleurs rebaptisé **Josephov**, en l'honneur de l'empereur « libéral », avant de devenir, peu après, le cinquième arrondissement de Prague. En 1848, toutes les lois ségrégationnistes encore en vigueur furent abolies. La même année, cet événement trouvait sa traduction architecturale dans la destruction des murs du ghetto. A l'issue de la mise en œuvre, dans les années 1890-1910, du programme d'assainissement urbain, il ne subsistait plus de l'ancien ghetto de Prague que les six synagogues – qu'on peut voir aujourd'hui – l'hôtel de ville de

Josephov et l'ancien cimetière. La survie de ces édifices, ainsi que de la richesse des collections du Musée national juif, résultent paradoxalement du plan nazi qui consistait à préserver ce patrimoine afin d'en faire « le musée de la race juive éteinte ».

Situé **rue Jáchymova** (perpendiculaire à la rue Maislova), le **Musée national juif** n'expose qu'une petite partie des collections d'objets cultuels judaïques, d'œuvres d'art, de documents et d'objets de la vie quotidienne, qui constituent un patrimoine – à présent propriété de l'État – sans équivalent en Europe.

De retour dans la **rue Maislova** se dressent côte à côte la synagogue Vieille-Neuve et l'**hôtel de ville de Josephov**. Ce bâtiment Renaissance fut construit en 1586 par Pankrac Roder. Une première série de transformations furent effectuées en 1756, puis, entre 1900 et 1910, on ajouta une aile sud à l'édifice. Notez que les aiguilles de l'horloge ornée de symboles hébraïques tournent à rebours. L'édifice continue d'accueillir les responsables de la communauté juive et abrite également un restaurant casher. La **synagogue Haute** faisait à l'origine partie de l'hôtel de ville, mais des travaux entrepris en 1883 firent du second étage – d'où elle tire son nom – un bâtiment autonome. Elle abrite une exposition permanente d'objets rituels.

Construite vers 1270, la **synagogue Vieille-Neuve** est la plus ancienne d'Europe. Elle représente un exemple unique de synagogue médiévale à double nef et à voûtes ogivales. L'aspect extérieur offre une grande simplicité de ligne : la synagogue est de forme rectangulaire, surmontée de deux pignons de brique d'inspiration gothique. Les murs extérieurs, percés de fenêtres étroites, sont renforcés par des contreforts. Les annexes basses servaient d'entrée, ainsi que de galerie pour les femmes. Les consoles, les chapiteaux des piliers et les voûtes sont richement décorés de motifs végétaux et d'ornementations en relief. Au centre de la nef principale se trouvent le foyer du culte et sa chaire (*almemor*) destinée à la lecture de la Thora. La **synagogue Maisel** se trouve

Le vieux cimetière juif date du début du XVᵉ siècle.

également rue Maislova. Construite entre 1590 et 1592, elle doit son allure néo-gothique à des transformations effectuées à la fin du siècle dernier.

Le **vieux cimetière juif** se trouve dans la **rue U starého hřbitova**, à gauche, en remontant Maislova vers le nord. Il fut créé au nord-ouest du ghetto au début du XVe siècle ; la tombe la plus ancienne date de 1438. Si on compte environ 12 000 pierres tombales, le nombre de sépultures est nettement plus élevé, le manque de place ayant conduit à les empiler les unes sur les autres.

La tombe du **Rabbi Yehouda Löw ben Betsalel**, le créateur mythique du golem, est de loin la plus visitée. Mais ne cherchez pas celle de Franz Kafka, il est enterré dans le nouveau cimetière juif. La **synagogue Klaus** se dresse à l'entrée du cimetière. Cet édifice baroque bâti en 1694 abrite une collection permanente de manuscrits hébraïques anciens et d'éditions de la Bible et du Talmud. Située au fond du cimetière, la **synagogue Pinkas** occupe une magnifique demeure Renaissance.

En 1958, ce lieu de culte a été transformé en mémorial dédié aux 77 297 Juifs tchèques victimes de l'Holocauste.

Le Rudolphinum

La **rue de Paris** (*Pařížská třída*) quitte la place de la Vieille Ville par le nord, traverse Josephov pour aboutir au **pont Čechův**. Cette imposante avenue à l'allure très haussmannienne, bordée de magnifiques immeubles, offre une des plus belles perspectives de la capitale. Parvenu à la hauteur de la **rue 17-Listopadu**, il faut emprunter cette dernière jusqu'à la **place Jan Palach** (construite, comme la rue de Paris, à la fin du XIXe siècle) pour aller à la rencontre du monumental **Rudolphinum**.

Construit dans les années 1876-1884, le Rudolphinium, ou **maison des Artistes**, est le chef-d'œuvre néo-Renaissance des architectes Zítek et Schultz. De 1918 à 1939, l'édifice abrita le Parlement tchécoslovaque. Depuis 1946, il a retrouvé sa fonction artistique, et il est le siège de l'orchestre philarmo-

L'escalier baroque du palais Clam Gallas est l'œuvre du sculpteur M. B. Braun.

nique tchèque, du conservatoire de Prague et de l'Académie des beaux-arts. A la fin des années 1980, on a procédé à sa complète réhabilitation. Chaque année, le Rudolphinium accueille l'événement musical majeur de la capitale : le « printemps de Prague ».

Le couvent Sainte-Agnès

Le **couvent Sainte-Agnès** se trouve dans le nord-est de Josephov, **rue Anežká** (prendre la **rue Vězeňská** depuis la rue de Paris, ou la **rue Kozí** depuis la place de la Vieille Ville). Ce monastère est le plus ancien monument du premier âge gothique de Prague. Il fut fondé en 1234 par Agnès Přemyslides – sainte Agnès a été canonisée à Rome en 1989 –, la sœur du roi Venceslas Ier, qui appartenait à l'ordre des Clarisses.

L'ensemble, qui comprenait deux couvents et plusieurs églises, s'était sérieusement dégradé au fil du temps. Au terme de longues années de restauration, certaines salles ont recouvré leur aspect d'origine et ont été réunies pour former l'ensemble historique que l'on visite maintenant. Le couvent abrite à présent des collections du musée de l'Artisanat (artisanat du XIXe siècle) et du Musée national (peinture tchèque du XIXe siècle).

La rue Celetná et la tour Poudrière

La **rue Celetná** est l'une des plus anciennes de la capitale. Sur le plan architectural, le style baroque y prédomine largement, d'autant qu'une récente restauration a redonné tout leur éclat aux façades. Au n° 12, le **palais Hrzán** offre un bel exemple de baroque tardif. Non loin, la taverne « **Au Cerf doré** » occupe les murs de la vieille maison en pierre de Prague. Ne manquez pas d'aller admirer (au n° 34) la **maison cubiste**, « la Vierge noire », construite par Joseph Gocar en 1911-1912.

Bâtie en 1475 par Matěj Rejsek – l'architecte le plus brillant de la fin du XVe siècle – la **tour Poudrière** (*Prašná Brána*) était l'une des treize portes que comptaient les fortifications de la Vieille Ville. La proximité de la **Cour royale** (à l'emplacement de l'actuelle maison Municipale), la résidence des souverains tchèques à cette époque, justifia la construction d'un édifice plus puissant. De style gothique flamboyant à l'origine, le bâtiment fut restauré entre 1876 et 1886 à la suite des sérieux dommages qu'il subit pendant la guerre de Sept Ans. C'est au cours du XVIIIe siècle que l'édifice devint un entrepôt de poudre à canon, fonction qui lui a donné son nom.

Construite en 1905-1911 par Antonín Balšáneik, la **maison Municipale** (*Obecní dům*) est le monument de style Sécession le plus important de la capitale. Tous les grands artistes tchèques de l'époque ont contribué à sa décoration : Mucha, Myslbek, Šaloun, Švabinský, Aleš, Ženíšek. Le café et le restaurant du bâtiment ont conservé leur ornementation Art nouveau. La salle Smetana accueille une bonne partie des concerts donnés à l'occasion du festival musical du Printemps de Prague. Juste derrière la maison Municipale, il y a un autre immeuble de style Sécession, l'**hôtel Paříž**, construit en 1907.

L'église Saint-Jacques (*Kostel sv. Jakuba*) s'élève à l'angle de la **rue Malá Štupartská** et de la **rue Jakuská**. Comme tant d'églises gothiques, Saint-Jacques (fondée en 1234) fut reconstruite à plusieurs reprises jusqu'à prendre l'aspect baroque qu'on lui voit à présent. On remarquera les bas-reliefs du portail principal, les fresques du plafond et le tableau de V. V. Reiner sur le maître-autel. La tombe du comte Vratislav Mitrovic est l'œuvre de J. B. Fischer von Erlach et F. M. Brokoff. Des concerts d'orgue sont régulièrement organisés dans l'église en raison de ses qualités acoustiques. Le **cloître minorite** jouxte l'aile nord de Saint-Jacques. Des anciennes cellules s'échappent des flots de musique, depuis que le monastère a été transformé en école de musique.

Situé entre Saint-Jacques et Notre-Dame-du-Týn, le **Týn** est un lieu paisible, un peu à l'écart de la ville. Bâti au XIe siècle pour accueillir les marchands de passage, l'édifice est actuellement en cour de rénovation.

La tour Poudrière est un des monuments de style gothique flamboyant les plus majestueux de Prague.

LE PONT CHARLES

Sentinelle solidement plantée à l'entrée du pont Charles, la **tour du Pont de la Vieille Ville**, construite par Peter Parler de Gmünd – qui réalisa également sa décoration – entre 1380 et 1400, compte parmi les plus belles tours gothiques de ce genre en Europe. Au-dessus de l'ogive, on distingue, à droite, Charles IV, à gauche, Venceslas IV, les constructeurs du pont avec leurs armoireries et les insignes impériaux, et au centre, un peu surélevé, saint Guy, le patron du pont.

Juste avant la tour, le pont semble prendre naissance sur la petite **place des Porte-Croix** (*Křižovnické náměstí*), que bordent à droite Saint-François des Porte-Croix (*Kostel sv. Františka Serafinského*), à gauche, Saint-Sauveur (*Kostel sv. Salvátora*) et où se dresse une **statue de Charles IV**. Cette dernière fut érigée à l'occasion de la commémoration du 500e anniversaire de la fondation de l'université de Prague. On peut voir au pied du fondateur des représentations allégoriques des quatre premières facultés créées.

Construite par l'architecte français J. B. Mathey, l'**église Saint-François** est un joyau baroque du XVIIe siècle. Sa coupole bien proportionnée est décorée d'une fresque, représentant *le Jugement dernier*, due à V. V. Reiner. En face de la tour du Pont, se dresse l'**église Saint-Sauveur**, un édifice baroque qui forme une partie du Clementinium.

Le **pont Charles** est le plus ancien pont de Prague. Sa construction fut décidée par Charles IV, et les travaux, commencés en 1357, furent dirigés par Pierre Parler. Ce chef-d'œuvre de 520 m de long remplaça un pont de pierre bâti au XIIe siècle, le pont Judith, qui, sous la pression de la Vltava s'effondra en 1342. Pendant 500 ans, le pont Charles a constitué le seul lien entre les deux rives. Une légende tenace veut que des œufs aient été mélangés au mortier pour le consolider. D'autres soutiennent que la première pierre fut posée le 9 juillet parce que, à cette date, Saturne était en conjonction avec le soleil, ce qui, pour l'époque, présageait de la lon-

gévité de l'ouvrage. Quoi qu'il en soit, il a su résister aux inondations, aux assauts de la circulation des voitures et des tramways avant d'être classé zone piétonne.

Si le pont proprement dit est un ouvrage gothique, les statues qui l'ornent datent pour la plupart du XVIIIe siècle. Il n'est d'ailleurs pas meilleur symbole de Prague que cette élégante combinaison du gothique et du baroque. Le sculpteur Johann Brokoff, ses fils Ferdinand Maximilien et Michel, ainsi que Mathias Bernard Braun comptent parmi les artistes qui exécutèrent ces œuvres. On attribue à ce dernier le travail jugé le plus précieux : le groupe de sainte Luitgarde, représentant le Christ apparu à la sainte aveugle et la laissant embrasser ses blessures. La statue la plus ancienne est celle représentant saint Jean Népocumène, conçue par M. Rauchmuller et J. Brokoff. Les bas-reliefs de la base évoquent la vie et le supplice du prêtre canonisé en 1729 et « porte drapeau » de la Contre-Réforme.

Pages précédentes: le palais épiscopal et, en arrière-plan, les tours de Saint-Guy. A gauche, la nef de Saint-Guy; à droite un groupe de statues du pont Charles.

MALÁ STRANA

La Vltava franchie, Prague offre un visage bien différent de celui de la Vieille Ville. **Malá Strana** (le Petit Côté), dominé au nord par l'éperon rocheux du Hradčany et à l'ouest par les pentes de la colline de Petřín, cerné d'espaces verts et adossé au fleuve, fait figure de village. C'est autour de l'actuelle place Malostranské que s'établit, au VIIᵉ siècle, la première colonie slave. Vers 1170, des fortifications furent élevées autour de ce qui n'était encore qu'un village et qui accéda au rang de ville en 1257 – la deuxième après la Vieille Ville par ordre d'ancienneté. Le développement de Malá Strana fut ensuite indissociablement lié à la proximité du Hradčany, le siège de la monarchie tchèque, la noblesse et le clergé s'installant aussi près que possible du pouvoir.

Au lendemain de la bataille de la Montagne Blanche, la nouvelle classe dirigeante arrivée au pouvoir dans le sillage des Habsbourg prit possession de Malá Strana et fut en proie à une extraordinaire passion constructrice. Des capitaines de guerre, tel Wallenstein, et des congrégations religieuses firent raser des quartiers entiers afin de bâtir de gigantesques palais, rythmés par d'imposantes colonnades, reflétant leur volonté implacable de s'emparer du pays. C'est ce goût du faste qui, un siècle plus tard, en s'amalgamant à la culture tchèque, fera de Malá Strana peut-être le plus bel ensemble baroque tardif d'Europe.

Autour du pont Charles

Les deux **tours du pont de Malá Strana** appartenaient à la Vieille Ville, dont on peut voir les armes sur l'un des blasons qui figurent sur l'arche reliant les deux tours. C'est de ce côté, sur la gauche, qu'était d'ailleurs installée la douane. La tour de gauche, la plus petite, est un vestige du pont Judith. Seuls ses pignons Renaissance et ses décorations datent d'une période ultérieure. Construite au XVᵉ siècle, la tour de droite (accessible au public) formait, avec la tour du pont de la Vieille Ville, le système défensif du pont Charles.

L'île de Kampa se trouve à la hauteur de ces deux tours, sur la gauche, séparée de la ville par la **Čertovka**, un bras de la Vltava. D'anciens jardins appartenant à des palais ont été aménagés en parc. On peut également voir la roue d'un ancien moulin. Situé à l'embouchure de la Čertovka, le quartier surnommé « **la Petite Venise** » fut, dans les années 1980, l'un des lieux de rencontre favoris des dissidents.

Une fois que vous serez passé sous l'arche, engagez-vous dans la **rue Mostecká**, puis tournez à droite dans la **rue Lázeňská**. Au n° 6 se dresse un ancien hôtel, **Les Bains**, qui fut l'un des établissements les plus prestigieux de la capitale – le tsar Pierre le Grand et Chateaubriand y séjournèrent

L'église Sainte-Marie-sous-la-Chaîne (*Kostel Panny Marie řetězem*) est le plus ancien édifice religieux de Malá Strana. Des vestiges de la basilique romane du XIIᵉ siècle qui s'élevait à cet

Une Praguoise se souvient.

endroit sont encore visibles dans le mur de droite qui ferme la cour. Son imposante façade conjugue des éléments gothiques et baroques.

Sur la **place Velkopřevoské**, contiguë à l'église, se font face le **palais Buquoy**, qui abrite l'ambassade de France, et l'ancien **palais du Grand Maître des chevaliers de Malte**, qui accueille désormais les très belles collections du **musée des Instruments de musique**.

De retour dans la rue Lázennská, vous trouverez la **place Maltézské** sur votre gauche. Cette place, au centre de laquelle se dresse une statue de saint Jean Baptiste de F. M. Brokoff, est bordée de deux magnifiques palais : le **palais Turba**, reconnaissable à sa façade rococo, à présent le siège de l'ambassade du Japon, et, dans l'angle sud, le **palais Nostitz**, où sont installés l'ambassade des Pays-Bas et le ministère de la Culture.

Au 13 de la rue Karmellitská se dresse l'**église Sainte-Marie-de-la-Victoire** construite en 1611, puis remaniée en 1644. Cette église est célèbre pour sa

Au centre de Malá Strana, la coupole verte pâle de Saint-Nicolas.

statue de l'Enfant Jésus, que Polyxène de Lobkowicz rapporta d'Espagne à la fin du XVIe siècle et qu'il offrit à l'ordre des Carmélites.

La place Malostranské

Dominant la place de Malá Strana, l'**église Saint-Nicolas-de-Malá-Strana** (*Chrám sv. Mikuláše*) est sans doute le chef-d'œuvre de l'architecture baroque tchèque et, au-delà, le symbole d'une époque. Rarement cet art des courbes convexes et concaves, caractéristique du baroque tardif, combiné au faste de la décoration intérieure n'avait atteint un tel sommet. Christoph Dientzenhofer en commença la construction en 1704. Son fils, Kilian Ignaz, poursuivit son œuvre, réalisant le chœur et le flamboyant dôme vert-de-gris, en 1750-1752, dont le sommet culmine à 75 m. A. Lugano termina l'ouvrage en érigeant la tour. A l'intérieur, on remarquera la fresque monumentale qui orne le plafond de la nef. Cette fresque, l'une des plus vastes d'Europe, représente des

scènes de la vie de saint Nicolas. Elle est l'œuvre de J. L. Kraker. A noter également que la décoration de la coupole est due à František Xaver Balko. Quant aux sculptures du chœur, ainsi que la statue de saint Nicolas, le patron des marchands et des marins, elles ont été exécutées par Ignaz F. Platzer l'Ancien.

La large façade néo-classique qui fait face à l'église appartient au **palais Lichtenstein**. Son propriétaire dans les années 1620, Karl von Lichtenstein, était surnommé le « gouverneur sanglant » en raison du rôle actif qu'il prit dans la répression qui s'abattit sur le pays après la révolte des États en 1618.

Le **monastère** et l'**église Saint-Thomas** se trouvent dans la **rue Letenská**, qui part de l'angle nord-est de la place. Si la fondation de la basilique gothique remonte au XIIIe siècle, l'apparence actuelle de l'édifice, sa façade et sa décoration intérieure datent du XVIIIe siècle et sont l'œuvre de C. I. Dientzenhofer. Jusqu'en 1784 – date à laquelle les quatre cités de Prague furent réunies en une seule municipalité

– l'hôtel de ville de Malá Strana occupait le n° 21 de la rue Letenská. C'est le **centre culturel Malostranská beseda** (bien connu des amateurs de jazz) qui y est à présent installé.

La **rue Nerudova**, baptisée ainsi en l'honneur de l'écrivain et journaliste Jan Neruda (1834-1891), l'auteur des *Contes de Malá Strana*, relie la place Malostranské à la place Hradčanské. Elle est bordée d'élégantes maisons Renaissance, baroques et néo-classiques.

La maison (au n° 12) qui se signale par une enseigne représentant trois violons fut effectivement la demeure de plusieurs générations de luthiers. Les enseignes de cette rue, comme celles de la Vieille Ville, racontent l'histoire secrète de Prague : *le Calice d'Or* (au n° 16), *Saint Jean Népomucène* (au n° 18), *l'Ane et le Berceau* (au n° 25), *le Fer à cheval d'Or* (au n° 33), *la Vierge Noire* (au n° 36), et *les Deux Soleils* (au n° 37) où vécut Jan Neruda. Au n° 5 se dresse le **palais Černín-Morzin**, qu'occupe le ministère des Affaires étrangères depuis 1929. Sa construction

Les nouvelles marches du château aboutissent au mur sud de la première cour.

commença en 1666, sous la direction de l'architecte Francesco Caratti. L'édifice se signale par son impressionnante façade, plus de 150 m de long qui jalonnent 29 piliers hauts de deux étages, et ses Maures soutenant le balcon. Les figures allégoriques du Jour et la Nuit, ainsi que les sculptures représentant les quatre coins du monde sont de F. M. Braun.

Bâti à peu près à la même époque, le **palais Thun-Hohenstein** (au n° 20) abrite l'ambassade d'Italie. Les deux aigles aux ailes déployées sont également l'œuvre de Braun. Les statues de divinités romaines représentent Jupiter et Junon. Deux passages relient le palais à l'**église** et au **monastère de Saint-Cajetan**, qui forment un ensemble architectural typique de la fin du XVIIᵉ siècle.

La place Loretánské

Au bout de la rue Nerudova commencent les escaliers qui mènent au château, tandis que, sur la gauche, la **rue** **Lore-tánská** conduit à la **place Loretánské**.

Selon une légende du XVᵉ siècle, des anges auraient transporté la maison de la Vierge, la **Santa Casa**, de Nazareth à **Lorette**, dans le sud de l'Italie, donnant naissance à un pèlerinage marial. A l'époque de la Contre-Réforme plusieurs répliques de la Santa Casa furent construites dans le pays. Celle de Prague (place Loretánské), une copie de la Santa Casa italienne, c'est-à-dire une maison palestinienne, fut fondée en 1626. Le bâtiment qui l'abrite est de style Renaissance et la façade, remaniée par C. I. Dientzenhofer en 1720-1722, est surmontée d'un clocher. Depuis 1694, retentissent toute les heures (entre 9 et 17 h) les 27 clochettes du carillon. Les deux **cloîtres** sont également l'œuvre de C. I. Dientzenhofer. Quant à l'**église de la Nativité**, elle date de 1734-1735.

Comme tous les lieux de pèlerinage, Notre-Dame-de- Lorette s'est enrichie des nombreux dons que font les pèlerins à la statue de la Vierge – des objets

Visage rencontré dans Malá Strana.

BÂTISSEURS DE GÉNIE

En montant sur le trône impérial, en 1355, Charles IV éleva Prague au rang de capitale d'empire. L'œuvre architecturale accomplie sous son règne reste inégalée. Son héritage se partage entre des projets d'urbanisme de grande envergure, comme la construction de la Nouvelle Ville, et des ouvrages monumentaux qui marquent l'apogée du style gothique, comme le pont Charles, ou la cathédrale Saint-Guy. Mais la passion constructrice du prince n'aurait peut-être jamais atteint ces sommets si elle n'avait rencontré son interprète géniale : Peter Parler.

Peter Parler de Gmünd

Après la mort, en 1352, de l'architecte français Mathieu d'Arras, Charles IV fit appel, pour poursuivre la construction de Saint-Guy, à un jeune homme de vingt-trois ans, presque inconnu, Peter Parler. Né en 1330 à Gmünd en Souabe

(Allemagne méridionale), Parler venait d'une famille de sculpteurs et de maçons qui avait acquis une certaine réputation en Europe centrale.

Parler commença sa carrière de sculpteur et d'architecte à Prague, en achevant la construction de la cathédrale Saint-Guy, devenue, en 1344, le siège de l'archevêché de Bohême. On lui doit notamment les bustes gothiques de souverains et d'archevêques ornant le triforium (la galerie qui surplombe le chœur), la tour sud, la chapelle Saint-Venceslas et la porte d'Or. Cet édifice, écrit Dobroslav Líbal, « [...] marque sans doute l'apogée de la création architecturale à cette époque ; les nouvelles techniques d'articulation des voûtes et des nervures appliquées par Peter Parler vont se répandre rapidement, notamment dans le sud de la Bohême. Parallèlement, certaines tendances à l'horizontalité se font jour, qui donnent naissance au gothique dit " beau " [...]. Les possibilités offertes par ces nouvelles idées sont explorées dans des volumes divers : à nef principale avec collatéraux d'égale hauteur, à double nef ou à une seule nef voûtée avec support central ».

Mort en 1399 à Prague – il est enterré dans la cathédrale Saint-Guy – Parler laissa une œuvre considérable. Son nom est associé à Notre-Dame-du-Týn, à Saint-Bartholomé (à Kolín), à la chapelle de Tous-les-Saints du Hradčany et à l'église Saint-Charles de Nové Město. Il conçut les structures du pont Charles : seize arches pour une longueur totale de 520 m. Enfin, il réalisa la tour du pont de Staré Město, dans lequel se conjuguent admirablement la puissance compacte de l'édifice et la percée de la porte ogivale. Dirigeant un atelier de sculpture, il n'a sans doute pas réalisé toutes les œuvres qu'on lui attribue, mais toutes portent sa marque : un style qui fera école.

Le baroque

La fin du XVIe siècle voit l'amorce d'un mouvement qui dans tous ses aspects – politiques, religieux et esthétiques – allait profondément et durablement marquer les pays tchèques. En effet, le baroque traduisit, dans le domaine artistique, la volonté des trois puissances

Cathédrale Saint-Guy : statue de saint Venceslas exécutée par Peter Parler.

engagées dans la Contre-Réforme – l'Espagne des Habsbourg, Rome et les congrégations religieuses – de ramener l'Europe à la foi catholique.

La première période du baroque (à partir de 1620) se caractérisa par le gigantisme et la « violence » avec laquelle il s'imposa à la culture tchèque. Le Clementinum et le palais Wallenstein frappent plus par leurs dimensions que par leur élégance. Formé à Rome, le peintre et architecte bourguignon Jean-Baptiste Mathey était alors la figure dominante de l'architecture bohémienne. Pourtant, au tournant du XVIIIe siècle, le baroque connut une profonde mutation.

Avec des artistes tels que Peter Brandl (1668-1735), Karel Škréta, Mathias Bernard Braun (1648-1738), Giovanni Santini (1667-1723), Ferdinand Maximilien Brokof, Christoph et Kilián Ignaz Dientzenhofer, le style que l'on qualifie de baroque tardif retrouva une véritable autonomie. Influencée par les artistes romains, notamment Borromini et Guarini, l'école tchèque n'en dégagea pas moins une esthétique propre. Comme pour faire oublier le déclin politique du pays, une frénésie de construction s'empara de Malá Srana dans les deux premières décennies du XVIIIe siècle, rappelant celle qui, sous le règne de Charles IV, avait coïncidé avec l'apogée de la monarchie de Bohême.

Les Dientzenhofer

Originaires du village de Aibling, en Haute Bavière, les cinq frères Dientzenhofer, parmi lesquels Christoph (1655-1722), étudièrent tous l'architecture à Prague. Mais seul Christoph s'y installa définitivement, les autres retournant dans le sud de l'Allemagne, où leur nom est resté associé à bon nombre d'édifices importants. Christoph Dientzenhofer est, avec Fischer von Erlach, considéré comme le père du baroque tardif tchèque. Il conçut ses églises en conjuguant les principes de Guarini – un jeu de sphères, de cercles et d'ellipses – et des éléments de l'architecture bavaroise traditionnelle, comme les pilastres.

Si l'on trouve des réalisations de Christoph Dientzenhofer dans toute la Bohême-Moravie, son œuvre majeure

demeure l'église Saint-Nicolas de Malá Strana. De plus, cet édifice forme le trait d'union entre Christoph Dientzenhofer qui en commença la construction, en 1704, et son fils Kilián Ignác (1689-1751) qui l'acheva. Ce dernier porta l'architecture baroque tchèque à son sommet. A Saint-Nicolas, mais également à Saint-Jean-sur-le-Rocher et à Sainte-Marie (à Karlovy-Vary), jamais l'art de la combinaison du concave et du convexe n'avait atteint un tel degré de perfection. Il donne à ces édifices, par ailleurs très ramassés, « une sorte de fragilité ondulatoire ». Ces creux et ces saillies, qui rythment également toute l'ornementation intérieure, se traduisent en jeux de lumière : celle-ci rebondissant sur les volumes convexes et se laissant piéger par les dépressions concaves.

Avec le palais Kinský, dont Kilián Ignác réalisa les plans, le style baroque profane touche à sa forme extrême : le rococo. Les années 1780 qui, sur le plan politique, se signalent par une nette recentralisation au profit de Vienne, marquèrent le déclin du baroque et l'essor du classicisme viennois.

La coupole de Saint-Nicolas, chef-d'œuvre de K. I. Dientzenhofer.

liturgiques de grande valeur – réunis dans la « **chambre du Trésor** ». Parmi ceux-ci, le plus précieux est sans aucun doute l'ostensoir, baptisé le Soleil de Prague, serti de 6 222 diamants et ne pesant pas moins de 12 kg, que la comtesse Kolowrat fit fabriquer en 1699.

La **rue Nový Svět**, « le nouveau monde », commence **rue Černínská**, derrière les jardins du palais Černín, et s'achève **rue Brusnice**. Nový Svět était autrefois le quartier pauvre de Hradčany. Restaurées avec patience, ses petites maisons attirent désormais les artistes et les intellectuels.

Longtemps, la **place Hradčany**, cernée de magnifiques demeures, constitua une commune indépendante, mais néanmoins soumis au contrôle des rois de Bohême. L'**ancien hôtel de ville**, construit en 1598 et situé à côté des marches qui partent de la rue Nerudova, porte conjointement le blason des armes de la ville et le blason impérial.

Le côté sud de la place est dominé par la façade ornée de stucs et de sgra-fittes du **palais Schwarzenberg**. Achevé en 1563, cet édifice est considéré comme un des plus beaux exemples du style Renaissance tchèque. Le **musée d'Histoire militaire**, et ses collections d'armes, d'uniformes, de médailles et de plans de bataille, y ont élu domicile.

Juste avant l'entrée du château, ne manquez pas d'admirer l'élégante façade baroque du **palais de l'Archevêché**. Hélas, à l'exception du Jeudi saint, les trésors de ce palais, parmi lesquels figurent des tapisseries des Gobelins, ne sont pas accessibles au public. A gauche, une ruelle conduit au **palais Sternberk**, construit entre 1698 et 1730, qui abrite une partie des collections du **Musée national** (Národni galerie) – des œuvres d'art européennes, du XIVe siècle à l'impressionnisme.

Le château de Prague

La citadelle d'origine fut édifiée au IXe siècle par un prince de la dynastie des Přemyslides, Bořivoj, puis transfor-

Passé le pont Charles, l'ancienne voie royale se poursuit Rue Mostecká.

mée en un palais roman au XIIᵉ siècle. L'édifice englobait alors, outre le palais princier, le palais de l'évêché, plusieurs églises, deux monastères, le tout protégé par des fortifications massives. Charles IV lança les travaux qui en firent un château gothique. La partie appelée « le vieux palais » reçut d'ultimes transformations à la fin du XVᵉ siècle, sous le règne des Jagellon. D'importants travaux d'élargissement furent entrepris au XVIᵉ siècle, à la suite du grand incendie de 1541.

Dans sa forme actuelle, ce complexe architectural est principalement l'œuvre de l'impératrice Marie-Thérèse et de son architecte, Nicolas Pascani. Dans les années 1920, l'architecte Jože Pečnik réalisa, à la demande du président Masaryk, d'importants aménagements des appartements et des jardins.

De la place Hradčanské, on accède à la première cour, dite la **cour des Cérémonies**, par une grille monumentale, qui porte le monogramme de l'impératrice Marie-Thérèse. Les huit groupes de sculptures sont des repro-

ductions d'une série d'œuvres exécutées par Ignaz Platzer l'Ancien et intitulée, *Combat des Titans*. La relève de la garde a lieu toutes les heures, de 5 h à 23 h. Cette cour est la plus récente ; elle est le résultat des modifications apportées par Nicolas Pascassi dans la seconde moitié du XVIIIᵉ siècle.

La **porte Mathias** (*Matyášova brána*), le premier édifice baroque du château, conduit dans la deuxième cour. Avant d'être inséré dans le pavillon central, cet édifice se dressait seul, entre les ponts qui enjambent les douves.

Plus vaste que la première, la **seconde cour** est dominée en son centre par une magnifique fontaine baroque. Les façades uniformes (réalisées au XVIIIᵉ siècle) de ce quadrilatère dissimulent en réalité des bâtiments de différentes époques.

A droite se dresse la **chapelle de la Sainte-Croix** (*Kaple sv. Kříže*) construite par Anselmo Lurago en 1753. Cet édifice abrite le **trésor de la cathédrale Saint-Guy**, une collection de reliquaires d'or, d'objets liturgiques et de pièces

Depuis jardins du monastère de Strahov, on aperçoit Saint-Guy.

historiques, comme l'épée de saint Étienne de Hongrie, dont une grande partie a été rassemblée par Charles IV.

A gauche, dans l'aile nord de la cour, vous pouvez visiter la **galerie de Tableaux du château** (*Obrazárna Pražského hradu*) – aménagée à la place d'anciennes écuries –, où sont exposées depuis 1964 quelques-unes des œuvres d'art acquises par les Habsbourg, et notamment par Rodolphe II, aux XVIe et XVIIe siècles.

Dispersée au cours du temps, cette petite collection, dont certaines pièces ont été découvertes en 1961-1962, lors de travaux de reconstruction, compte néanmoins des œuvres très précieuses de Hans von Aachen (un peintre de cour), de Titien, du Tintoret, de Véronèse, de Rubens, d'Adriaen de Vries, de Jan Kupecky et de Peter Brandl. La **salle Espagnole** (*Španělský sál*), crée sous Rodolphe II, se trouve dans le bâtiment qui forme l'angle nord-ouest de la cour. De l'autre côté de la galerie de tableaux, commence la **galerie Rodolphe**.

La cathédrale Saint-Guy

La **troisième cour** est entièrement dominée par la masse verticale de la **cathédrale Saint-Guy** (*Chrám sv. Víta*). La construction de cette église gothique, longue de 124 m et large de 60 m, commença en 1344. Charles IV en confia la réalisation à l'architecte français Mathieu d'Arras. A la mort de ce dernier, Peter Parler et ses fils poursuivirent les travaux, apportant à l'édifice ce style particulier dont est imprégnée toute l'architecture gothique praguoise.

A la fin de la première moitié du XVe siècle, les travaux furent interrompus par la guerre des hussites, mais le chœur, ses chapelles – au total, l'église en compte vingt et une –, ainsi que la tour sud étaient achevés. Reprise en 1860, la construction de Saint-Guy ne fut définitivement terminée qu'en 1929. La façade ouest, et sa rosace représentant la création du monde, les trois portails de bronze, ainsi que plusieurs vitraux datent des années 1920. L'édifice doit à ces multiples additions une gran-

La salle de Philosophie de la bibliothèque du monastère de Strahov.

de diversité de style qui, pour être totalement appréciée, nécessite les précisions d'une visite guidée.

A l'intérieur, dans la galerie de bustes du triforium sont représentés les personnages associés à la cathédrale depuis sa construction. Située dans l'aile droite du transept, la **chapelle Saint-Venceslas** fut construite par Peter Parler sur l'emplacement de l'ancienne rotonde romane du Xe siècle où fut inhumé le saint patron de la Bohême. Les somptueuses fresques ornées de pierres semi-précieuses représentent la Passion du Christ, ainsi que la vie et le martyre de saint Venceslas. Les joyaux de la couronne de Bohême sont conservés dans une petite pièce située au-dessus de la chapelle. Plus loin, face au tombeau du comte de Slick, un escalier descend dans la **crypte royale**, vestige de constructions romanes, contenant les sarcophages de Charles IV, de ses quatre femmes et de ses enfants, de Georges de Poděbrady, ainsi que le cercueil en étain de Rodolphe II.

Derrière la cathédrale, côté nord, les fortifications (de la fin du XVe siècle) s'accrochent à la puissante **tour Mihulka**. A l'intérieur, un petit musée retrace son histoire et ses fonctions : magasin de poudre, fonderie et même laboratoire d'alchimiste.

A droite de la façade ouest de Saint-Guy se dressent l'**ancienne prévôté** (*Staré probošství*) et la statue équestre de **Saint-Georges**, réalisée en 1373 par les frères Klausenburg. Encadré de puissants arcs-boutants et surmonté d'une tour haute de près de 100 m, le portail sud offre un spectacle impressionnant. C'est par l'entrée à triple voûte, la **porte d'Or**, que les souverains se rendaient à leur couronnement. A gauche, un escalier conduit aux **jardins du Château** par lesquels on accède à l'**ancien Palais royal** (*Staré královský palác*), résidence des rois de Bohême-Moravie jusqu'au XVIe siècle.

L'aile sud du château

Du vestibule qui s'ouvre sur la cour, un escalier, suffisamment large pour permettre le passage de cavaliers, mène à l'imposante **salle Vladislav**, joyau du style gothique flamboyant, que l'architecte Benoît Rejt réalisa en 1497-1500. De nombreux couronnements, ainsi que des tournois, se sont déroulés sous ses piliers hauts de 13 m. La chancellerie royale était installée dans les pièces adjacentes. C'est par la fenêtre de l'une d'entre elles que, le 23 mai 1618, des membres du parlement de Bohême précipitèrent les gouverneurs impériaux Martiniz et Slawata, ainsi que leur secrétaire. Mais les trois défenêstrés survécurent à cette chute dans les fossés, 16 m plus bas.

Quelques marches seulement séparent la salle Vladislav de la **chapelle de Tous-les-Saints** (*Kaple všech svatých*) et de ses magnifiques peintures, dont un *Triptyque des anges* de Hans von Aachen. Le vaste bâtiment qui prolonge cette partie des remparts servait de résidence aux dames nobles. L'édifice adjacent, le **palais Lobkowic** (*Lobkovický palác*), fut construit dans la seconde moitié du XVIe siècle, puis remanié en 1651-1668 par Lurago. Il accueille à présent des expositions du Musée national.

Salut amical de l'acteur Ota Simárek.

L'aile nord

Le Palais royal donne au nord sur la **place Saint-Georges** bordée à gauche par l'abside de la cathédrale Saint-Guy, et à droite par la façade baroque de la **basilique Saint-Georges** (*Basilika sv. Jiří*). Fondée vers 920, la basilique fut reconstruite dans le style roman en 1142, après un incendie. Au début de ce siècle, des travaux restaurèrent son style d'origine, faisant disparaître les nombreux remaniements postérieurs, à l'exception de la façade baroque et du portail sud, Renaissance. Adossé à la basilique, sur la gauche, l'**ancien couvent bénédictin Saint-Georges** (*Kláster sv. Jiří*), fondé en 973 et reconstruit à plusieurs reprises, abrite à présent les collections d'art ancien de Bohême du Musée national.

Un peu plus loin, derrière Saint-Georges, commence la **ruelle d'Or** (*Zlatá ulička*), un ensemble de maisons du XVIᵉ siècle qui, encastrées dans les fortifications, abritaient jadis les artisans du château.

Près de la porte est se dresse l'**ancien palais des Burgraves** (*Staré purkrabství*), un bâtiment Renaissance du XVIᵉ siècle, à présent la **maison des Enfants**. Trois tours renforcent cette section de fortifications, d'ouest en est : la **tour Blanche** (*Bílá věž*), la **tour Daliborka** édifiée par Benoît Rejt, servit de prison jusqu'au XVIIIᵉ siècle, et la **tour Noire** (*Černá věž*) qui défend la porte est d'où partent les **Vieilles Marches** (*Staré zámecké schody*) en direction de Malá Strana.

Le **pavillon de plaisance de la reine Anne**, ou **Belvédère** (*Letohrádek Belvedere*) se trouve au niveau de la tour Daliborka, de l'autre côté du **fossé du Cerf** (*Jeleni příkop*). Achevé en 1563, c'est une des plus belles constructions Renaissance de Prague. La Fontaine chantante est l'œuvre du maître fondeur Tomáš Jaroš.

Place Wallenstein

En bas des marches passe la **rue Klárov**, qui coupe un peu plus loin la

Pages précédentes : les magnifiques façades de la rue Pařížká. A gauche, devanture Art nouveau.

Vente des carpes de Noël, place Venceslas.

rue **Letenská**. Celle-ci longe d'abord un long mur blanc, brutalement interrompu par un portail qui s'ouvre sur le magnifique **jardin du palais Wallenstein**. Ce jardin, ordonné géométriquement, est agrémenté d'un lac et d'une caverne artificielle. Les bronzes représentant des divinités mythologiques sont des copies de sculptures d'Adrien de Vries, les originaux, emportés par les troupes suédoises en 1648, se trouvent au palais Drottingholm, à Stockholm.

Construit en 1623-1630 pour le fameux général Wallenstein, le **palais Wallenstein** fut le premier grand édifice baroque de Malá Strana. Les dimensions du bâtiment – à présent occupé par le ministère de la Culture – disent assez l'ambition monarchique de Wallenstein. Mais c'est de sa loggia – la *sala terrena* – à triple arche, bâtie par Giovanni Pieroni, et richement décorée de fresques illustrant la guerre de Troie, qu'il était le plus fier.

La **place Wallenstein** est largement dominée par la large façade du palais Wallenstein qu'Angelo Ripellino qualifiait d'« édifice-baleine ». A côté, au n° 3, se dresse le **palais Lebedour**, dont la construction commença en 1588, comme l'indique la date gravée au-dessus de l'entrée, mais n'acquit sa forme actuelle qu'au cours du XIXe siècle.

D'autres bâtiments intéressants bordent la place et la **rue Wallenstein** : le **palais Pálffy** (au n° 14), le **palais Kolovrat** (au n° 110) et, au bout de la rue, le **palais Fürstenberg**. Les élégantes façades de la plupart de ces édifices datent du XVIIIe siècle. Plus au nord, les pentes abruptes qui bordent le château inspirèrent aux paysagistes baroques des escaliers ingénieux et des jardins en terrasses.

Dans la **rue Sněmovní** – qui conduit à la place Malostranské –, au n° 4, se dresse le **palais Thun**, où s'installa le parlement de Bohême en 1801. Une plaque rappelle que le parlement de la République tchécoslovaque y tint séance le 14 novembre 1918, afin de déposer officiellement la monarchie des Habsbourg.

LA COLLINE DE PETRÍN ET SES ALENTOURS

Entre Malá Strana et le Hradčany s'étend une vaste zone d'espaces verts, formée de plusieurs jardins – d'ouest en est, les jardins Strahovská, Lobkovická, Vrtbovská, Schönbornská, Seminarská et Kinského – dont le relief épouse les pentes de la colline de Petrín.

La colline de Petrín

La station de départ du **funiculaire** se trouve **rue Lanové dráhy**, une ruelle perpendiculaire à la **rue Újezd**. Les départs s'effectuent environ toutes les vingt minutes. Ces cabines sur rails fonctionnaient autrefois grâce à un ingénieux système de poids : les réservoirs des cabines parvenues au sommet étaient remplis d'eau ; en descendant leur masse tirait les cabines montantes dont on avait préalablement vidé les réservoirs.

Vous pouvez également faire l'ascension à pied au milieu des cerisaies et des étendues d'herbe. En chemin, vous croiserez le monument dédié à l'écrivain Jan Neruda, puis la terrasse du bistrot Nebozízek – où le funiculaire marque un arrêt – et son panorama magnifique, idéal pour faire une pause.

Au sud-est de la butte, non loin de la rue Holečkova, se dresse la **villa Kinsky**, qui abrite le **musée du Folklore**. Située un peu plus loin, au nord, la petite église en bois du XVIIIᵉ siècle a été démontée puis reconstruite à Prague en 1929. Elle provient du petit village de Mukacevo, en Ukraine carpatique, une région ayant appartenu à la Tchécoslovaquie de 1918 jusqu'à la Seconde Guerre mondiale.

Le **mur de la Faim**, qui se prolonge le long de la pente, est un vestige des fortifications construites par Charles IV. On prétend qu'il aurait entrepris ces travaux pour donner du travail aux pauvres de la ville en proie à la famine. Non loin de là se tient l'**Observatoire**, un des lieux de rendez-vous favoris des astronomes amateurs.

Le **labyrinthe de Glaces** est installé dans un pavillon, dont l'autre partie projette un **diaporama** représentant le combat des Praguois contre les Suédois sur le pont Charles en 1648. La **chapelle Saint-Laurent** date du XIIᵉ siècle. La **réplique de la tour Eiffel** haute de 60 m fut construite pour l'exposition jubilaire de la ville, en 1891.

Le monastère de Strahov

A l'ouest, les vastes espaces verts qui entourent la colline de Petrín sont délimités par la **rue Strahovská**. Le **monastère de Strahov** – le plus ancien couvent de l'ordre des Prémontrés de Bohême – se trouve au bout de la rue Strahovska, un peu en retrait, **rue Strahovské nádvoří**.

Les plus anciens bâtiments de cet ensemble furent achevés dans les années 1140, puis complètement détruits par un incendie, en 1258. Les guerres des siècles suivants ont également laissé leurs marques sur ces édifices, de sorte qu'il ne reste que très peu de chose du bâti roman d'origine. Le

Ramoneur sur les toits de Prague.

monastère se présente principalement comme un édifice baroque, où se laissent entrevoir quelques éléments gothiques et Renaissance. Seule l'**église de la Vierge-Marie** conserve des traces d'architecture romane.

Avec près de 980 000 volumes, la **bibliothèque** du monastère est l'une des plus belles et des plus riches d'Europe. Ce trésor fut rassemblé au cours des siècles et épargné par la sécularisation – décidée par l'empereur Joseph II – qui frappa la plupart des ordres monastiques à la fin du XVIIIᵉ siècle. Il compte des spécimens de toute la littérature de la chrétienté occidentale, du Moyen Age jusqu'au XVIIIᵉ siècle.

Depuis la transformation du monastère en musée de la Littérature tchécoslovaque en 1953, l'accent est mis sur la littérature nationale des XIXᵉ et XXᵉ siècles. Parmi les raretés de ce fonds exceptionnel, on trouve l'Évangile de Strahov, enluminé aux Xᵉ et XIᵉ siècles, le Nouveau Testament imprimé à Plzeň, en 1476, l'une des premières œuvres

Le Théâtre national et le pont Legií.

imprimées en tchèque, une édition originale du *De revolutionibus Orbium Cœlestium*, le livre dans lequel Copernic exposa pour la première fois sa théorie héliocentrique de l'univers, en 1543.

La magie de ce lieu tient également à la beauté de son architecture. La **salle de Théologie**, conçue par Giovanno Dominico Orsi, et décorée en 1723-1727 de fresques et de stucs par Siardus Nosecky, est l'un des plus beaux exemples de décoration baroque du pays. Tout autour de la pièce au plafond voûté, se serrent les bibliothèques chargées d'éditions anciennes au cuir vieilli, tandis qu'au centre trônent des mappemondes hollandaises du XVIIᵉ siècle.

De construction plus tardive – dans les années 1785-1794 –, la **salle de Philosophie** se signale également par une décoration somptueuse : les magnifiques boiseries des bibliothèques sont rehaussées d'or ; le plafond, orné d'une fresque allégorique sur le thème de l'épanouissement de l'humanité par la sagesse, est l'œuvre du peintre viennois Anton Maulbertsch.

NOVÉ MĚSTO

En 1348, Charles IV lança les travaux de construction de la Nouvelle Ville (Nové Město), et d'aménagement urbain des trois marchés. Le marché aux chevaux se situait place Venceslas, qui ne reçut ce nom qu'en 1848 ; le marché aux bœufs sur l'emplacement de l'actuelle place Karlova et le marché au foin, non loin de la gare Wilson. Populaire et laborieuse, Nové Město fut un des hauts-lieux de la révolution hussite et, de ce fait, souffrit gravement des guerres de religion.

Place Venceslas

Devenue le centre commercial de la capitale tchèque, la Nouvelle Ville et son artère principale, la **place Venceslas**, ont cependant conservé leur esprit contestataire. C'est place Venceslas qu'un jour de janvier 1969 un étudiant, Jan Palach, s'immola par le feu pour protester contre l'invasion des troupes du pacte de Varsovie qui avaient mis un terme au Printemps de Prague. C'est encore place Venceslas qu'en novembre 1989, en souvenir de ce geste tragique, commencèrent les manifestations pacifiques qui allaient symboliser la « révolution de Velours ».

La place Venceslas (*Václavské náměstí*) est une longue et large avenue commerçante, bordée d'élégants immeubles, dont les plus anciens datent de la fin du XIXᵉ siècle. Elle est dominée (au sud) par la silhouette massive du **Musée national**. Expression, comme le Théâtre national, du patriotisme tchèque, cet édifice fut construit en 1885-1890 par Joseph Schultz. Ce bâtiment abrite à présent les collections consacrées à la géologie, la paléontologie, la zoologie et la minéralogie.

Devant le musée se dresse la **statue équestre de saint Venceslas** entouré des quatre autres saints patrons de la Bohême-Moravie : saint Procope, saint Adalbert, sainte Ludmilla et sainte Agnès. Cette sculpture, érigée en 1912, est l'œuvre de Joseph Václav Myslbek, qui y travailla trente ans.

En remontant vers la Vieille Ville, la place perd son caractère patriotique pour devenir une zone commerciale piétonne. De part et d'autre de la place, on peut admirer quelques-unes des constructions les plus représentatives de l'architecture d'avant-garde tchèque de l'entre-deux-guerres. Au n° 28 se dresse le **palais moderniste Alfa** construit en 1928. Situé au n° 25, l'**hôtel Evropa** est un édifice de style Sécession – l'Art nouveau tchèque – construit en 1904. Sa décoration intérieure, motifs floraux, mosaïques, etc., typiquement Art nouveau l'a souvent fait choisir pour décor de films évoquant le début du siècle. Plus loin, vous apercevrez l'**immeuble Baťa** et le **magasin Lindt** bâtis respectivement par Jindřich Svoboda, en 1926-1928, et Ludvík Kysela, en 1924-1926. Toujours sur la gauche, on remarquera l'**hôtel Juliš**, de 1933, et surtout l'une des plus belles constructions Sécession de Prague, la **maison Peterka**, bâtie par Jan Kotěra en 1898-1910. Enfin, au bout de la place, le **palais Koruna**, un édifice construit peu après la Seconde

Guerre mondiale et mêlant des aspects constructivistes et des décorations Art nouveau.

A droite commence la **rue Na přikopě**, une voie piétonne particulièrement animée. A noter, au n° 12, le **palais Sylva-Tarouca**, ainsi que la **maison Slave**, une demeure du XVIIIe siècle. Signalons au passage que le **Čedok** et le **Service d'Information de Prague** sont installés aux nᵒˢ 18 et 20.

L'avenue Národní et le pont Legií

De retour place Venceslas, il faut prendre la **rue du 28-Rijná** pour se rendre **place Jungmannova**, où se dresse, un peu en retrait, l'**église Notre-Dame-des-Neiges** (*Kostel Panny Marie Sněžné*). De l'édifice initial, tel que le souhaitait Charles IV qui voulait en faire une cathédrale destinée aux couronnements, ne subsiste que le chœur. Le manque d'argent et les guerres hussites interrompirent les travaux. Les proportions inhabituelles du bâtiment montrent d'ailleurs que le plan d'origine ne fut jamais réalisé. Pourtant, avec sa nef haute de 33 m, c'est l'église la plus vaste de Prague. L'ornementation intérieure date des XVIIe et XVIIIe siècles.

Prolongeant la rue du 28 Rijná, la **rue Národní** est également un espace piétonnier très fréquenté, notamment à cause du grand magasin **Maj**, situé au n° 26. En remontant vers la Vltava, vous trouverez sur votre droite l'**église Sainte-Ursule** et le **couvent des ursulines**. Parmi les statues qui ornent la façade de cette église de style baroque (récemment restaurée), on remarquera le saint Jean Népomucène sculptée par Ignaz Platzer, en 1746. Le bâtiment du couvent abrite à présent un excellent bistrot.

Le **Théâtre national** (*Národní divadlo*) n'est rien moins que le symbole de la nation tchèque et son histoire est exemplaire. Cet édifice de style néo-Renaissance fut construit par Joseph Zítek à l'aide des fonds réunis grâce à une collecte organisée dans l'ensemble de la Bohême et de la Moravie entre

Au premier plan, le pont Charles et la Vltava, au second plan, l'aile sud du Hradčany illuminé que domine la cathédrale Saint-Guy.

1868 et 1881. A peine achevé, le théâtre fut ravagé par un incendie, le 12 août 1881. Une nouvelle collecte permit à Joseph Schultz (élève de Zítek) de bâtir un autre théâtre, inauguré le 18 novembre 1883.

En face, la troisième aile du bâtiment en panneaux de verre datant de la fin des années 1960 accueille, depuis 1983, le **Nouveau Théâtre national** (*Nová scéna*). A côté, bénéficiant d'une vue magnifique sur la Vltava, le **café Slávia**, est lui aussi, à sa manière, un symbole : celui d'un art de vivre.

Du **pont des Légions** (*most Legií*) vous apercevrez, plus haut à gauche, sur la Vltava, l'**île Slovanský**, baptisée ainsi parce qu'elle accueillit le premier congrès panslave en 1848 et, entre la berge et l'île, la **galerie Manès**. Cet édifice d'avant-garde, bâti par Otakar Novotný en 1923-1932, présente des expositions organisées par l'Association des artistes et abrite un café très agréable.

Plus haut, entre le **pont Jiráskův** et le **pont Palackého**, sont amarrés les bâteaux qui assurent les circuits dans Prague et ses environs.

Vers la place Charles

A l'angle de la **rue Dittrichova** et de la **rue Resslova**, celle-ci prolongeant le pont Jiraskův, vous pouvez admirer la petite **chapelle romane Saint-Venceslas**. De l'autre côté de Resslova, en diagonale, se dresse l'exubérante façade baroque de **Saint-Cyrille-et-Saint-Méthode** (*Kostel sv. Cyrila a Metoděje*). Cette église fut, à l'été 1942, le théâtre d'un épisode sanglant. Trois des patriotes, qui avaient exécuté le Reich Protector Heydrich, et quatre autres résistants s'étaient réfugiés, trois semaines durant, dans la crypte de l'église, avant d'être dénoncés. Les troupes allemandes encerclèrent l'édifice puis donnèrent l'assaut à la crypte à coups de grenades et tuèrent ses occupants.

La **place Charles** est dominée au nord par l'**ancien hôtel de ville de Nové Město**. Construit entre 1367 et

Au piano, Milan Svoboda, l'un des très bons musiciens de jazz tchèques.

1418, c'est un ensemble de bâtiments gothiques surmonté d'une tour. Plusieurs fois rebâti – la tour fut reconstruite en 1722 et la façade est de style Renaissance – cet édifice retrouva sa splendeur d'origine à l'issue de travaux de restauration réalisés en 1906. C'est là que se déroula la première défenestration, le 30 juillet 1419.

Au centre de la place se dresse l'**église Saint-Ignace** (*Kostel sv. Ignáce*), construite par Carlo Lurago, en 1665-1670, puis agrandie en 1679-1699 et dotée d'un portique avec une balustrade, œuvre de Paul Ignaz Bayer.

Un programme de restauration a rendu sa beauté d'origine à l'actuelle pharmacie hospitalière, plus connue sous le nom de **maison de Faust**, située dans le bas de la place Charles. C'est dans cette demeure Renaissance que l'alchimiste de Rodolphe II, Edouard Kelley, se livrait à ses expériences. Aventurier et imposteur, Kelley, Talbot de son vrai nom, était arrivé à Prague, en 1584, en compagnie du grand astrologue anglais, John Dee, en possession d'un grimoire indéchiffrable et de deux fioles de poudre, découverts dans la tombe d'un moine gallois.

Surplombant la **rue Vyšehradská**, l'**église Saint-Jean-sur-le-Rocher** est un magnifique édifice baroque. Fondé en 1347 par Charles IV pour l'ordre des bénédictins slaves, le **monastère d'Emmaüs** acquit une grande réputation pour ses manuscrits en slavon rédigés par les moines. Endommagée par un bombardement en 1945, son église, consacrée aux saints patrons slaves, ainsi qu'à la Sainte Vierge et à saint Jérôme, est coiffée d'un clocher construit en 1965 par František Černý. Dans le cloître voisin, les fresques gothiques remontent au XIVᵉ siècle mais, le couvent abritant à présent un institut scientifique, on ne peut les admirer qu'aux heures de bureau. La chapelle Saint-Cosme et Saint-Damien date de 1657.

Vyšehrad

C'est sur la **butte de Vyšehrad** que, selon la légende, était établi le siège de Libuše, la fondatrice de la dynastie des Přemyslides. La fondation du premier **château de Vyšehrad** remonte à la fin du IXᵉ siècle. Cette forteresse, dont l'aménagement roman date des années 1135, et les églises qui l'entouraient constituèrent le centre politique et religieux de Bohême jusqu'au XIIᵉ siècle.

De ce lointain passé ne subsiste que la **rotonde romane Saint-Martin**, construite autour de l'an mil, et de ce fait, la plus vieille église du pays.

Visible de loin, l'**église néo-gothique Saint-Pierre et Saint-Paul** (1885-1887) s'élève sur le site d'un très ancien lieu de pèlerinage.

Les vestiges de la forteresse furent détruits au XIXᵉ siècle, alors que le site avait depuis bien longtemps perdu toute importance stratégique. Le Vyšehrad demeurait pourtant un haut lieu de la mémoire collective tchèque, et, en 1870, y fut créé le **Slavín**, un cimetière où reposent quelques-uns des plus grands génies tchèques : les musiciens Antonín Dvořak et Bedřich Smetana, les écrivains Karel Hynek Mácha, Karel Čapek, Jan Neruda, les peintres Mikulás Aleš et Alfons Mucha, et bien d'autres.

Jeune flûtiste costumée pour un concert de Noël.

LATERNA MAGIKA

Le régime communiste considérait le théâtre comme une activité destinée à fournir au public une distraction d'ordre culturel pendant ses heures de loisir. Pour ce faire, les productions théâtrales avaient le choix entre deux registres thématiques : le réalisme, dans sa version officielle, ou le spectacle inspiré des traditions ou, mieux encore, la combinaison des deux : « un contenu socialiste dans une forme nationale », comme le souhaitait Staline.

A la fin des années 1950, pourtant, un groupe de théâtre expérimental allait bousculer ces règles et introduire un esprit radicalement nouveau dans le théâtre tchèque. Initialement constitué par des membres du Théâtre national pour un spectacle se tenant à l'exposition universelle de Bruxelles, en 1958, cet ensemble se baptisa Laterna Magica. Devant l'énorme succès du spectacle, on mit à la disposition de la troupe l'ancienne salle de cinéma du palais Adria (les représentations du Laterna Magika se tiennent à présent à la Nova Scéna, 40 avenue Národní).

Depuis près de trente-cinq ans, les spectacles de l'ensemble Laterna Magika font salle comble, et sont même devenus une attraction touristique majeure. Une des raisons de ce succès auprès du public étranger tient au fait qu'il n'est pas nécessaire de comprendre le tchèque pour suivre les représentations.

L'originalité de ces spectacles consiste à conjuguer la technique cinématographique, toutes les ressources d'une scène et le jeu des comédiens. La magie vient du savant dosage associant des projections d'images, des décors amovibles, de nombreux accessoires, un jeu complexe d'éclairages, la danse et le mime. L'accord parfait de ces éléments, leur synchronisation produisent une fascinante illusion.

L'art du Laterna Magika *consiste à faire disparaître la frontière entre l'image et la réalité.*

Cette scénographie très originale a naturellement conduit ses promoteurs à transformer les genres classiques – tragédie, ou comédie – du théâtre, pour les fondre en un poème d'images et de lumières, qui demeure cependant toujours axé autour d'un thème central. Les créations du Laterna Magika ont, en retour, indiscutablement influencé de nombreux metteurs en scène européens.

Au cours des années, des spectacles tels que *Le cirque magique*, les *Contes* d'Hoffmann, l'*Odyssée*, ou le ballet le *Minautore*, chorégraphié d'après le livret composé par l'écrivain suisse Friedrich Dürrenmatt, n'ont rien perdu de leur puissance d'émotion.

Le fondateur du groupe, le producteur Alfred Radok, a connu un destin plus sombre. Comme pour beaucoup d'artistes et d'intellectuels, les événements de 1968 l'ont forcé à quitter son pays. Et sa mort en exil, en 1976, alors qu'il séjournait en Suède, est passée totalement inaperçue à Prague.

Bien qu'éloigné du débat politique, notamment en raison de son mode d'expression très particullier, le théâtre Laterna Magika joua un rôle inattendu pendant la « révolution de Velours ». Des membres éminents du Forum civique y établirent en effet leur quartier général, et l'on dit que Václav Havel rédigea l'ultime appel réclamant la démission du secrétaire général du parti communiste, Milos Jakeš, dans une des loges.

LES ENVIRONS DE PRAGUE

Chaque année, à 28 km au sud-ouest de Prague (prendre l'autoroute 4 en direction de Zbraslav, puis la quitter à droite en direction de Dobřichovice), le **château de Karlštejn** subit l'assaut de milliers de touristes. Ces visiteurs réussissent ce que leurs ancêtres ne sont jamais parvenus à faire : pénétrer dans l'enceinte de la forteresse défendue depuis des siècles par d'épais murs extérieurs (6 m) et des falaises escarpées.

Pourtant, Karlštejn, conçu par l'architecte français Mathieu d'Arras et construit de 1348 à 1355, n'avait pas pour vocation d'être une place forte. L'empereur et roi Charles IV lui assigna une tâche tout aussi essentielle : conserver et protéger les saintes reliques et les insignes de son couronnement.

Pour l'homme du Moyen Age ces saintes reliques possédaient une immense valeur, et la collection de Charles IV était bien à la mesure de son pouvoir : deux épines de la couronne du Christ, un fragment de l'éponge qui contenait le vinaigre qui fut offert au Christ sur la croix, une dent de saint Jean Baptiste et un sternum de sainte Anne. Posséder de tels trésors signifiait jouir de la faveur de Dieu, et devait attirer sur le souverain et son peuple la bénédiction divine. Esprit pieux tout autant qu'éclairé, Charles IV savait qu'aux yeux de ses sujets ils étaient les attributs indissociables du monarque le plus puissant de la Chrétienté, le seul couronné à Rome par le pape.

Chaque année, le premier vendredi après Pâques, les saintes reliques était offerte à la vénération populaire. Le 29 novembre, date anniversaire de la mort de Charles IV, une messe est célébrée dans la chapelle de la Sainte-Croix, où sont conservées les précieuses reliques.

En 1420, les joyaux de la couronne retournèrent à Prague. Karlštejn sera ensuite assiégé pendant sept mois par les hussites en 1422, puis pris par les Suédois (lire page 37-42) en 1648. L'actuel édifice porte d'ailleurs les traces de deux reconstructions, l'une de 1575-1597, l'autre, de 1887-1897, visant à lui redonner son style gothique d'origine.

La visite (uniquement guidée) commence par le **palais impérial**, se poursuit dans la **tour Sainte-Marie**, la **Grande-Tour** et enfin la **chapelle de la Sainte-Croix**. Le palais, qui comprend le Grand Hall, la chambre des Audiences et les appartements du souverain et de son épouse, est somptueusement décoré. L'église Notre-Dame abrite un tableau du peintre de cour Nikolaus Wurmser représentant l'empereur revêtu des attributs de la Passion sous un ciel peuplé d'anges. C'est dans la chapelle Sainte-Catherine, ornée de pierres semi-précieuses, que Charles IV se retirait pour méditer. Au-dessus de la porte est accroché un portrait de l'empereur – et de sa seconde épouse, Anna von Scheidnitz – portant une imposante croix.

La chapelle de la Sainte Croix dépasse toutes les autres par la richesse de son ornementation : pas moins de 2 000 pierres semi-précieuses et plus de

Pages précédentes : Česky Krumlov et son magnifique château, au bord de la Vltava. A gauche, Karlštejn et ses impressionnantes défenses ; à droite, le festival folklorique de Jihlava.

100 tableaux figurant des apôtres et des saints décorent les murs. Une grille dorée divise la chapelle en deux parties. Celle contenant les reliques n'était accessible qu'à l'empereur et aux prêtres.

Le trajet jusqu'à Karlštejn ne manque pas non plus de charme et le village est très agréable. La route suit les méandres de la **Berounka**, le chemin de fer (40 min depuis la gare de Smíchov, à Prague) emprunte à peu près le même itinéraire. Non loin de Karlštejn, accessible seulement en voiture, les **grottes de Koneprusy** sont les plus vastes grottes à stalactites de Bohême. Des fouilles y ont mis au jour des vestiges du Paléolithique. Au XVe siècle, ces grottes abritaient des ateliers de fabrication de fausse-monnaie.

Le massacre de Lidice

A 25 km au nord-ouest de Prague (prendre l'autoroute 7 en direction de Slany), **Lidice** est une de ces plaies laissée par la Seconde Guerre mondiale et dont le souvenir reste vivant. En représaille à l'exécution du Reichsprotector Reinhard Heydrich par des patriotes tchécoslovaques le 4 juin 1942, les SS, croyant que Lidice, un petit village de mineurs, cachait les résistants, décidèrent de l'anéantir. Dans la nuit du 9 juin, le commandant SS Karl Hermann Frank donna l'ordre d'incendier les maisons ; les 192 hommes furent fusillés sur place ; les femmes furent déportées vers Ravensbrück, où 60 furent torturées à mort ; transportés au camp de Lodz, 82 des 105 enfants périrent dans les chambres à gaz.

Les ruines ont été laissées intactes et un nouveau village s'est construit un peu plus au nord. Après la guerre, des mineurs de Birmingham (en Grande-Bretagne) lancèrent un grand mouvement de solidarité afin d'aider Lidice à renaître. Un parterre de roses a été planté sur le site de l'ancien village, transformé en mémorial dédié aux victimes. Le petit musée projette le film de la destruction de Lidice (tourné par les nazis) et celui de sa reconstruction.

Pendant des siècles, les coteaux de la Vltava, près de Mělník, ont fourni un excellent vin blanc.

Mělník et son château

Au cours du IXe siècle, la dynastie slave des Pšovan éleva son château à l'endroit où la Vltava se jette dans l'Elbe, à environ 50 km au nord de Prague. D'abord rivales farouches, les Pšovan et les Přemyslides scellèrent leur alliance et unirent leurs territoires grâce au mariage de la princesse Ludmilla et du prince Přemyslides Bořivoj. Depuis cette date, le château a servi de résidence attitrée aux princesses de Bohême.

Au XIIIe siècle, la région de **Mělník** gagna en importance et devint un centre d'échanges commerciaux florissant. En 1274, le roi Otakar II lui accorda le « droit de Magdebourg », un ensemble de privilèges administratifs, juridiques et économiques formant un statut particulier. Sous le règne de Charles IV, on planta sur les coteaux qui surplombent l'Elbe des vignes qui portent le nom de sainte Ludmilla, la patronne des vignerons. Cet engouement pour le vin doit beaucoup à Charles IV qui en avait goûté les plaisirs à la cour de France et ramena en Bohême une épouse française et quelques vignerons. Le vin de Bourgogne rouge ne quitta plus la table du roi et fit la fortune de Mělník. Mais la viticulture ne connut un véritable essor qu'à partir du XVIe siècle, sans doute à la suite des transformations climatiques qui affectèrent l'Europe à cette époque.

A l'abri de ses privilèges, la ville et sa région entrèrent dans le camp des utraquistes modérés et se trouvèrent du côté des vainqueurs à la fin de la guerre des hussites. A plusieurs reprises les chefs utraquistes tinrent conférence à Mělník, qui reçut la protection de Georges de Poděbrady, le chef des utraquistes modérés. La mort de la veuve de Poděbrady, qui résidait à Mělník, amorça le déclin de la ville.

Sous l'impulsion de ses différents propriétaires, le **château** fit l'objet de nombreuses transformations. L'édifice doit sa physionomie actuelle aux travaux entrepris pendant la période baroque. Mais son architecture porte encore les traces de styles antérieurs. Les lignes

Obélisques et sculptures ornent le parc à l'anglaise du château de Konopiště.

puissantes de l'aile ouest attestent de son origine gothique, les galeries à arcades et l'ornementation des façades de l'aile nord témoignent d'une créativité toute Renaissance, quant à l'aile sud, son opulence est le fruit épanoui du baroque. Le château possède un musée consacré à l'histoire locale, ainsi qu'aux traditions et au folklore liés à la viticulture. Mais la visite des lieux serait incomplète sans une dégustation dans les règles, d'autant que la terrasse du restaurant possède une vue imprenable sur la vallée de l'Elbe. Derrière le château s'élance la flèche (haute de 60 m) de l'**église Saint-Pierre et Saint-Paul**.

La **place Miru** se trouve au cœur de la partie historique de Mělník. Disposés en arc autour de la fontaine centrale dédiée aux vendanges, les maisons à arcades, l'horloge de l'hôtel de ville et l'église des Quatorze-Saints-Auxiliaires forment un ensemble harmonieux. A l'extrémité de la place, une rue animée conduit à la **Porte de Prague** (du XVe siècle) et aux vestiges des anciennes **fortifications** (aussi du XVe siècle).

Le château de Konopiště

Situé à 44 km au sud-est de Prague, tout près de Benešov, et construit au XIIIe siècle, le **château de Konopiště** entra dans l'histoire pendant les guerres hussites. En 1423, il accueillit les délégations des deux factions hussites (les modérés et les radicaux) réunies pour y débattre de questions théologiques. Elles y furent reçues par la châtelaine, Mme Sternberg, qui s'était engagée aux côtés des hussites. Pillé par les troupes suédoises au cours de la guerre de Trente Ans, l'édifice, originellement de style gothique, fut ensuite reconstruit et transformé en une résidence baroque. Au début du XXe siècle l'archiduc Ferdinand – l'héritier du trône des Habsbourg assassiné à Sarajevo en 1914 – en fit sa résidence privée lui apportant de nombreux embellissements et y installant une extravagante collection d'œuvres d'art.

Vu de l'extérieur, et malgré le portail résolument baroque qui accueille les visiteurs, Konopiště et ses hauts murs

La place de Tábor et son hôtel de ville.

d'enceinte que seule domine la tour est conserve l'allure sévère d'une bâtisse du Moyen Age. Le château possède une très grande salle de banquet, décorée de deux tapisseries de la manufacture des Gobelins et de croquis illustrant le *Don Quichotte* de Cervantès. Le fumoir, la bibliothèque et la chapelle se trouvent au deuxième étage. Les innombrables trophées de chasse qui ornent couloirs et escaliers disent assez la passion du maître des lieux pour ce sport. Le château est aussi réputé pour sa très belle collection d'armes anciennes. Le vaste parc, avec ses parterres de roses, ses étangs, ses bustes et ses obélisques de style italien, n'est que partiellement ouvert au public.

En Bohême, la bière et l'accordéon sont les indispensables ingrédients de la fête.

Tábor et l'utopie hussite

Il n'est certes pas une ville de Bohême-Moravie qui ne porte les traces de la guerre des hussites, mais **Tábor** représente beaucoup plus, elle en est le fruit, l'utopie incarnée. A 88 km au sud-est de Prague (suivre la route E 55), Tábor fut sans doute, autour du Ier siècle av. J.-C., un site celtique. Au XIIIe siècle, un village appelé Hradiště s'y établit, protégé un siècle plus tard par un château. « La ville de Sezimovo Ústi fut le premier centre des taborites. Mais le 30 juin 1420, ils conquirent le château de Hradiště et y fondirent le nouveau Tábor, d'abord camp militaire puis, plus tard, capitale de la fraction radicale de la révolution hussite. » (Josef Macek) Le mont Thabor (en Palestine) est traditionnellement considéré comme le lieu de la Transfiguration du Christ.

Outre son rôle de place forte contrôlant le sud de la Bohême, Tábor abrita, de 1420 à 1421, une expérience communautaire unique en Europe. La ville devint également le point de ralliement des sectes les plus radicales (pp. 31-33), comme celle entourant Martin Húska et son programme chiliastique (condamnant tous les sacrements y compris celui de l'Eucharistie).

Après la guerre, Tábor prospéra dans un climat de tolérance et de cohabitation pacifique des catholiques, des utra-

quistes et des Frères tchèques. La ville conserva cependant son esprit rebelle et à chaque soulèvement populaire (à l'occasion des révoltes paysannes et de la guerre de Trente Ans) on vit réapparaître le drapeau noir frappé du calice rouge des taborites.

Il ne subsiste du **château**, dont une grande partie fut transformée en brasserie, que la **tour Kotnov** qui n'a malheureusement plus son toit gothique. Non loin, le **pont Bechin** abrite une petite exposition historique. Si les rues vous semblent particulièrement étroites, c'est qu'elles ont été conçues pour permettre de défendre la ville quartier par quartier. La monumentale statue de Jan Žižka qui domine la **place Žižka** a été érigée au XIXe siècle et symbolise la continuité entre le combat des hussites et celui de la résurrection nationale tchèque amorcé à la fin du XVIIIe siècle. Les deux tables de pierre, posées à côté de la **fontaine Roland** servaient autrefois d'autel et les fidèles venaient y communier. La fontaine, surmontée d'un soldat en armure, est de style renaissance et date de 1567, date à laquelle Tábor reçut sa charte municipale. L'**église de la Transfiguration-de-Notre-Seigneur-sur-le Mont-Tabor** fut construite en bois, en 1521, dans le style gothique. A la Renaissance, elle subit plusieurs transformations et reçut notamment des gargouilles. Abattu par les Suédois pendant la guerre de Trente Ans, le clocher fut reconstruit selon un modèle – trois bulbes successifs – très courant en Tchécoslovaquie.

La construction de l'**hôtel de ville** commença vers 1440 et fut achevée en 1521. Outre une vaste salle de concerts (la deuxième du pays), qui accueille l'été un festival de musique médiévale, l'édifice abrite un musée consacré à l'histoire du mouvement hussite. Depuis l'hôtel de ville on pouvait autrefois accéder au réseau de tunnels souterrains creusés dans les années 1430. Long d'environ 15 km, il parcourait toute la ville et avait une fonction défensive. Les infiltrations d'eau et le manque d'argent ont eu raison de ces passages dont seuls 650 m sont ouverts

Champ de pissenlits.

au public. A l'ouest de la vieille ville se trouve l'**abbaye de Klokoty**. De style baroque, elle fut construite en 1703-1704 sur le site d'une petite église du XIIe et XIIIe siècle, le couvent date de 1728-1729.

Autour de Tábor

A 26 km environ à l'est de Tábor par la route 19, le **château de Kámen** abrite un musée de la Moto. Rien d'étonnant à cela sachant que la Fédération internationale de moto fut créée non loin à **Pacov**, en 1904, et que les premiers championnats du monde s'y déroulèrent en 1906. Pacov possédait autrefois une puissante forteresse, transformée depuis en palais Renaissance. Les anciennes fortifications offrent une promenade très agréable. A 29 km au sud de Pelhřimov, **Včelnice** possède une verre-rie réputée pour son verre rouge, le « grenat de Bohême ». La première ligne de chemin de fer électrifiée de l'Empire austro-hongrois fut construite en 1903 entre Tábor et Bechyně

Datant de la seconde moitié du XVe siècle, l'enceinte nord de Bechyně est la plus ancienne fortification assortie de bastions du pays. Ce type d'ouvrage, que l'on rencontre également à Tábor, est apparu pendant les guerres hussites. Il s'agissait de défendre les villes grâce à une enceinte extérieure (plus au contact de l'ennemi) renforcée de bastions demi-circulaires ou triangulaires abri-tant l'artillerie. Dominant la rivière Lužnice, **Bechyně** (une vingtaine de kilomètres au sud de Tábor) est une sta-tion thermale riche en monuments anciens, maisons de style gothique. La ville compte aussi une abbaye augusti-nienne. Implanté depuis le XVe siècle, l'artisanat de la céramique s'est depuis transformé en une véritable industrie. Créée en 1884, l'école de céramique de Bechyně a formé quelques-uns des meilleurs artistes tchèques.

Písek (à 46 km à l'est de Tábor par la route 33) dut autrefois sa prospérité au sable aurifère de l'Otava. Un pont de pierre (datant de 1265, le plus ancien de Bohême) rappelle que Písek était une étape importante du commerce avec la Bavière. Situé au nord de Písek (quitter la route 33 à droite, au niveau de

Záhoři), le **château de Zvíkov** jouit d'un environnement magnifique, à la confluence de l'Otava et de la Vltava. Dominant la partie centrale du réser-voir, sur la rive ouest, s'élève le **château d'Orlík**. Originellement de style gothique, l'édifice a subi de nombreuses transformations. Il est entouré d'un agréable jardin à l'anglaise et présente une collection d'objets et d'armes évo-quant les guerres napoléoniennes, ainsi que des meubles Empire.

Strakonice (8 km après Písek) est un centre industriel important qui a égale-ment su préserver ses constructions médiévales et s'anime chaque année à l'occasion du festival international de Cornemuse. Le **château de Blatná** (71 km à l'est de Tábor) est un joyau architectural de la fin du XIVe siècle, mais des travaux de restauration en interdisent la visite. La ville de **Blatná** doit sa réputation à la culture des roses. Un seul regret pour les horticulteurs locaux, la légendaire rose à cinq pétales est originaire de Rožmberk, dans le sud de la Bohême.

Une taverne à l'enseigne alléchante.

LA BOHÊME MÉRIDIONALE

Fondé par des colons allemands, **České Budějovice** (Budweis) reçut sa charte municipale des mains d'Otakar II, en 1265. Et en 1358, Charles IV lui accorda ses principaux privilèges. České Budějovice se développa grâce au commerce du sel et du vin avec l'Autriche. La découverte, au XVIᵉ siècle, de filons d'argent accrut la richesse de la ville et en fit le centre économique et culturel de la Bohême du Sud. En 1825 commença à České Budějovice la construction de la première ligne de chemin de fer à traction animale (des chevaux) d'Europe centrale. Avec Linz pour terminus, en Autriche, cette ligne fonctionna jusqu'en 1872, avant d'être adaptée aux machines à vapeur.

Le tracé rectangulaire de la vieille ville est caractéristique des agglomérations fondées par les colons allemands. La **place Žižka** en occupe le centre, et de ses quatre angles partent les rues principales. En dépit des destructions survenues au cours du temps (la ville fut presque totalement ravagée par un incendie en 1641), son aspect Renaissance a survécu. Les maisons à arcades qui bordent la place ont été méticuleusement restaurées. Mais la reconstruction qui a suivi l'incendie de 1641 a néanmoins été dominée par l'architecture baroque. A quelques pas de l'imposante **fontaine** octogonale, ornée d'une statue de Samson (conçue par Josef Dietrich en 1727), un des pavés, marqué d'une croix désigne le lieu où, en 1478, dix hommes, coupables d'avoir assassiné le maire, furent exécutés. La légende prétend que quiconque marche sur le *bludny kámen*, la « pierre des fous », après neuf heures du soir prend inévitablement le chemin de l'enfer.

Au sud-ouest, après l'**hôtel de ville** de style baroque, construit en 1731 à partir d'un édifice plus ancien, et le **palais de l'Évêché**, se trouve ce qui reste des **fortifications** du XVᵉ siècle. A l'ouest, le **monastère dominicain** fondé par Otakar II en 1265, et l'**église**

Notre-Dame-du-Sacrifice, construite au XIVᵉ siècle, forment un bel ensemble gothique. Un peu plus loin se trouvent l'ancien **arsenal**, bâti en 1531, et la **maison du Sel** richement décorée. Dans l'angle nord-ouest de la place, se dressent les 72 m de la **Cerná Vez**, la « Tour Noire », construite au XVIᵉ siècle mais récemment restaurée. Il n'est pas de meilleur endroit que son beffroi, 360 marches plus haut, pour avoir une vue générale de la ville. La tour fut érigée pour servir de clocher à l'église et de poste de surveillance pour la sécurité de la ville. A côté, la **cathédrale Saint-Nicolas** fut fondée au XIIIᵉ siècle, mais reconstruite bien des fois depuis. Son aspect actuel date des travaux de restauration entrepris au milieu du XVIIᵉ siècle. Pendant la guerre de Trente Ans, les joyaux de la couronne furent déposés dans une des chapelles de la cathédrale transformée en chambre forte. Pour en savoir davantage sur České Budějovice et sa région, on visitera le **musée de l'Histoire de Bohême Méridionale** situé 1, rue Dukelská.

A gauche, salon du château de Hluboká ; à droite, à la découverte de la forêt bohémienne en canoé.

Mais sa notoriété mondiale České Budějovice la doit moins à son histoire qu'à la **bière Budvar**, plus connue sous son nom allemand de Budweiser, qu'elle brasse depuis des siècles et qu'elle exporte dans vingt et un pays.

Le **château de Hluboká nad Vltavou** se situe à environ 10 km au nord-est de České Budějovice. L'ancienne forteresse royale de style gothique bâtie au XIIIe siècle se dresse majestueusement sur un promontoir rocheux dominant la Vltava. Bastion catholique pendant les guerres hussites, puis confisqué par l'empereur après la bataille de la montagne Blanche pour être vendu à un général espagnol, Balthazar Marradas, le château connut autant de reconstructions que de propriétaires.

En 1661, il devint la propriété de la famille Schwarzenberg qui, deux siècles plus tard, entre 1840 et 1871, entreprit d'en faire la réplique néo-gothique du château de Windsor. Les boiseries sculptées, l'ameublement Renaissance et baroque, les tapisseries, les multiples collections d'œuvres d'art (porcelaines, cristal de Bohême et de Venise, tableaux) composent une ornementation intérieure somptueuse, digne de la plus puissante famille de Bohême. Le manège abrite la **galerie d'art Aleš** (en hommage au peintre tchèque Mikulás Aleš) et présente des œuvres gothiques du sud de la Bohême, ainsi que de l'art flamand du XVIIe siècle. Une mention spéciale doit être accordée à la **bibliothèque** du château, sans doute l'une des plus belles du pays.

Deux kilomètres plus au sud, à **Ohrada**, un ancien pavillon de chasse a été transformé en **musée de la Forêt et de la chasse**. Ohrada possède également un petit zoo.

Třeboň et ses environs

De vastes forêts, des prairies, des tourbières, des canaux, des étangs et des lacs bordés de chênes et de tilleuls forment le décor environnant de **Třeboň**. Bon nombre des lacs de la région ont été creusés et reliés les uns aux autres par un réseau de canaux au cours du

Pêche de la carpe dans un des nombreux lacs de la région de Třeboň.

XVIᵉ siècle. Le plus grand d'entre eux, le **lac Rožmberk**, situé à environ 4 km au nord de Třeboň, s'étend sur une superficie de 500 ha. Cette concentration de lacs et d'étangs a fait de Třeboň le plus important centre de pêche de Bohême.

De part et d'autre de la route qui longe la **Lužnice** et conduit à **Veseli** (au nord de Třeboň) le paysage est semé de lacs et d'étangs. Sur le **lac Svet** les amateurs de ballades romantiques pourront louer un dériveur, ou s'embarquer pour une promenade en bateau à vapeur. Třeboň est également une **station thermale**, réputée au siècle dernier pour les vertus curatives de la tourbe.

La ville fut fondée en 1220 et beaucoup de constructions gothique tardif, Renaissance et baroque (dont une brasserie) sont encore visibles. Les différentes parties du **château**, qui abrite une collection de livres et de manuscrits anciens, ont été construites entre le XVIᵉ et le XVIIIᵉ siècle sur le site d'une forteresse du XIIIᵉ siècle. L'**hôtel de ville**, les vestiges des **fortifications** et les **ponts** de la vieille ville datent du XVIᵉ siècle.

Le village de **Chlum** (environ 10 km au sud-est de Třeboň) doit sa renommée à son industrie du verre et du cristal. Les cristaux soufflés et taillés sont exportés dans le monde entier.

La petite ville de **Jindřichův Hradec** (à 28 km au nord-est de Třeboň par la route 34) offre surtout un intérêt architectural. Des édifices religieux et des maisons de style gothique, Renaissance et baroque y ont été préservés. Le **château** fut agrandi et acquit son aspect renaissance au XVIᵉ siècle sous la conduite d'architectes italiens. La **chapelle gothique Saint-Georges** renferme un cycle de fresques dépeignant la légende du saint. Jindřichův Hradec a conservé certaines activités artisanales traditionnelles, comme cet atelier qui continue de fabriquer des tapisseries à la main.

En quittant České Budějovice en direction du sud-est, le long de la Malse, la route traverse **Trocnov** la ville natale du chef militaire et politique du mouvement hussite de 1420 à 1424, Jan Žižka. L'ancienne maison de garde-chasse a

Chlum est un centre réputé pour la taille du cristal.

été transformée en **musée**. Le village de **Rimov** (17 km au sud de Česke Budějovice) est entouré de vingt-cinq petites chapelles, décorées de sculptures de pierre et de bois, qui forment une sorte de chemin de Croix.

Près du village, la vallée a été sacrifiée au profit d'un réservoir d'eau qui alimente les deux tiers de la Bohême du Sud, mais la baignade y est strictement interdite.

Les pièces de la **forteresse de Žumberk** (à 6 km environ au sud-est de Trhové Sviny, prendre à droite à Zár) contiennent encore le mobilier d'origine du château, donnant au visiteur une idée plus précise de la vie quotidienne d'autrefois, lorsque seules la flamme vacillante des torches de pin fournissait la lumière et les cheminées la chaleur.

Le vénérable village de **Nové Hrady** (6 km après Zár), près de la frontière autrichienne, date du XIIIᵉ siècle. Le village présente une petite exposition consacrée à la hyalithe (lire page 226) travaillée par les souffleurs de verre dans les ateliers de la région.

Le **monastère de Zlatá Koruna** se situe à environ 7 km au nord de Český Krumlov (24 km au sud-ouest de Česke Budějovice) sur la rive ouest de la Vltava. La vaste bibliothèque et la basilique à triple nef construite au XIVᵉ siècle sont les principales richesses de ce couvent. La légende prétend que le tilleul planté devant le monastère produit des feuilles en forme de capuchon en mémoire des moines cisterciens infortunés que Jan Žižka fit pendre aux branches de l'arbre après avoir mis le feu au bâtiment. Cette communauté monastique avait été fondée en 1263 par Otakar II afin de consolider son autorité dans cette région, notamment contre les ambitions de la famille Vítkovci (Wittigo).

Český Krumlov et ses environs

Plus qu'aucune ville de Bohême, **Český Krumlov** a conservé son caractère de cité médiévale. Toute la vieille ville a d'ailleurs été classée monument historique et, en 1967, le gouvernement en a

La vieille ville de Český Krumlov se prête à la flânerie

approuvé le projet de réhabilitation et de mise en valeur, mais jusqu'ici seule une petite partie du projet a pu être exécutée. Relativement étendu, le centre historique de Český Krumlov semble une île, coupée des terres dans une boucle de la Vltava. Les ruelles pavées, les arcades, les ponts, les vieilles scieries à aube au bord du fleuve et toute la vieille ville invitent à la flânerie.

C'est en 1240, sur une colline dominant la Vltava, que la puissante dynastie des Vítkovci bâtit son **château** (l'actuelle partie basse de l'édifice et la tour), sans doute l'un des plus beaux de Tchécoslovaquie. Au cours des siècles le château fut successivement la propriété de trois grandes familles nobles allemandes : les Rosenberg, de 1302 à 1611, qui confièrent à des architectes italiens le soin de le reconstruire dans le style Renaissance, les Eggenberg, de 1622 à 1717 et les Schwarzenberg, de 1717 à 1945, qui firent construire le théâtre (en 1767) auquel on accède par un pont flanqué de statues de saints. La forteresse d'origine devint progressivement un palais d'où les seigneurs administraient leurs domaines et gouvernaient la région. Témoins du raffinement de ces princes, la décoration de la salle des Masques et le cabinet chinois avec sa collection de porcelaines. L'été, le **théâtre** en plein air (doté d'une scène tournante), situé dans les jardins du château, accueille des spectacles.

En 1274, les colons allemands installés de l'autre côté du coude que forme la Vltava reçurent une charte municipale. Grâce notamment aux mines d'argent des forêts environnantes, exploitées jusqu'au XVIe siècle, Český Krumlov connut une prospérité économique certaine, comme en témoigne l'élégance architecturale de la ville.

La **Grand-Place** forme le centre de la vieille ville. Elle est bordée de maisons à arcades de style Renaissance dont les façades colorées sont rehaussées de frontons aux formes recherchées. En face de l'**hôtel de ville**, au sud et à l'ouest, se dressent des tronçons de fortifications d'origine dominés par la tour élancée de l'**église Saint-Vitus**. Celle-ci

Le paisible reflet de la petite ville de Jindřichův, près de la frontière autrichienne.

renferme des fresques murales gothiques et un autel baroque très élaboré. Le **musée de la Ville** se trouve à l'est, en face de l'hôtel Ruse qui, avec le théâtre attenant, formait autrefois un collège jésuite.

Le **couvent des frères mineurs** et celui des **Clarisses** se situent de l'autre côté de la Vltava, dans le **quartier de Latran**. L'église attenante Corpus Christi accueille les deux communautés. Une très ancienne brasserie occupe le bâtiment de l'arsenal du XVIe siècle.

Établie sur les rives du lac de Lipno, la petite cité médiévale de **Horni Plana** (8 km au nord-ouest de Černá) est la ville natale de l'écrivain autrichien Aldabert Stifter (1805-1868), l'un des maîtres de la prose allemande du XIXe siècle. Un monument dressé au sommet d'une falaise dominant le **lac Plesné** (situé au nord-ouest, dans le prolongement du lac de Lipno) lui est dédié.

A ses extrémités, le **lac de Lipno** atteint 44 km de long et 16 km de large. L'été, un bateau fait la navette entre Lipno, Frymburk, Černá v. Pošumaví et Horní Planá. Longtemps le paysage de la rive ouest fut défiguré par un réseau de barbelés longeant la frontière tchéco-autrichienne. Comme le château de Rožmberk, le **monastère de Vyssí Brod** (25 km au sud-est de Černá) fut fondé par Vok von Rožmberk au tournant du XIIIe siècle. Située sur la route commerciale reliant la Bohême et l'Autriche, la communauté prospéra et posséda jusqu'à 4 000 ha de terre. Une partie du monastère a été restituée aux cisterciens en 1990.

La haute vallée de la Vltava

Construits entre 1789 et 1822 et reliant sur 44 km la Vltava au Danube, le **canal Schwarzenberg** (Švarcenbersky kanál) servait de voie de transport au bois, principale richesse de la région. Il fut partiellement utilisé jusqu'en 1962 et ne relie plus aujourd'hui que les villages endormis de la forêt bohémienne et des fermes isolées.

A 29 km au sud de Strakonice, **Vimperk** est la porte d'entrée de la

La forêt de Bohême et, à l'arrière-plan, l'Autriche.

forêt bohémienne. En 1264, Otakar II fit construire un château, dominant la **vallée de la Volynka**, pour en protéger l'accès. La ville doit sa renommée à ses imprimeries, dont la plus ancienne fut fondée en 1484. Y furent notamment imprimés de très beaux livres religieux (des bibles, des missels), dont on peut voir des exemplaires au musée municipal, ainsi que dans la galerie d'exposition du château, qui présente également une collection de cristaux taillés.

Les amateurs de ski de randonnée pourront emprunter la piste qui conduit aux stations de sport d'hiver de **Zadov** et de **Churánov**. Au sud de Vimperk, au pied du **mont Boubín** (1 362 m), s'étend le **parc forestier de Boubínsky** protégé depuis 1933 et qui compte des arbres vieux de quatre siècles.

Toutes les voies commerciales en direction de la Bavière convergeaient autrefois vers la petite ville de **Prachatice** (18 km au nord de Volary). Construite au début du XIVe siècle, Prachadice fonda sa prospérité sur le monopole de la vente du sel que lui

La forêt bohémienne en hiver.

accorda Venceslas IV à la fin du XIVe siècle. Pendant trois siècles, ce comptoir commercial fut le plus grand entrepôt de sel de Bohême. En mettant fin à son monopole et en créant de nouveaux entrepôts (České Budějovice, Gmünd), les Habsbourg amorcèrent le déclin économique et culturel de Prachatice.

Certaines parties des fortifications élevées en 1323 ont survécu, mais le mieux préservé de ses monuments est **l'église gothique Saint-Jacques** et ses magnifiques boiseries sculptées. Sur la place se dressent les deux **hôtels de ville**, le premier construit en 1570 possède une tour, et à gauche, le second, construit au XIXe siècle est décorée de sgrafittes.

Le château Renaissance de **Kratochvíle** (à environ 20 km au nord-est de Prachatice) fut commandé par Wilhelm von Rosenberg à la fin du XVIe siècle. Son frère, Peter Vok, embellit la propriété, lui ajoutant un parc et un mur extérieur. L'édifice abrite aujourd'hui un centre d'exposition consacré au dessin animé tchèque.

LA BOHÊME OCCIDENTALE

Deuxième ville de Bohême par le nombre d'habitants (180 000), **Plzeň** (à 51 km au sud-est de Prague), comme České Budějovice, doit sa notoriété internationale à la bière. Qui n'a en effet jamais entendu parler de la Pilsner Urquell (lire page 198), dont Plzeň brasse 80 % et qu'elle exporte dans le monde entier.

Venceslas II octroya à la cité sa charte municipale, ainsi que l'autorisation de brasser, en 1295. Située au confluent de quatre rivières, la Mže, la Radbuza, la Úhlava et la Úslava (qui forment ensuite la Berounka), et au croisement de grandes routes commerciales, la ville devint un carrefour d'échanges très actif. De plus, la présence dans ses environs de matières premières telles que le kaolin (qui entre dans la fabrication de la porcelaine) et le charbon, ainsi que la proximité des forêts de Bohême (industrie du bois, papeterie) favorisèrent le développement de l'artisanat et de l'industrie. C'est à Plzeň que fut imprimé, en 1468, le premier livre en tchèque, la *Kronika Trojánská*.

Au début du XVe siècle Plzeň connut quelques révoltes dirigées contre le clergé. La ville resta cependant fidèle au catholicisme, et en devint même le bastion militaire en Bohême occidentale. Sa résistance victorieuse, en 1433, contre l'assaut des taborites, grâce à l'appui de Rome et de la Bavière, amorça la contre-offensive qui devait conduire les troupes impériales à leur victoire finale à Lipany en 1434. En récompense, l'empereur Sigismond exonéra Plzeň des taxes féodales, et ce statut de « paradis fiscal » dynamisa la prospérité économique de la ville.

La phase d'industrialisation qui débuta au XIXe siècle s'accompagna pour Plzeň d'un élargissement de son rayonnement culturel. Le premier théâtre de la ville ouvrit ses portes en 1832. Aujourd'hui, Plzeň compte trois grandes scènes, un théâtre pour enfants, un théâtre de marionnettes, où travailla Josef Skupa, le créateur des personnages Špejbel et Hurvínek. Plzeň est également la ville natale de Jiří Trnka, l'un des maîtres européens du cinéma d'animation et le créateur du film de marionnettes.

L'implantation à Plzeň de la célèbre firme Škoda, fondée par l'ingénieur Emil von Škoda à la fin du XIXe siècle, marqua pour la ville le début d'un essor industriel considérable. D'un modeste atelier de construction mécanique, l'entreprise devint l'un des groupes industriels les plus importants d'Europe, présent dans les secteurs de l'armement et de la construction ferroviaire. Le caractère stratégique de ces activités explique d'ailleurs que la Plzeň ait été bombardée par les Alliés pendant la Seconde Guerre mondiale. Nationalisée en 1949 et rebaptisée usines Lénine, ces établissements se sont depuis spécialisés dans le matériel électrique et la construction mécanique.

Dessiné par des arpenteurs au XIIIe siècle (comme toutes les villes neuves destinées à accueillir des colons allemands), le cœur historique de Plzeň

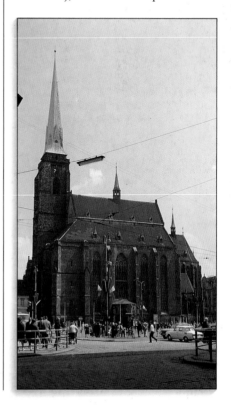

Pages précédentes: la vaste place de Domažlice. A gauche, l'une des piscines de Karlovy Vary; à droite, la flèche de l'église Saint-Bartholomé, à Plzeň.

s'inscrit dans un rectangle d'où partent des rues qui se croisent perpendiculairement. Au centre de la grand-place, désormais la **place de la République**, se dresse l'**église gothique Saint-Bartholomé** (fondée en 1292) dont la flèche, la plus haute de Bohême, s'élève à 103 m. L'ornementation intérieure comprend des peintures murales, de très beaux vitraux et, dominant l'autel, une statue de la Madone de Plzeň, réalisée vers 1390. Avec ses arcs-boutants et ses clefs de voûte audacieuses, la **chapelle Sternberg**, située dans la partie sud du chœur, est un bel exemple d'architecture gothique flamboyant. Conçu dans le style Renaissance par l'architecte italien Giovanni de Statio et construit entre 1554 et 1558, l'**hôtel de ville**, orné de sgrafittes, est, de tous les édifices de la place, le plus voyant.

Le bâtiment voisin, la **maison de l'Empereur**, accueillit Rodolphe II pendant son séjour à Plzeň. En 1599, fuyant la peste entrée dans Prague, le souverain, sa cour et les ambassades étrangères y résidèrent neuf mois. La maison

sise au numéro 234, en face de l'entrée principale de l'église, date du Moyen Age, mais sa rénovation en 1770 en a fait l'un des édifices baroques les plus admirés de Bohême.

La magnificence architecturale est d'ailleurs présente tout autour de la place, dans les rues contiguës et dans l'ensemble de la vieille ville. Nombreuses sont les maisons décorées de fresques, de sgrafittes, arts dans lesquels l'artiste tchèque du XIXe siècle Mikulá Ale s'est distingué. Au milieu de cette splendeur, la **colonne** dédiée aux victimes de la peste, érigée en 1681, rappelle que mêmes les riches citoyens de Plzeň ne furent pas épargnés par le fléau.

Débutant dans l'angle sud-est, la rue Frantiskanska conduit au **monastère franciscain** et à sa très belle **chapelle Sainte-Barbara**, décorée de fresques illustrant des vies de saints. Situé dans la rue Velesavínova (prendre la rue Pražská, puis la rue Perlová), le **musée Pivovarské** est consacré à l'histoire et aux traditions de la brasserie. De taille

La place principale de Plzeň est la plus vaste de Bohême.

impressionnante, mais désormais fermée et abandonnée, la **synagogue** se trouve dans la rue Nejedlého Sady, au niveau de la rue Prešovská.

Les environs de Plzeň

Vers le milieu du XIIe siècle, une communauté de moines cisterciens s'établit près de **Plasy**, à une vingtaine de kilomètres au nord de Plzeň, et y construisit un des plus grands monastères de Bohême. Le site étant marécageux, des pieux de fondation en chêne forment le soubassement du couvent. La **Chapelle royale** à deux étages est un bel exemple d'architecture gothique.

La petite ville de **Manětin** (30 km au nord de Plzeň, prendre à gauche après Kaznějov, puis à droite à Loza) se flatte de posséder certaines des plus belles constructions baroques de Bohême occidentale. Manětin se développa autour d'un pavillon de chasse qui fut totalement détruit en 1712. Après sa rénovation au cours du XVIIIe siècle, l'aspect général de la ville prit cette allure baroque qui fait son charme. L'architecte italien Giovanni Santini contribua largement à cette mise en valeur.

Dans les deux églises de la ville, on peut également voir les œuvres du peintre tchèque Peter Brandl, qui avec Skréta, Brokov, Brauner ou Reiner, influença les artistes « nationaux » du XIXe siècle. Quelques kilomètres plus loin, **Rabštejn nad Strelou**, forte de ses quarante habitants, passe pour être la plus petite ville d'Europe centrale. Perchée sur un rocher, elle domine le cours rapide de la Střela, enjambée par un magnifique pont gothique du XIVe siècle. Au XIIIe siècle, une forteresse, dont on peut voir les vestiges, protégeait cet axe commercial important vers la Saxe et le nord de l'Europe.

A 9 km au sud-est de Plzeň se dressent les ruines d'un château dont certaines sources mentionnent l'existence dès 976. Après la fondation de la ville neuve de Plzeň (au XIIIe siècle), la forteresse prit le nom de « Vieille Plzeň », puis finalement celui de **Stary Plzenec**. Le château jouait sous la dynastie des

La décoration surchargée d'un salon du château de Kozel, près de Plzeň.

PILSNER LAGER

Peu de produits tchèques ont acquis autant de notoriété à l'étranger que les bières de Bohême : Pilsner et Budvar, à ne pas confondre avec la Budweiser américaine. Si Prague détient assurément le plus ancien document faisant mention de l'art de la brasserie (il date de 1082) la fierté de brasser la meilleure bière du pays revient incontestablement à Plzeň. La ville possède en effet un savoir-faire unique depuis des siècles comme en témoignent les objets du musée de la Brasserie, installé dans une ancienne malterie, rue Veleslavinova.

Comme toutes les bières, la Pilsner est produite à partir de malt, c'est à dire des céréales germées artificiellement, séchées, puis séparées de leurs germes, de houblon et d'eau. Une fois que le moût est brassé et cuit, on ajoute une levure spéciale, la *saccharomyces carlsbergensis*, puis on le laisse fermenter à basse température. Rien de mystérieux dans ce procédé et pourtant la saveur de la Pilsner est unique. L'eau utilisée dans

le processus de fabrication contribue sans doute à cette qualité ; elle est en effet très douce et son taux de salinité est exceptionnellement bas. D'autres prétendent que le secret de la Pilsner se trouve en amont du brassage, dans la préparation du malt et la qualité du houblon. Pour le malt, seules sont utilisées les orges contenant très peu de protéine ; quant à la qualité exceptionnelle du houblon de Žatec (dans le nord de la Bohême), elle fait l'unanimité. Pourtant, tous ces ingrédients ont été employés par d'autres brasseries et pas une n'est parvenue à réaliser une authentique Pilsner Lager. Il reste donc à supposer qu'aux ingrédients vient s'ajouter un savoir-faire unique, transmis de génération en génération, et qui seul authentifie la signature Pilsner Urquell.

Le stockage pendant la fermentation n'est pas non plus laissé au hasard. La bière séjourne deux à trois mois dans 9 km de caves creusées dans des falaises de grès. Ces souterrains conservent toute l'année une température constante comprise entre 1° et -2°. Détail capital, les parois sont recouvertes d'une moisissure très proche de la pénicilline. D'autres brasseurs ont bien essayé de transplanter la moisissure de Plzeň dans leurs caves, mais sans succès : elle n'a survécu nulle part ailleurs.

Créée en 1842 – auparavant la bière était produite chez des particuliers –, la brasserie Prazdroj a commencé à exporter en 1856. Les Viennois furent les premiers, hors de Bohême, à déguster la Pilsner. En 1865, les trois quarts de la production totale étaient destinés à l'exportation, et dès 1900, un train quotidien chargé de fûts de bière quittait Plzeň pour Vienne. Quelques années plus tard, un train identique faisait régulièrement le voyage de Brème, où les fûts étaient chargés à bord de cargos à destination des États-Unis. Aujourd'hui, la brasserie Prazdroj produit 1,3 millions d'hectolitres de bière par an.

Si le musée de la Bière n'a pas répondu à toutes vos questions, sachez que la brasserie Prazdroj se trouve rue Prazdroj, à l'est du centre-ville. Ne manquez pas non plus de goûter le résultat de tant d'efforts, mais attention : le taux d'alcool de la Pilsner est un peu plus élevé que celui des autres bières.

Ainsi présenté, qui pourrait résister ?

Přemyslides un rôle de centre administratif et culturel. On peut encore voir certaines parties des fortifications (de 10 m d'épaisseur) et la **rotonde Saint-Pierre** (datant de la seconde moitié du Xe siècle), le plus vieux monument de la République tchèque.

Le **palais Kozel** s'élève à flanc de coteau, 4 km à l'est du village de Stáhlavy. La magnifique forêt qui l'entoure contribue d'ailleurs à réhausser la beauté de cet édifice de style classique. Le bâtiment principal fut construit entre 1784 et 1789. Mais conformément au plan d'origine, dessiné par l'architecte Ignác Palliardi, le palais reçut ensuite de nombreux ajouts. Le château abrite aujourd'hui une collection d'œuvres d'art des XVIIIe et XIXe siècles. Le **théâtre Empire**, qui a conservé son aspect d'origine, mérite également une visite.

Vers la frontière allemande

La route E 53 qui file droit vers le sud, traverse la petite ville de **Svihov** (à 30 km de Plzeň). Là se dresse un magnifique **château** entouré de douves dont l'architecture combine les styles gothique et Renaissance. Le château présente une collection très complète d'armes médiévales.

Douze kilomètres plus loin, **Klatovy** se situe à l'entrée de la forêt de Bohême. La ville est un centre horticole réputé, tout particulièrement spécialisé dans la culture des œillets. Du haut de ses 76 m, la **Tour Noire** domine l'hôtel de ville Renaissance et la place du Marché. De la terrasse située au sommet de la tour on a une très belle vue sur les anciennes fortifications de la ville et sur les collines environnantes.

L'**église gothique Sainte-Marie** possède également un très beau beffroi, la **Tour Blanche**. Les amateurs de spectacle macabre ne manqueront pas de visiter les catacombes creusées sous l'**église Saint-Ignace**. Elles renferment les corps momifiés de jésuites. A noter également que l'ancienne **pharmacie** située sur la place a conservé sa décoration baroque d'origine.

De nombreux torrents traversent la forêt de Bohême.

Klatovy est un point de départ idéal pour découvrir les beautés de la forêt de Bohême, comme cette petite vallée, au sud-est de Klatovy, que descend avec fracas le torrent **Vydra** (sur 7 km). Un peu avant **Susice** (30 km au sud-est de Klatovy), non loin de la **rivière Otava** devenue plus calme, se dressent les ruines du **château de Rábi**, construit au milieu du XIVᵉ siècle pour protéger l'industrie aurifère locale. Malgré ses puissantes défenses, la forteresse fut prise deux fois pendant les guerres hussites. Détruite par un incendie, elle fut ensuite abandonnée.

A quelques kilomètres de la frontière bavaroise, au cœur de la partie ouest de la forêt bohémienne, **Zelezna Ruda** (à 42 km au sud de Klatovy) est une station de sports d'hiver assez fréquentée. Le **mont Pancir** (1 214 m) est accessible en téléphérique, et des sentiers balisés (depuis le village de Špicak) conduisent aux deux lacs glaciaires de **Černé Jezero** et **Čertovo Jezero**.

Autrefois, l'ancienne route commerciale franchissait la frontière un peu plus au nord-ouest avant de rejoindre Furth im Wald puis Regensburg, traversant la région de **Chodsko**. Les *Khodes*, dont le nom vient du mot slave désignant une patrouille, sont un groupe ethnique, probablement slave, établi dans cette région depuis mille ans. En contrepartie de privilèges spéciaux, les Přemyslides, puis les Habsbourg, leur confièrent la tâche de défendre les frontières de l'ouest. Chaque année, pendant le week-end qui suit le 10 août, les *Khodes* accomplissent leur traditionnel pèlerinage vers le mont **Svaty Vavrincek**, suivi d'une grande fête animée de danses et de cornemuse (un festival folklorique se déroule à Domažlice).

Domažlice (à 57 km au sud de Plzeň) est la capitale de la région de Chodsko. Fondée vers 1260 sur le site d'un établissement plus ancien, la ville était un poste frontière, dont les fortifications sont encore visibles par endroits. La **Dolní brána**, la « porte basse », conduit directement à la **place du marché** bordée de belles maisons à arcades de dif-

Tous les ans, en août, les Khodes se réunissent à Domažlice pour leur fête traditionnelle.

férentes périodes. Chaque soir, du **beffroi** massif qui domine l'église, s'élève une vieille mélodie *khode*. Le **château** fut édifié au cours du XIIIe siècle. Détruit par un incendie, il fut relevé en 1728. De l'édifice original ne subsiste que la **tour ronde**, dont le sommet est ouvert au public. Le **musée Jindrich** (du nom du musicien et expert de la culture *khode*) présente les principaux aspects de la culture et des traditions régionales.

Toujours dans la région de Chodsko, **Horsovsky Týn** (à 16 km au nord de Domažlice) était autrefois protégée par une puissante forteresse, bâtie dans la seconde moitié du XIIIe siècle, et dont certaines parties sont encore debout. A la suite d'un terrible incendie, vers 1550, le château fut reconstruit et transformé en un palais Renaissance agrémenté d'un vaste parc aménagé. Ceux qui désirent en découvrir davantage sur les traditions de Chodsko peuvent visiter les villages environnants. Drazenov, Mrákov et Újezd présentent des exemples typiques de l'architecture locale, notamment de très belles maisons en rondins.

Souvent négligé au profit des villes du Nord-Ouest, l'est de Plzeň, desservi par la E 50, ne manque pourtant pas d'intérêt. **Stribro** (à 32 km de Plzeň) fut fondée en 1240 près d'une mine d'argent. Quelques tronçons des fortifications sont encore visibles ainsi qu'un pont gothique et sa tour Renaissance. L'hôtel de ville et les maisons de la place du Marché sont aussi de style Renaissance.

A quelques kilomètres au sud de Stříbro, l'important **monastère de Kladruby** fut construit par les bénédictins au XIIe siècle. Sa basilique romane reconstruite par Giovanni Santini, le maître du «baroque gothicisé», un style propre à la Bohême, méritent amplement le détour.

D'architecture romane à l'origine, la forteresse de **Primda** (27 km à l'est de Stříbro) fut construite au XIIe siècle dans le but de surveiller la frontière. La petite commune établie au pied de la citadelle était alors habitée par les *Khodes*. L'ancienne ville royale de **Tachov**

Le début de l'automne dans la forêt de Bohême.

(30 km à l'est de Stříbro, prendre à droite après Holostievy) était le centre de cette région. Les vestiges de l'enceinte et l'élégance architecturale des habitations indiquent en effet un passé illustre.

Cheb

Au début du Moyen Age, bien qu'habitée par des Slaves, la région de **Cheb** était détachée de la Bohême et faisait partie du Saint Empire romain germanique. Vers le Xe siècle, les Slaves bâtirent un fort sur une falaise surplombant une boucle de la rivière **Ohře**. Par la suite des marchands allemands s'établirent autour de la forteresse, fondant la ville d'Egire (Eger est le nom allemand de Cheb) qui reçut ses privilèges commerciaux de l'empereur en 1149. En 1158 le prince Vladislav obtint de Barberousse, pour lui et sa descendance, la reconnaissance de son titre de roi de Bohême, mais celui-ci ne renonça pas pour autant à exercer son influence sur son fragile voisin et la possession de

Cheb joua dans cette politique un rôle déterminant. En 1167, il fit d'ailleurs bâtir un château sur le site du vieux fort slave et favorisa le développement de la ville.

Devenue sous les Habsbourg une possession de la couronne de Bohême, Cheb renoua avec l'histoire au cours de la guerre de Trente Ans. En 1631, Albert de Valdštejn (Wallenstein) retrouva le commandement suprême des armées de Ferdinand II qui lui avait été retiré un an plus tôt. Or tout en combattant les Saxons et les Suédois (lire pages 37-42), il nouait des contacts secrets avec l'ennemi dans l'espoir de conclure une paix séparée qui lui livrerait la couronne de Bohême. Au début de l'an 1634, tandis que lui-même et ses troupes stationnaient dans Cheb, Ferdinand II, qui connaissait les projets de Valdštejn, le releva à son insu de son commandement et organisa un complot pour s'en débarrasser. Le 25 février 1634, l'officier de cavalerie irlandais Walter Devereux attaqua le quartier général de Valdštejn, situé sur la place

Une ancienne pharmacie décorée de sgrafittes.

centrale de Cheb, tuant le généralissime et son entourage.

Aujourd'hui Cheb et sa place ont retrouvé le calme qui sied à une petite ville touristique de 20 000 habitants. Achevée en 1965, la réhabilitation de son centre historique a été l'opération de sauvegarde du patrimoine la plus importante des années 1950-1960. Sagement rangées autour de la **place George de Poděbrady**, les maisons présentent toutes des façades rénovées. On y distingue des styles variés, colombages, arcades, mais très peu de frontons. Dominant le côté est de la place, l'**ancien hôtel de ville**, une belle construction baroque du XVIIIᵉ siècle, abrite aujourd'hui une galerie d'art.

Le dramaturge allemand Friedrich von Schiller (1759-1805) séjourna dans la maison voisine, la **maison Schiller**, le temps d'accumuler les matériaux et les impressions nécessaires à la composition de sa grande trilogie *Wallenstein* (1798-1799). L'œuvre en question s'inspire du destin d'Albert de Valdštejn et le développe en une puissante fresque centrée sur l'affrontement de Valdštejn et du comte Piccolomini, son subalterne et celui qui le trahira. Deux fontaines ornent cette vaste place, côté sud, la fontaine de Roland, côté nord, la fontaine d'Hercule. Au centre de la place, plusieurs vieilles bâtisses de style gothique, qui abritaient autrefois des échoppes, ont été très soigneusement restaurées et baptisées **Spalicek**. Derrière, se trouve la maison où Albert de Valdštejn fut assassiné et qui abrite aujourd'hui le **Musée municipal**.

Cheb compte cinq très beaux édifices religieux, tous construits par des communautés religieuses qui s'établirent au cours du XIIIᵉ siècle. L'**église Saint-Venceslas** et l'**église Saint-Nicolas**, situées après la place (au nord), s'élèvent de part et d'autre de la rue Kamenná. Les porches et les tours de l'une et de l'autre présentent encore des caractéristiques romanes. Saint-Nicolas fut notablement transformée par l'un des maîtres du baroque allemand, Johann Balthasar, né à Cheb en 1687. Un peu plus loin, à quelques pas de la rivière, se dresse l'**église Saint-Bartholomé**, de style gothique, aménagée en musée de la sculpture médiévale. Des travaux de reconstruction entrepris en 1945 y ont mis au jour de très anciennes fresques. L'**église gothique Notre-Dame-de-l'Ascension** et l'**église baroque Sainte-Claire** sont situées au sud de la place.

Bâtie au XIIIᵉ siècle dans une pierre de lave sombre, la masse de la **Tour noire** domine l'ensemble du château de style roman. La **chapelle romane** à deux étages est sans doute le joyau architectural de la forteresse. L'édifice présente un aspect extérieur modeste que confirme le rez-de-chaussée, autrefois fréquenté par les gardes et les domestiques. En revanche, l'étage supérieur, auquel on accédait également depuis le château par une passerelle de bois, est une petite merveille de l'art roman tardif. Des colonnes surmontées de chapiteaux sculptés soutenaient l'élégante voûte à nervures du plafond, offraient à l'empereur et à sa suite un cadre idéal pour le recueillement. Les **fortifications baroques** furent ajoutées entre 1665 et 1700.

Façades colorées des maisons de Cheb.

LES VILLES D'EAU DE BOHÊME

Les villes thermales de Bohême offrent l'occasion unique de se plonger dans cette atmosphère délicatement décadente de fin d'Empire austro-hongrois. Pendant les quarante ans de communisme presque rien, sinon quelques réhabilitations, n'a été entrepris dans ces villes, de sorte qu'elles ont vieilli tout en conservant leur aspect original. En revanche, depuis 1989, des menaces beaucoup plus sérieuses pèsent sur ces établissements thermaux. La modernisation des techniques de soins et la rentabilisation des équipements ne vont en effet pas toujours de pair avec la préservation de ce patrimoine historique et architectural unique en Europe.

Karlovy Vary

Karlovy Vary, autrefois **Karlsbad**, est la plus ancienne des villes d'eau de Bohême. La légende veut que Charles IV en ait découvert la source alors qu'il poursuivait un cerf dans les environs de son château de Loket. Épuisée, la meute à ses trousses, la bête plongea d'une falaise dans une source chaude bouillonnante. Le physicien personnel de l'empereur déclara que, en dépit de la température très élevée de l'eau, la source possédait des vertus curatives. En 1349, Charles y établit une agglomération et, en 1370, la ville reçut sa charte municipale.

La ville ne connut son âge d'or que beaucoup plus tard, à la fin du XVIIe siècle, après les destructions occasionnées par l'occupation des Suédois pendant la guerre de Trente Ans. La ville a également laissé son nom à un événement historique capital. En août 1819, le chancelier autrichien Metternich y rassembla les représentants des États allemands afin de mettre un terme aux troubles soulevés par la propagation des idées libérales de la Révolution française en Europe. Le congrès décida la dissolution du *Burschenschaft* (la confédération des sociétés estudiantines allemandes), la nomination dans les universités de curateurs chargés de surveiller étudiants et professeurs, de censurer la presse, enfin la constitution d'une commission fédérale chargée d'enquêter sur les menées révolutionnaires. Dans la droite ligne du retour à l'ordre monarchique tracée par le congrès de Vienne en 1815, les mesures prises à Karlsbad ont largement contribué à éloigner de l'Autriche les mouvements nationaux allemands et à préparer la flambée révolutionnaire de 1848.

La faveur des Habsbourg fit de Karlsbad la station thermale la plus élégante et la plus raffinée d'Europe. Compétitions sportives et spectacles, commérages mondains et intrigues politiques, assauts d'élégance et conversations spirituelles créèrent cette ambiance inimitable propre à Karlsbad qui en fit longtemps une des sociétés les plus recherchées. La ville accueillit des têtes couronnées, les Habsbourg naturellement, quelques tsars, dont Pierre le Grand, qui y conversa avec Leibniz, des artistes comme Goethe, Schiller,

Pages précédentes : chopes et verres de ~~rlsbad~~ ; le premier verre de droite rappelle le style Biedermeier. A gauche, ~~bles~~ de jeu ambiance ~~~utrée~~ pour ~~les~~ établis~~ments~~ qui ~~t~~ accueilli toute la bonne société ~~ropéenne~~ ; à droite, défilé de mode ~~Mariánské~~ Lázně.

Beethoven, Chopin, Brahms, Wagner, Gogol et même Marx, qui dut y trouver un matériau irremplaçable pour nourrir sa thèse sur le déclin inexorable du capitalisme. Vers la fin du siècle, les fortunes de l'industrie et du commerce fréquentaient principalement le Sanatorium impérial, tandis que les aristocrates descendaient à l'hôtel Pupp. Devenue Karlovy Vary, la ville a néanmoins conservé une clientèle principalement allemande.

Aux beaux jours de Karlsbad, le voyage en attelage à travers la forêt bohémienne n'était pas sans présenter des difficultés. Aujourd'hui l'accès à l'étroite vallée de la Teplá ne pose plus aucun problème, sinon que les véhicules sont interdits dans le centre historique de la ville. La meilleure solution consiste à l'aborder par le sud et à laisser sa voiture sur les berges de la Teplá, ou sur une des promenades qui longent la rivière. La présence des sources tout le long des deux rives de la Teplá et l'étroitesse de la vallée ont déterminé l'expansion de la ville. Tous les architectes qui ont travaillé à Karlsbad ont respecté cet axe. La station thermale proprement dite borde le cours de la Teplá, la ville administrative et industrielle commence un peu plus loin, au fond de la vallée, là où la Teplá se jette dans l'Ohře.

La haie majestueuse des grands bâtiments commence sur la rive gauche de la rivière avec la **galerie d'Art** et un magnifique **casino**. Puis se dresse l'impressionnant ensemble que forment le **Parkhotel** et le **Grand Hotel Pupp**, qui s'étendent tout le long de l'esplanade. L'entrée principale de ce chef-d'œuvre de l'architecture « éclectique » se trouve très en retrait, face à la place qui domine un coude de la Teplá.

Derrière l'hôtel, un téléphérique grimpe jusqu'aux **hauteurs de l'Amitié** (200 m) où se trouvent une tour d'observation et un restaurant, le Diana. Un arrêt à mi-chemin permet de gagner le point de départ de nombreux sentiers balisés, comme celui qui conduit tranquillement aux **hauteurs de Pierre**, Petrova Vyšina, puis à l'à-pic connu sous le nom de **Jelení Skok**, « le bond du

La colonnade du Geyser, à Karlovy Vary.

Cerf », au sommet duquel veille un chamois de bronze. Des nombreuses clairières qui trouent la forêt, le promeneur aura une vue magnifique sur la ville et les collines environnantes.

Bordée par les magasins les plus élégants et les plus chers de la ville, l'avenue **Stará louka** est une des artères les plus fréquentées de Karlovy Vary. Dans les vitrines sont exposés les articles de cristal et de porcelaine manufacturés dans les ateliers Moser, les vases et la vaisselle fabriqués à Karlovy Vary ont d'ailleurs acquis une réputation mondiale.

Aux produits de l'artisanat local s'ajoutent les spécialités gastro-nomiques : les célèbres gaufrettes Lázeňské oplatky, ou la fameuse liqueur Bercherovka préparée depuis 1805 dans la distillerie fondée par Jan Bercher selon la recette du médecin de la cour impériale, le docteur Frobzig. Pas moins de dix-neuf plantes entrent dans la composition de cet élixir que les habitants ont baptisé la treizième source de Karlovy Vary. Antidote redoutable contre tous les excès de table et

La qualité des eaux de Karlovy Vary tient une forte concentration en sels minéraux dissous, oligo-éléments et gaz carbonique.

puissant laxatif, les sels de Karlsbad (du bicarbonate) sont disponibles dans tous les magasins.

Sur la rive opposée, accessible par les nombreuses passerelles qui enjambent la rivière, se dresse l'hôtel **Kaiserbat** construit au tournant du siècle, par des architectes autrichiens, dans le style de la Renaissance française. Depuis sa construction en 1886, le **théâtre municipal** a accueilli de prestigieux spectacles, poursuivant une tradition théâtrale présente à Karlovy Vary depuis 1602.

De là, la Promenade conduit à la Grand-Place. Sous la structure d'acier décorée de marbre bulgare du **pavillon du Geyser**, bâti dans les années 1970, jaillit le geyser de la source Sprudel. Derrière, l'**église baroque Marie-Madeleine**, achevée en 1736, s'impose comme une des plus belles réalisations de l'architecte bavarois Kilian Ignaz Dientzenhofer et rappelle Saint-Jean-du-Rocher à Prague, une autre de ses œuvres. Construit en 1608, le **château** se dresse sur le site d'un pavillon de

chasse ayant appartenu à Charles IV. La **colonnade du Moulin** de style néorenaissance, édifiée en 1871-1881 par Josef Zítek (l'architecte du Théâtre national de Prague), forme le cœur de Karlovy Vary. On vient y boire à quatre des douze sources qui ont fait la réputation de la station thermale.

Le reste du parcours n'est bordé que d'établissements thermaux (Karlovy Vary est le premier centre de balnéothérapie du pays), dont le **Thermal**, un bâtiment récent assez laid qui, s'il préfigure l'architecture thermale de demain, fait craindre le pire. Au bout de la colonnade, la rue de gauche conduit à une ravissante **église russe** construite à la fin du siècle dernier.

Les traitements thermaux proposés à Karlovy Vary combinent les propriétés des douze sources naturelles, qui ont chacune une forte teneur en sels minéraux. Elles jaillissent du sol sous une forte pression, environ 3 000 litres à la minute. La source la plus réputée, la Vrídlo, produit chaque jour 3 millions de litres d'eau bouillonnante à une température constante de 73°C. Les traitements consistent pour l'essentiel en des cures d'eau minérale combinées à des bains. Au siècle dernier, seuls ces derniers étaient prescrits. On pensait même qu'un séjour de quarante-huit heures sans interruption dans l'eau était bénéfique. Depuis, le thermalisme a progressé et les traitements ont gagné en souplesse, associant davantage le repos et les loisirs. Les principales affections soignées à Karlovy Vary sont les problèmes digestifs, les hépatites, les ulcères, les gastrites, et le diabète.

Karlovy Vary propose une grande variété de loisirs culturels : théâtre, opéra, expositions, concerts en plein air, ainsi que le festival international du cinéma (lire page 121). Ce festival, qui se tient en juillet, s'est notamment imposé comme le rendez-vous phare de la création cinématographique d'Europe centrale et de l'Est.

A une douzaine de kilomètres au sud-ouest de Karlovy Vary se dresse le **château de Loket**. La forteresse royale est bâtie sur une hauteur dominant un

La terrasse du café Elefant, à Karlovy Vary.

coude de la Ohře, d'où le château tire son nom – *loket* signifiant coude. Le plus vieux document faisant mention de cette place forte date de 1239, mais la partie la plus ancienne de l'édifice, une rotonde de style roman, fut probablement construite vers la fin du XIIe siècle.

La tour principale est faite de blocs de granit. Le portail et la résidence du margrave furent ajoutés au cours du XIVe siècle. Le château abrite une belle collection de cristaux, de porcelaines et d'étains, ainsi qu'un musée consacré à Goethe. En contrebas, protégée par la forteresse, s'étend la petite localité de Loket, dont les maisons médiévales groupées autour de la place sont le principal attrait.

Jáchymov

Jáchymov se niche au pied des montagnes Ore, à 16 km au nord de Karlovy Vary. La ville fut fondée en 1516 à la suite de la découverte d'importants filons d'argent. Son fondateur, le baron Joachim André Schlick (de souche allemande) reçut le privilège de battre la monnaie portant son nom, le *johachimsthaler*. Reconnu sur toutes les places financières européennes, le thaler (abréviation du nom d'origine) devint, vers le milieu du XVIe siècle, la principale monnaie d'argent ayant cours en Allemagne et en Autriche. Le baron Schlick se signala également par sa participation active à la seconde défenestration de Prague, en 1618.

Au XVIe siècle, Jáchymov était, par le nombre de ses habitants (20 000), la deuxième ville de Bohême. Environ 1 000 travailleurs étaient alors employés dans les mines. Mais un peu plus d'un siècle d'exploitation épuisa les filons d'argent, et en 1671 l'hôtel de la monnaie ferma ses portes. La ville se tourna vers la fabrication de verre et de porcelaine, la pechblende (un minerai contenant une forte proportion d'uranium) nécessaire à la préparation des pigments provenant des déchets de l'extraction d'argent. La ville ne retrouva cependant son dynamisme qu'à la suite des recherches scientifiques relatives à la radioactivité, découverte en 1896 par le physicien français Henri Becquerel

(1852-1908) alors qu'il étudiait la fluorescence des sels d'uranium. Deux ans plus tard, Pierre et Marie Curie isolaient le radium et le polonium à partir de minerais provenant de Jáchymov qui devint ainsi le premier centre d'extraction de radium du monde.

C'est un boulanger qui créa le premier établissement thermal de la ville. L'initiative fut bien accueillie et en 1906 la station thermale fut reconnue d'utilité publique. Aujourd'hui, le thermalisme demeure la principale ressource de Jáchymov. L'eau jaillit à une température agréable dans des galeries minières situées à plus de 500 m de profondeur. Ses propriétés sont particulièrement efficaces pour le traitement des troubles moteurs et des problèmes vasculaires. Situés en retrait de la route et entourés de forêts, les établissements thermaux sont concentrés dans le sud de la ville.

Le **palais Radium**, un magnifique édifice de style Sécession construit en 1912, contient une salle de concert et plusieurs restaurants élégants. Dans le parc avoisinant se dresse une statue de

Marbre et glace Art nouveau dans une salle de bains du Grand Hôtel Pupp.

LE FESTIVAL
DE KARLOVY VARY

Tous les deux ans, en juillet, la ville thermale de Karlory Vary devient, l'espace d'une quinzaine de jours, une capitale internationale du cinéma. Créé en 1950, ce festival est juste après celui de Venise, et avant ceux de Cannes, de Locarno et de Berlin, le plus ancien événement de ce genre en Europe.

A l'origine, il ne comportait aucun élément de compétition. Les premières récompenses furent décernées en 1948 par un jury alors uniquement composé de Tchécoslovaques. Depuis 1950, chaque festival est placé sous le signe d'un thème et un jury international établit un palmarès. Au cours des premières années, la sélection comportait également des dessins animés et des courts métrages, les films du tiers-monde et ceux des jeunes réalisateurs concouraient dans des catégories particulières.

Dès sa création, le festival de Karlovy Vary a montré une prédilection pour les

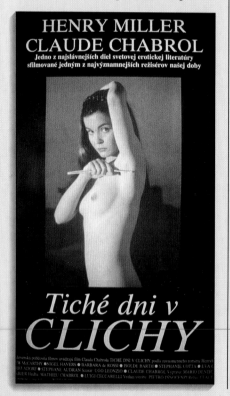

thèmes sociaux et permis aux réalisateurs des pays socialistes et des pays occidentaux de confronter leurs œuvres. La qualité des films récompensés est bien à la mesure d'un grand festival de cinéma. Parmi les œuvres primées, on trouve : *Auschwitz* (1948) de la réalisatrice polonaise Wanda Jakubowskà, *No peace under the olive trees* (1951) de l'Italien Santini, *Les Enfants d'Hiroshima* (1952) du Japonais Kanet Schindó, *Neuf Jours d'une année* (1962) du Soviétique Michaïl Romm, *La Servante* (1964) de Luis Buñuel, *Noces de sang* (1981) de Carlo Saura, adapté de l'œuvre de Lorca.

Un prestige qui peut, jusqu'en 1968, également s'expliquer par la formidable créativité du cinéma tchèque, avec des réalisateurs comme Miloš Forman, Ivan Passer, Jan Němec, Věra Chytilová, Ester Krumbachová, Jaromír Jireš, Jiří Menzel, Dušan Hanák, etc. Pour la première fois, des films montraient avec poésie mais sans complaisance des personnages authentiques de la société tchécoslovaque. Depuis, le cinéma d'auteur tchécoslovaque a pratiquement disparu. Les seuls secteurs qui se soient maintenus ont été le documentaire, les films d'animation et les coproductions avec l'étranger.

Les événements de 1989 ont naturellement influencé l'esprit du festival, et, en 1990, les organisateurs ont essayé de rompre avec cette atmosphère officielle caractéristique des manifestations culturelles dans les pays socialistes. Il semble cependant que ces transformations n'aient pas vraiment accru la qualité de la programmation. Seule la rétrospective du cinéma tchèque des années 1960 et la projection de quelques-uns des derniers films de Miloš Forman ont compensé la faible qualité de la sélection.

Après l'éclatement de la Tchécoslovaquie en deux républiques indépendantes, l'organisation du festival, depuis deux ans du ressort du ministère de la Culture, est à la recherche d'un second souffle. Demeurera-t-il le rendez-vous des cinémas d'Europe centrale et d'Europe de l'Est, ou bien laissera-t-il ce soin au festival annuel de Moscou, récemmemnt créé ? Pour l'heure, le festival de KarloryVary ne semble pas menacé et devrait normalement se tenir en 1994.

L'affiche tchèque de Jours tranquilles à Clichy, *de Claude Chabrol.*

Marie Curie-Sklodovska, érigée en signe de reconnaissance par les habitants de Jáchymov. Des immeubles modernes, les Akademik Běhounek, portent également le nom d'un des élèves de l'illustre physicienne. Des constructions récentes témoignent de l'expansion économique de la ville.

Au nord, la **vieille ville** constitue le centre historique de ce qui fut la communauté minière. L'**hôtel de ville**, caractérisé par sa tour octogonale et ses frontons serrés côte à côte, domine la place centrale. Longue et étroite, celle-ci est bordée de vieilles maisons de style Renaissance bien préservées. En dépit de nombreuses restaurations l'**église Saint-Joachim** mérite bien une visite. L'ancien hôtel de la monnaie, situé derrière l'hôtel de ville, abrite maintenant un passionnant **musée de la Mine et de la Numismatique**, qui retrace l'histoire de la ville. Le meilleur point de vue sur la ville et ses environs se trouve au sommet du **Klínovec** (1 244 m), la plus haute montagne des Ore, accessible en téléphérique.

Mariánské Lázně (Marienbad)

Mariánské Lázně (51 km au sud de Karlovy Vary, prendre la route 20 jusqu'à Bečov, puis la route 24) fut fondée en 1817-1818 par les moines prémontrés de l'abbaye de **Teplá** (située à une douzaine de kilomètres à l'est), sous la direction de l'abbé Reitenberger. Celui-ci confia à J. Fischer, urbaniste attaché au gouverneur de Prague, et à l'architecte paysagiste V. Skalník le soin d'en concevoir les plans, avec le souci de préserver le paysage environnant. Les collines boisées, traversées de cours d'eau, qui cernent la ville et semblent la protéger, forment en effet un décor naturel d'une grande beauté.

Les moines de Teplá connaissaient l'existence des sources et leurs vertus thérapeutiques depuis bien des siècles. En 1341, ils créèrent, sur le site de Marienbad, une annexe de leur monastère. Au début du XVIIIᵉ siècle, ils y construisirent un pavillon destiné à héberger malades et invalides. A la même époque, ils entreprirent de cana-

Le château de Loket (à gauche), et une petite fille qui « sème à tous vents » (à droite).

liser les sources. L'eau était ainsi acheminée vers des tonneaux, que les moines vendaient avec profit aux riches cités de Bohême et aux aristocrates fortunés. En 1749, un apothicaire du monastère suggéra ingénieusement d'évaporer l'eau afin d'en extraire le sel, bien plus pratique à commercialiser que les volumineuses et coûteuses barriques.

La pratique des bains se développa quelques décennies plus tard. En 1818, Mariánské Lázně devint officiellement « ville thermale de la monarchie autrichienne ». Mais elle ne reçut sa charte municipale qu'en 1868.

Au cours du XIXᵉ siècle, la ville accueillit la clientèle la plus prestigieuse d'Europe, parmi laquelle le roi Edouard VII d'Angleterre (1841-1910). Sa renommée, Mariánské Lázně la doit également à son atmosphère romantique qui séduisit bien des artistes. En 1820, alors âgé de 71 ans, Goethe, venant de Karlsbad, s'y arrêta et fit la connaissance de la jeune (elle n'avait que 19 ans) baronne Ulrique von Levetzow dont il tomba éperdument amoureux. Leur idylle passionnée ne dura que quelques étés mais elle inspira au poète *L'Élégie de Marienbad* (1821). Après Goethe, d'autres artistes célèbres trouvèrent l'inspiration auprès des sources de Marienbad : Frédéric Chopin, Richard Wagner. Le violoniste et compositeur Ludwig Spohr (1784-1859) leur dédia, en 1833, plusieurs valses romantiques intitulées *Mémoires de Marienbad*. Mais pour le public français, le nom de Marienbad est indissociablement lié au film d'Alain Resnais *L'Année dernière à Marienbad* (1961).

On a dénombré 140 sources dans la région de Mariánské Lázně, mais seulement 39 sont utilisées à des fins thérapeutiques. Leur forte teneur en sel convient particulièrement au traitement des troubles de la vésicule, des problèmes respiratoires et cardiaques, des rhumatismes, des maladies du sang et de la peau.

En plus du thermalisme, la ville s'est tournée vers l'accueil de séminaires et de congrès internationaux. Cette nouvelle activité l'a conduite à se doter de

La ville d'eaux de Frantíškovy Lázně fut fondée en 1793.

nouveaux équipements et à moderniser le confort des anciens.

Malgré cela, son organisation d'origine a été respectée et la division entre zone résidentielle et zone thermale demeure. L'accès sud à la ville traverse quelques kilomètres de banlieue avant d'entrer dans la station thermale proprement dite. Suivant la configuration du terrain, l'avenue principale (**Hlavní trida**) forme l'unique axe nord-sud reliant les deux places. A gauche se trouvent les magasins, les restaurants et un grand nombre d'hôtels,qui, depuis des travaux de rénovation, allie élégance Art nouveau et confort moderne. A droite, des jardins s'étendent jusqu'au pied des collines.

A l'extrémité de l'avenue se dressent deux beaux édifices construits au tournant du siècle : les **nouveaux bains** et les anciennes buvettes, rebaptisées le **Casino**, qui accueillent maintenant un centre culturel – le casino proprement dit se situe 300 m plus au sud, à l'entrée de la station thermale. En remontant vers le nord, on passe devant la **source** **Ambrozuv**, l'**établissement des bains centraux**, celui des **bains de boue** et la **source Mariin**.

La route grimpe ensuite une petite colline avant d'atteindre l'**église de l'Assomption** puis la **promenade des Thermes**. La rotonde construite autour de la **source Krizovy** date de 1818. Édifiée en 1889 par les architectes Miksch et Niedzelski, la grande **colonnade** néorococo – qui abrite la source Rudolf – possède une impressionnante structure en bronze réalisée dans une fonderie de Moravie entre 1884 et 1889. Les proportions du bâtiment et les larges fenêtres assurent au promenoir, dont les plafonds sont ornés de fresques, une belle luminosité. A côté, se dresse l'architecture antique du **pavillon de la Source de la Croix**.

En face, la **source chantante** constitue depuis 1988 une des attractions de la ville avec ses jets d'eau synchronisés et son jeu de sons et lumières fonctionnant par ordinateur. Plus loin, en haut d'un terre-plein, se trouve la **maison Goethe**, une des plus vieilles demeures

Spectacle de danse sous la colonnade de Mariánské Lázně.

de la ville, où l'illustre poète séjourna en 1823. Elle accueille à présent le **musée municipal**. En face, la place est dominée par l'hôtel **Kavkaz**. Ses chambres séduiront sans doute les amateurs d'élégance désuète malgré son lot de robinets qui fuient, de moquettes moisies et de fenêtres bloquées. Mariánské Lázně honore également la mémoire de **Chopin**, qui y séjourna en 1836, par un musée situé un peu après l'hôtel Corso. Le **théâtre municipal** présente des spectacles de qualité, il n'est donc pas inutile de prendre connaissance du programme. Les promeneurs trouveront dans les forêts environnantes 70 km de sentiers balisés.

Située à une dizaine de kilomètres au nord-ouest de Mariánské Lázně, la petite station thermale de **Lázne Kynzvart** traite certaines maladies infantiles grâce à ses eaux acides riches en fer. Dominée par un imposant château, la ville appartenait aux ducs de Metternich depuis 1630. En 1690, la forteresse se transforma en palais baroque, puis au début du XIXe siècle le chancelier Metternich lui donna son allure Empire. Goethe et Beethoven séjournèrent dans cette demeure qui présente aux visiteurs de très belles collections : des momies égyptiennes, des peintures gothiques et orientales et mille curiosités. Le château est entouré par un vaste jardin à l'anglaise.

Frantíškovy Lázně (Franzensbad)

Créée en 1793 à l'initiative de la ville de Cheb, **Frantíškovy Lázně** (à quelques kilomètres au nord de Cheb) est, avec Karlsbad et Marienbad, la troisième ville thermale de Bohême de réputation internationale. Les cures d'eau de ses vingt-quatre sources minérales glacées et les bains de tourbe limoneuse sont particulièrement recommandés pour le traitement des troubles cardiaques, des rhumatismes et des affections gynécologiques. Les eaux thermales proviennent de l'Ohře, une source dont l'acidité est connue pour ses vertus curatives depuis le XVIe siècle. Le docteur Vincent Adler,

La colonnade néorococo de Mariánské Lázně, aménagée en 1889 et, à gauche, le pavillon de la Source de la Croix.

un scientifique tchèque, contribua beaucoup à la réputation croissante de la ville. Mais c'est sans doute la visite de l'empereur d'Autriche François Ier (1792-1835), dont la ville porte le nom, qui établit définitivement le renom de Frantíškovy Lázně.

S'étendant sur une superficie de 250 ha, la ville se compose d'un centre entouré d'immenses espaces verts. La **Národní trída** (la « rue Nationale ») est bordée sur toute sa longueur par d'élégantes maisons bâties au tournant du siècle. La **Maison aux trois lis**, sise au numéro 10, fut une des premières construites.

La colonnade, les centres de conférences, les bains gazeux et l'élégant **pavillon de la source Frantisek**, construit en 1832, sont réunis autour de la place de la Paix et constituent le centre-ville. A l'ouest s'étend le **parc Dvořak** qui borde l'établissement des bains n°1 et l'imposant pavillon de bois qui abrite les sources **Luisin** et **Studeny**. Non loin se dresse le **Hall Glauber**. L'eau salée des sources du même nom constitue un des principaux produits d'exportation de la ville. Le reste des sources se trouve au sud-est, près de l'**hôtel Imperial**. Le **musée municipal**, le **théâtre** et le **kiosque** à musique, où ont fréquemment lieu des concerts, se situent au nord et à l'est.

A 4 km à l'est de Frantíškovy Lázně, la région de **Soos-Hákek** offre, toutes proportions gardées, certaines similitudes avec des régions de volcanisme actif comme l'Islande. On y trouve en effet des mares de boue bouillonnante, des puits dont s'échappe du dioxyde de carbone et des sources chaudes. Autre curiosité : on y croise des plantes qui ne poussent habituellement qu'au bord de la mer et qui trouvent dans l'eau qui remonte des profondeurs le sel dont elles ont besoin. Ces phénomènes s'expliquent par la présence, à quelques kilomètres, du plus jeune volcan éteint de Tchécoslovaquie, **Komorní hurka**, dont les dernières éruptions remontent au Quaternaire. Des tunnels ont été creusés au siècle dernier afin de l'étudier de plus près.

Lorsque Goethe rencontra Ulrique von Levetzow, à Marienbad, il avait soixante et onze ans, elle n'en avait que dix-neuf.

LE NORD DE LA BOHÊME

Quittons les villes thermales de Bohême en direction du nord-est, en suivant l'Ohře au pied des monts Doupouské. A 35 km de Karlovy Vary, en direction de Chomutov, la route E 442 traverse **Klášterec nad Ohří**. Le **château** Renaissance a pris des allures néo-gothiques à l'occasion de sa reconstruction entreprise après un terrible incendie en 1856. Il abrite une très belle collection de porcelaines, comportant des pièces datant de l'antiquité chinoise jusqu'à nos jours.

La place de **Kadan** (5 km à l'est de Klášterec), d'allure médiévale, est bordée de jolies maisons à arcades, réhaussées de frontons aux formes recherchées. Reconstruit dans le style baroque après un incendie, tout comme l'**église** qui lui fait face, également gothique à l'origine, l'**hôtel de ville** a conservé sa tour gothique et ses fenêtres oriels. Au sud de la ville, sur les pentes qui dominent la rivière, se dresse l'ancien **monastère** qui abrite aujourd'hui les archives municipales. L'édifice combine des parties gothiques et des ajouts baroques. La crypte voûtée contient le tombeau du fondateur du monastère Johann Hassenstein von Lobkowitz.

Un voyage dans le nord de la Bohême, le pays du houblon, ne serait pas vraiment complet sans une initiation à la bière locale. Le houblon cultivé dans la région de **Žatec** (22 km à l'est de Kadan) depuis le Xᵉ siècle, se caractérise par un arôme agréable et produit une résine épicée au moment de la cuisson (le houblonnage). Un sol fertile, des conditions climatiques favorables en expliquent la qualité. Aujourd'hui, 60 % de la récolte est d'ailleurs destinée à l'exportation.

Traversée par la Chomutovka, **Chomutov** (53 km au nord-est de Karlovy Vary par la route E 442) possède de quelques très beaux édifices : des constructions médiévales soigneusement préservées, la maison de Collen-Luther et la place de la vieille ville bordée d'arcades. A proximité de la ville, la petite **église Sainte-Catherine** est un bel exemple de style gothique du premier âge.

Blottie dans la vallée de la Bílina, au pied des České Středohoří, la petite ville médiévale de **Most** (26 km au nord-est de Chomutov), ou ce qu'il en reste, est devenue un centre minier prospère. La nouvelle agglomération a progressivement remplacé l'ancienne, l'exploitation de la lignite à ciel ouvert a même nécessité la destruction du centre historique de Most.

Seule la magnifique **église Notre-Dame**, de style gothique flamboyant, a été sauvée au prix d'ailleurs d'un véritable exploit technique. En 1975, pour la première fois en Europe, une masse d'une seule pièce pesant 12 000 t a été déplacée d'environ 800 m. L'autel, haut de 17 m et large de 8 m, avait été au préalable démantelé.

De nouveau en possession de la famille Lobkowitz, le château de **Jezeří** (actuellement en restauration) est un magnifique ensemble architectural combinant un palais Renaissance, des élé-

Pages précédentes : le Pravčická ína, dans la région Děčín, est l'arche rocheuse naturelle la plus haute d'Europe. A gauche, la masse mbre des Krušné hory; à droite, Bohême du Nord un vieux bassin minier.

ments baroques sur le site d'une forteresse gothique.

Le **château de Duchov** (une vingtaine de kilomètres au nord-est de Most par la E 442), est l'ancienne résidence de la famille Waldstein. On peut y voir une très belle collection de pierres précieuses. Dans les années 1780, Giovanni Giacomo Casanova résida dans le château comme bibliothécaire du comte Waldstein et y rédigea ses *Mémoires*.

Teplice est un centre industriel particulièrement actif. Mais la ville possède également un **théâtre**, le *Krušnohorské divaldo*, et un musée digne d'intérêt. C'est aussi la plus ancienne station thermale de Bohême.

La vallée de l'Elbe

La culture des fruits et les vignobles font de **Litoměřice** (31 km au sud-est de Teplice) et de son arrière-pays le jardin de la Bohême. L'ancienne ville royale ne manque pas non plus de monuments chargés d'histoire et d'une belle facture architecturale, comme la **maison Mráz** surmontée d'un toit en forme de coupe, l'**hôtel de ville**, originellement de style gothique, mais rebâti à la Renaissance, ou, dominant la ville, la **cathédrale Saint-Stéphane**. La **galerie de Bohême du Nord** mérite également une visite.

Les souvenirs attachés à la petite ville de **Terezín** (au sud-est de Litoměřice) et à son camp de concentration tranchent singulièrement avec l'aspect bucolique de cette région (lire page 51). A **Doksany** (8 km après Terezín), on peut encore admirer la **basilique** bâtie par les moines prémontrés, un des plus beaux exemples d'architecture romane du pays.

Construite au bord de l'Elbe, la ville de **Roudnice nad labem** (une dizaine de kilomètres après Doksany) possède un château baroque, dont l'ancienne école d'équitation abrite un musée. Plus au sud, le **mont Říp** (459 m) domine les vallons de la campagne environnante. C'est en découvrant la région depuis cette hauteur que, selon la légende, Čech, l'ancêtre des Tchèques, et son

Most connaît de sérieux problèmes d'environnement.

clan décidèrent de s'y établir. Au sommet, se dresse une ancienne rotonde romane, la **chapelle Saint-Georges**, construite pour célébrer la victoire du prince tchèque Soběslav sur le roi de Germanie Lothaire lors de la bataille de Chlumec, en 1126.

Vint-huit kilomètres séparent Litoměřice d'**Ústí nad Laben** par la route qui longe l'Elbe. Ústí est le centre économique du nord de la Bohême. Mais cette importance se double d'une renommée beaucoup moins enviable : celle d'être l'une des villes les plus polluées de la République tchèque. L'hiver, lorsque la couche nuageuse est basse, les fumées des trois complexes chimiques et les dégagements de soufre des mines rendent l'air irrespirable.

Fondée au confluent de l'Elbe et de la Bílina, Ústí devint une ville royale au XIIIᵉ siècle et commença son essor économique grâce au commerce du sel. Perché sur une falaise surplombant l'Elbe, le château de **Střekov** domine l'entrée de la ville. De nombreuses célébrités séjournèrent à Strekov, dont

Richard Wagner, en 1842 – il habitait alors Dresde – qui y travailla à son *Tannhäuser*. Le centre d'Ústí compte bon nombre de monuments dignes d'intérêt, comme l'**église gothique de l'Assomption**, dont la tour présentait une certaine inclinaison depuis que la ville avait été bombardée durant la Seconde Guerre mondiale. Les travaux de redressement de l'édifice menés dans les années 1950 en ont fait une curiosité architecturale. A côté, l'**église et le monastère Saint-Adalbert** (ou saint Vojtěch, mort en 997) forment un ensemble baroque restauré qui sert désormais de salle d'exposition et de concerts. En 1972, l'église a été dotée d'un orgue de 3 572 tuyaux.

Situé dans les environs d'Ústí, **Tiské skály** est un ensemble de formations de grès aux lignes étranges. Plus loin, le **château de Velké Březno** présente l'intérêt d'avoir conservé son aménagement intérieur d'origine ; le parc de 5 ha est également très agréable.

Nichée dans la vallée de la Bílina, **Stadice** était la résidence de Cosmas, le

e houblon de Žatec donne aux bières tchèques ur arôme articulier.

premier chroniqueur tchèque qui consigna les légendes relatives à la période postérieure à l'effondrement du royaume de Grande Moravie. Grâce à lui, nous connaissons le nom des tribus installées en Bohême, les Charvats, les Pšovans, les Zlibans, et les Tchèques, sur lesquelles régnaient les Přemyslides.

La « Suisse bohémienne »

La ville de **Děčín** (24 km au nord de d'Ústí, en direction de la frontière allemande) possède deux châteaux. Le premier, situé sur la rive droite de l'Elbe, et où Chopin séjourna en 1835, forme un puissant ensemble construit sur l'emplacement d'une forteresse du début du XIIe siècle. Depuis 1968, il était occupé par une garnison de soldats soviétiques. Le retrait des troupes du pacte de Varsovie est terminé depuis juin 1991 mais, pour l'heure, seul le jardin du château a été ouvert au public. Le second château est un petit édifice perché sur un promontoire dominant la rive gauche de l'Elbe.

Tout autour de Těčín s'étend la région de **České Švýcarsko**, un extraordinaire ensemble de formations de grès entourées de forêts. Les formes très particulières des grès calcaires des plateaux de Děčín sont apparues au cours de l'ère tertiaire sous l'action combinée d'éruptions volcaniques et de l'érosion. Au XVIIIe siècle, deux artistes suisses, le peintre Adrian Zingg et le graveur Anton Graff, furent si fascinés par la beauté de ces escarpements rocheux, de ces ravins profonds, de ces défilés étroits qui leur rappelaient leur Suisse natale, qu'ils décidèrent de s'y établir. La région, et plus particulièrement la contrée située dans le voisinnage de Hřensko (12 km au nord de Děčín, juste avant la frontière), leur doit d'ailleurs son surnom de Suisse bohémienne.

Poste frontière depuis la fin du XVIe siècle, **Hrensko** est un joli village niché au pied des falaises qui surplombent la vallée de la Kamenice, là où elle se jette dans l'Elbe. Situé à 116 m au-dessus du niveau de la mer, c'est le village le plus bas de Bohême. Un peu plus au nord, le long de la frontière, un sentier (environ cinq heures de marche depuis Hrensko) conduit au **Pravčiká brána**, qui est, avec ses 30 m de longueur et ses 21 m de hauteur, le plus grand pont naturel d'Europe.

La région de **Česká Lípa** (31 km au sud-est de Děčín, en remontant le cours de la Rebecsky) est également jalonnée de formations géologiques assez rares. A une dizaine de kilomètres au nord de Česká Lípa se dressent les falaises de **Sloupské skály**, surmontées du **château de Sloup**, construit en grès. Les falaises de **Panské skály** sont un ensemble de milliers de colonnes de basalte. Vues du ciel, elles dessinent une structure alvéolaire. Depuis le sol elles suggèrent davantage un ensemble de tuyaux d'orgue, ce qui leur vaut d'ailleurs leur surnom de *varhany*, l'orgue. A noter également les maisons à étages en bois, caractéristiques de cette région.

C'est l'empereur Charles IV qui fit creuser le **lac de Máchovo** (26 km au sud-est de Česká Lípa), réputé pour ses carpes. Ses plages de sable et la température agréable de l'eau en ont égale-

L'Elbe (près de Litoměřice sur la photo) est depuis des siècles une voie commerci le prépon dérante.

ment fait un centre de loisirs assez fréquenté. Dix kilomètres plus au sud, se dressent les puissantes ruines du **château royal de Bezdez** (datant des années 1350-1375), flanqué de deux tours, l'un des plus beaux exemples d'architecture gothique défensive.

Les monts Jizerské

Fondée au bord de la Neisse, **Liberec** (67 km à l'est de Děčín) est avec ses 100 000 habitants un centre important de l'industrie du vêtement. Introduit dès le Moyen Age par des tisserands flamands, l'industrie textile a fait la prospérité de la ville, comme en témoigne la richesse architecturale de la cité. Plus de quarante bâtiments, dont de nombreuses maisons baroques, ont été classés monuments historiques. Parmi ceux-ci, le **palais Renaissance** est l'un des plus beaux. Sa **chapelle** contient un très bel autel sculpté et des plafonds à caissons. L'**hôtel de ville**, un édifice de style néorenaissance, fut conçu par l'architecte viennois Franz von Neumann, et présente d'ailleurs quelques similitudes avec le nouvel hôtel de ville de Vienne.

Bordant la place de la vieille ville, l'**église Saint-Antoine** fut bâtie au XVIe siècle puis reconstruite dans le style néogothique en 1879. De là, l'étroite allée **Veterna**, bordée de maisons à colombage du XVIIe siècle – les **maisons Wallenstein** – conduit à la **Malé nám** (la Petite Place). Situé dans le nord de la ville, le **musée de Bohême du Nord** présente une importante collection d'objets artisanaux (des tapisseries, des meubles, des faïences, des verres, des cristaux), ainsi qu'une rétrospective consacrée à l'histoire et au folklore local. De 1938 à 1945, Liberec était la principale ville des *Sudetenland*, une région annexée au Reich en 1938 et dont le *Gauleiter* n'était autre que Konrad Henlein le chef du parti des Sudètes.

A 23 km au nord de Liberec (par la route 35) se dresse la menaçante **forteresse de Frydlant** et son imprenable tour ronde. Le château fut construit en 1241, sur un rocher dominant la Smedá, par un chevalier du nom de Ronovec. Ses propriétaires ultérieurs le transfor-

La lignite continue de fournir au pays une grande partie de son énergie.

mèrent en château Renaissance. A la suite de la bataille de la Montagne Blanche, il fut confisqué à son propriétaire luthérien Christophe von Redern et racheté par Albrecht von Wallenstein – enrichi des biens de la famille protestante la plus riche de Bohême, les Smiřicky. Déjà élevé au rang de prince d'Empire en 1623, Wallenstein fut fait duc de Frydlant en 1624. Dix plus tard, à sa mort, le château passa à un autre général de l'armée impériale, le comte Gallas. A la fin du XVIIIe siècle, les héritiers de Gallas ouvrirent le château au public, dont la curiosité avait été excitée par la pièce de Schiller, *Wallenstein*. Le pont du Chevalier relie la forteresse gothique d'origine et la partie basse de l'édifice, qui présente une très belle façade Renaissance. Cette dernière contient des salons et des salles luxueusement aménagés, ainsi qu'une galerie d'œuvres d'art.

Le château de **Sychrov** (12 km au sud de Liberec) fut construit à la fin du XVIIe siècle. Son allure néogothique ne date en revanche que du siècle dernier.

VERRERIE

Au cours du Moyen Age, les artisans bohémiens produisirent les premiers verres à boire et acquirent la technique des vitres, des carreaux de verre et de faïences destinés aux mosaïques.

Disposant d'un combustible – le bois – abondant, les verriers fabriquaient une pâte verdâtre à base de potasse et de sable ferrugineux. Ce matériau convenait à la fabrication d'une gobeleterie ample et pleine parfaitement adaptée à un pays consommateur de bière. Trop lourde pour être façonnée à la pince, cette matière se prêtait en revanche très bien aux émaillages de surface. Au tournant du XVe siècle, on estime à une quinzaine le nombre verreries installées en Bohême, en Moravie et dans les autres régions de la couronne.

Au XVIe siècle, la production évolua vers un verre plus fin, plus approprié à la réalisation des formes harmonieuses inspirées de la Renaissance. L'adjonction d'un quantité de chaux supplémentaire permit aux verriers d'obtenir une matière plus blanche, plus épaisse, plus solide se

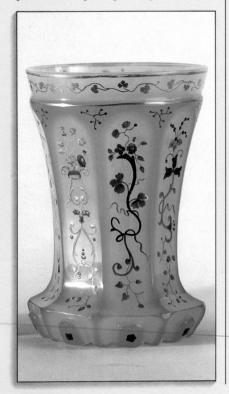

rapprochant du cristal de roche, et convenant surtout au travail à froid, à la gravure et au taillage.

La gravure se prêtait tantôt à l'illustration, tantôt au simple graphisme combinant arêtes et brisures pour réfracter la lumière. Témoin de cette évolution, le passage du simple gobelet du XVe siècle à la coupe ballonnée, au fût cylindrique et au pied en spirale du XVIIe siècle. Gaspar Lehmann (1563-1622), graveur de pierres précieuses et tailleur de cristal de roche de l'empereur Rodolphe II, fut un des maîtres dans l'art de la gravure sur verre. Influencée par les motifs baroques, cette technique permit de produire, jusque vers la moitié du XVIIIe siècle, de véritables chefs-d'œuvre. Après 1720, la gamme des décorations s'enrichit de la dorure. Les chandeliers de Bohême composés de prismes de verre taillés étaient alors très recherchés, tout comme les lustres de cristal exportés vers les cours de France et de Russie.

Dans la seconde moitié du XVIIIe siècle, la production de verre passa du stade artisanal au stade industriel. Les produits des manufactures du nord de la Bohême rivalisaient avec ceux des Pays-Bas et d'Angleterre, et s'exportaient dans toute l'Europe. Après une période de déclin, les verres opaques de Bohême avec leur décoration colorée sur émail retrouvèrent leur réputation.

En 1822, le comte Buquoy inventa un verre noir intense qu'il baptisa « Hyalith » en raison de sa ressemblance avec l'opale. L'année suivante, l'industriel Egermann (1777-1864) commença à produire dans sa verrerie des objets en « Hyalith ». Imitant la porcelaine – plus chère –, le verre blanc laiteux et le verre noir connurent un grand succès commercial. En poursuivant ses expériences sur le « Hyalith », Egermann mit au point le « Lithyalin », un verre marbré produit dans une large gamme de couleurs. Comme le « Hyalith », la « Lityalin » pouvait être enrichie d'or et de peinture. Entre 1815 et 1848, le style Biedermeier connut un vif succès auprès de la bourgeoisie tchèque qui aimait ses formes trapues et sa décoration surchargée.

Au cours de ce siècle, les noms de Loetz, de Lobmayer et de Jeykal continuèrent d'assurer à la verrerie de Bohême une réputation mondiale en s'adaptant aux modes nouvelles, et notamment au style Art nouveau.

Vase de Bohême émaillé et doré.

Deux des plus célèbres musiciens tchèques, Antonin Dvořák et Josef Suk (1874-1935) l'élève de Dvořák et le gendre de Smetana, y firent de fréquents séjours.

A une dizaine de kilomètres à l'ouest de Liberec s'élèvent les 1 012 m du **mont Ještěd**, surmonté de l'élégante tour d'un émetteur de télévision. Le restaurant installé au sommet de la tour offre l'un des meilleurs points de vue sur les monts Jizerské et Krkonoše.

Le Paradis bohémien

Le ski est pratiqué dans les Krkonoše depuis la fin du XIXᵉ siècle.

Au sud de Liberec, entre Turnov (à 24 km de Liberec) et Jičín (à 30 km de Turnov par la route 35) s'étend la **réserve naturelle de Český raj**, le « Paradis bohémien ». Sur le plan géologique, cette région se caractérise par les importants dépôts de sable laissés par la mer à l'époque du crétacé. L'érosion a ensuite creusé et sculpté ces couches friables, faisant apparaître des falaises, des colonnes, des gorges et des grottes profondes. Le **parc de Prochovské**

skály (à quelques kilomètres au nord de Jičín) est particulièrement indiqué pour découvrir ce décor naturel fascinant.

La ville royale de **Jičán** fut fondée à la fin du XIIIᵉ siècle par Venceslas II, puis, au fil des âges, passa sous l'autorité de grandes familles nobles de Bohême. Après 1620, Wallenstein l'intégra à son duché avec l'intention d'en faire sa capitale.

La **Valdická brána**, construite en 1568, est la seule porte de l'ancienne enceinte encore debout. Du haut de ses 50 m, on voit distinctement l'avenue bordée d'arbres qui conduit au **parc de Libosad**, où Wallenstein avait fait bâtir un palais confortable pour lui-même et son entourage. Plus au nord, se dressent les tours du **monastère des chartreux**, transformé en prison en 1783. A côté de la Valdická brána se trouve l'**église Saint-Jacques** fondée, comme le monastère, par le duc de Wallenstein – sa fille y est d'ailleurs enterrée –, mais dont la réalisation ne fut achevée qu'au XIXᵉ siècle. Les maisons entouran la Grand-Place présentent ce style com-

mun à beaucoup de villes historiques de Bohême où se mêlent les influences gothique, Renaissance et baroque. La partie sud de la place est dominée par le **palais Wallenstein** construit par des architectes italiens entre 1624 et 1634.

Les ruines du **château de Trosky** (à une quinzaine de kilomètres au nord de Jičín, prendre la petite route de gauche à Ktová) sont parmi les vestiges les plus spectaculaires du pays. Perchée au sommet de deux collines attenantes, la forteresse fut construite au XIVᵉ siècle puis laissée à l'abandon à la fin de la guerre de Trente Ans.

Quelques kilomètres plus loin, commence l'impressionnant spectacle des quelque deux cents pitons rocheux de **Hrubá Skála** se dressant verticalement. A côté de cette ville de grès, se trouvent les ruines du château de Hrubá Skála. Un peu plus au nord, un sentier conduit au **château de Valdštejn**, une forteresse du XIIIᵉ siècle. Le château de **Kost** (situé à mi-chemin entre Jičín et Mlada Boleslav) mérite amplement un détour vers l'ouest. C'est en effet une des forteresses gothiques les mieux préservées de Bohême. Des parties sont venues s'ajouter à l'édifice d'origine du XIVᵉ siècle. L'ensemble a été restauré et un musée d'art gothique y a été aménagé.

La nature ne s'est pas contentée de sculpter de merveilleuses architectures rocheuses, elle a laissé des dépôts de grenat et d'autres pierres précieuses. **Turnov** (30 km au nord-ouest de Jičín) jouit d'ailleurs d'une réputation internationale dans le domaine du polissage des pierres précieuses et dans celui de la fabrication de bijoux à partir du grenat. Le **musée** local en expose une fascinante collection.

Dix-sept kilomètres séparent **Železný Brod** (Eisenbrod en allemand) de Turnov. La ville tire son nom du minerai de fer (*eisen* signifie fer en allemand) extrait dans les environs depuis le XVIIᵉ siècle. Mais elle doit sa renommée à ses ateliers de verrerie. Quelques très anciens édifices en bois ont été préservés, dont le **beffroi** situé à côté de l'**église Saint-Jacques**.

Établie à l'ombre du plus haut sommet de la région, le **Černá hora** (1 084 m), **Jablonec nad Nisou** (à une quinzaine de kilomètres au nord de Železný Brod, quitter la E 65) est la principale ville des Jizerské. Comme ses voisines, elle s'est développée grâce au travail du verre et des pierres précieuses. Au XVIᵉ siècle, des souffleurs allemands s'installèrent dans la région, attirés par les ressources en charbon de bois (nécessaire à leur métier) des pentes boisées des Jizerské. Au XVIIIᵉ siècle, ils acquièrent une certaine réputation en fabriquant des imitations en verre de pierres précieuses et de perles. Le **musée du Verre** raconte les jours glorieux de la ville et évoque ses traditions artisanales (lire page 226).

Été comme hiver, les montagnes Jizerské offrent aux randonneurs une vaste gamme d'itinéraires. On y pratique également le ski, notamment dans la station de **Bedřichov**.

Les Krkonoše

Les **Krkonoše**, les « Géantes », forment la frontière naturelle séparant la République tchèque de la Pologne. Cet environnement façonné par les glaciers au cours des âges (lire pages 117-121) a profondément marqué la culture populaire et inspiré de nombreuses légendes peuplées de personnages fantastiques comme **Rübezahl**. Les **musées** de **Trutnov** (49 km au nord de Hradec Králové, prendre la E 67 puis à gauche à Jaroměř), de **Vrchlabí** (33 km à l'ouest de Trutnov), de **Jilemnice** (9 km à l'ouest de Vrchlabí) et de **Vysoké nad Jizerou** (17 km au nord de Jilemnice) vous permettront d'en savoir plus sur les traditions locales et sur la nature environnante.

Les principales stations de sports d'hiver **Špindlerův Mlyn** (16 km au nord de Vrchlabí), **Pec pod Sněžkou** (24 km au nord de Trutnov) et **Harrachov** (30 km au nord de Jilemnice) sont, comparées à leurs homologues alpines, situées à des altitudes relativement faibles, entre 700 et 800 m. Mais leur position géographique (800 km au nord des Alpes) leur assure un véritable climat de montagne.

Chaque année, le temps fort de la saison est marqué par les fêtes et les défilés en costumes qui, au début du mois de

L'imposant hôtel de ville de Liberec témoigne de la prospérité de la ville.

mars célèbrent l'entrée de Rübezahl, le maître légendaire des Krkonoše.

La région qui s'étend autour de **Police nad Metují** et de **Teplice nad Metují** (toutes les deux à l'est de Trutnov) est bien connue des montagnards. L'érosion a sculpté des silhouettes de villes fantastiques dans les falaises de grès, donnant naissance aux sites spectaculaires d'**Adršpašsko-teplické skály** et de **Broumovské stěny**. A l'est de Teplice, **Broumov** est un poste avancé tchèque en territoire polonais. Cette petite ville possède un très beau **monastère bénédictin** de style baroque, conçu par les célèbres Dientzenhofer.

Sur la route de Hradec Králové, **Dvur Králové** (19 km au sud de Trutnov) propose une visite inattendue, celle de son **parc animalier** fondé en 1946 et comptant de nombreuses espèces dont certaines assez rares comme le rhinocéros blanc. Une quinzaine de kilomètres plus au sud, la petite station thermale de **Kuks** se signale par l'impressionnante série de sculptures baroques dues à

Matthias Bernhard Braun (1684-1738) qui ornent les façades de l'**église de la Sainte-Trinité**.

Náchod (41 km au sud-est de Trutnov, par la route 14) s'est développée autour d'une tour de guet construite pour surveiller et protéger la route commerciale reliant la Bohême à la Silésie. Quelques grandes figures ont marqué la ville de leur empreinte : Georges de Poděbrady, Albrecht de Wallenstein et son lieutenant Piccolomini, ainsi que la famille des Trčka. Náchod est également la ville natale de l'écrivain Josef Škorecky (né en 1924).

Le **Rozkos u Ceské**, le plus grand lac de retenue de Bohême, se trouve à une dizaine de kilomètres à l'ouest (sur la E 67) de Náchod. La baignade y est autorisée. La petite route du sud (prendre la route 14) conduit à **Nové Město**. La ville possède un château et de belles maisons Renaissance. Le magnifique château Renaissance d'**Opocno** (au sud de Nové Město) mérite également une visite.

Les monts Orlické

Les **Orlické**, une chaîne de montagnes relativement basses – le mont le plus élevé, le Velká Destná, culmine à 1 155 m – s'étendent sur 40 km le long de la frontière polonaise. Cette région couverte d'épicéas et constellée de lacs demeure l'une des plus épargnées par la pollution. On peut skier dans les stations de **Destné** et **Řičky**.

Le château de **Rychnov n Kněznou** (34 km au sud de Náchod) présente une exposition consacrée à l'histoire et aux traditions de la région. Celle-ci compte bon nombre de châteaux, citons notamment ceux de **Častolovice** et de **Doudleby**, ainsi que l'imposante construction baroque de **Litice** (tous trois situés au sud de Rychnov). Venu d'Italie, l'artisanat de la dentelle s'est implanté à **Žamberk** (20 km au sud-est de Rychnov) au XVIIe siècle. D'abord centrée autour d'ateliers familiaux, cette activité s'est peu à peu transformée en une véritable industrie qui demeure aujourd'hui prospère. Le **musée municipal** présente une exposition permanente consacrée à cet artisanat.

A gauche, la source de l'Elbe ; à droite, une station de ski dans les Krkonoše.

LA BOHÊME ORIENTALE

Deux routes relient Prague à **Kutná Hora**. La 12, la plus importante, passe par Kolín (56 km à l'est de Prague), tandis que la 333, plus au sud, traverse **Říčany** (à 20 km de Prague) et passe non loin du **château de Klostenec** (34 km de Prague).

Kutná Hora et ses environs

Si Kutná Hora n'est plus qu'une petite ville de province, c'était la deuxième ville de Bohême au Moyen Age. Dès le Xᵉ siècle, sa richesse suscita bien des convoitises. En effet, ses mines d'argent (la région est aussi riche en zinc, en cuivre et en plomb) firent la force des rois tchèques (notamment celle d'Otakar II) plusieurs siècles durant. Le *gros de Prague*, une monnaie d'argent introduite par Venceslas II en 1300, s'imposa sur toutes les places financières d'Europe et accompagna l'essor économique du royaume. L'importance de la ville justifie que les rois de Bohême y aient fréquemment séjourné, associant le nom de la cité aux dates capitales de l'histoire tchèque. En 1409, le décret de Kutná Hora transforma l'université de Prague en une institution nationale et y donna la majorité aux professeurs et aux étudiants tchèques. La Paix religieuse de Kutná Hora (1485) garantit, pour la première fois en Europe, la liberté confessionnelle.

L'impression de richesse saisit le visiteur lorsqu'il découvre la magnifique fontaine de la **place Rejskovo**. Dans l'avenue Husova třída, l'église baroque **Saint-Jean-Népomucène** (un ecclésiastique tchèque mort en 1393 et canonisé par la Contre-Réforme) forme le cœur de la vieille ville. L'avenue **Husova třída** bordée de maisons Renaissance et de l'ancien hôtel de ville conduit ensuite à la place **Palackého**. Un peu plus à l'est, l'**église Notre-Dame** est dédiée à l'activité minière de Kutná Hora.

Dans la nám 1 Máje se dresse la **maison Kamenný dům** (XVᵉ siècle). Cet

Pages précédentes : champs de colza de Bohême. Ci-dessous, fabrique de cuivres de Hradec Králové.

édifice de style gothique tardif est l'œuvre d'un inconnu, mais la plupart des statues sont attribuées à Brixi, un artisan de Wroclaw, en Pologne. Il a été restauré au début du XXe siècle et abrite aujourd'hui le musée municipal.

Sur le chemin qui mène aux berges de la Vrchlice s'élèvent l'**église Saint-Jacques** et sa tour haute de 82 m. Ce sanctuaire gothique (XIVe siècle) subit quelques remaniements baroques – le dôme en forme de bulbe et l'ornementation intérieure – au XVIIe siècle.

A côté, l'« **Hôtel italien** » (*Vlašský dvůr*), bâti vers 1300 par Venceslas II à l'intention des artisans florentins venus frapper le *gros de Prague* abrite une exposition numismatique et une très belle toile d'Adolph Liebscher représentant Jan Ižka conduisant les troupes hussites près de Kutná Hora (1888). Vers 1400, Venceslas IV aménagea une résidence royale dans l'aile orientale. Sous les voûtes à nervures gothiques de la **chapelle Saint- Venceslas**, les tableaux Art nouveau de František Urban produisent un curieux effet.

Au sud, la rue Barborská passe devant le **fort** – où l'on frappait également de la monnaie –, l'impressionnant **collège jésuite** et débouche sur le parvis de la **cathédrale Sainte-Barbe**, chef-d'œuvre du gothique tchèque. La construction du sanctuaire, financée par les propriétaires de mines de Kutná Hora, débuta en 1388 sous l'égide de Benoît Ried (architecte d'origine bavaroise) mais elle ne prit fin que deux siècles plus tard en 1558.

L'ornementation intérieure illustre l'histoire de la ville. Sous les voûtes du chœur figurent les armes des guildes d'artisans locales, sur le mur oriental du transept sud sont représentés des monnayeurs et un mineur muni de ses outils et de sa lampe. Les fresques murales de la chapelle dite de Smíšek témoignent d'un goût nouveau pour les beautés de la nature et la représentation réaliste du corps humain inspiré de la Renaissance italienne.

Kačina (8 km au nord-est de Kutná Hora, sur la route 333) est le plus beau palais Empire de Bohême. Construit en

Kolín accueille chaque été plus grand festival de fanfares du monde.

LE STEEPLE-CHASE DE PARDUBICE

« C'était un jour sombre et brumeux, un temps typiquement anglais. Tôt le matin, nous partîmes dans un attelage décoré de branches de sapin en direction d'un champ situé derrière le viaduc. Sur le chemin, nous discernions, dans le brouillard, des cavaliers en tenue de chasse, des valets d'écurie, des dresseurs et des lads, quelques-uns des chevaux portaient des selles de femme. Nous vîmes également les habits d'un rouge éclatant du maître d'équipage et de ses deux assistants au milieu de la meute. Les cloches sonnèrent à midi et les nobles de la région se rassemblèrent. » Ainsi Josef Pírka décrit-il les préparatifs d'une chasse à courre en Bohême à la fin du XIXe siècle.

En 1752, deux Irlandais, Blake et O'Callaghan, firent une course à cheval à travers la campagne depuis l'église de Buttevant jusqu'au clocher de Saint-Léger, sept kilomètres plus loin, franchissant haies, murets et fossés. C'est

ainsi que, selon la tradition, naquit ce nouveau sport, le *steeple-chase*, littéralement « course au clocher ». Au début du XXe siècle, cette mode gagna la Grande-Bretagne et, de là, se répandit en Europe. Le club de chasse de Pardubice fut fondé en 1848, mais il fallut attendre le 5 novembre 1874 pour que se déroule la première course sur un terrain spécialement préparé à cet effet.

Le Grand Steeple Chase de Pardubice est une des courses de chevaux les plus difficiles d'Europe et son prestige auprès des jockeys est comparable à celui du Grand Prix d'Aintree, le « Grand National ». C'est par milliers que se rassemblent les amateurs de course, les parieurs et les pronostiqueurs, le dernier dimanche de mars à Aintree et le second dimanche d'octobre à Pardubice.

Caractéristique du goût anglais pour l'ordre, le Grand Prix d'Aintree se déroule sur une piste de gazon fermée comptant trente obstacles que les chevaux parcourent deux fois. Le terrain est absolument plat et la course longue de 7216 m ne dure que quelques minutes. Le steeple-chase de Pardubice a quant à lui conservé une certaine rudesse : pas de gazon, ni de barrières artificielles mais des rivières (des fossés remplis de sable et d'eau) et des haies. Au total, trente et un obstacles jalonnent les 6990 m d'un parcours d'herbe non préparé. Depuis leur création, un seul jockey – l'Anglais G. Williamson – a gagné les deux courses. Il remporta quatre fois le trophée de Pardubice entre 1890 et 1893, mais ne s'imposa qu'une seule fois à Aintree, en 1899.

La difficulté majeure du parcours de Pardubice réside dans son quatrième obstacle, la « rivière Taxis ». Échouer sur cette rivière signifie perdre irrémédiablement la course. Dans les années 1880, certains estimèrent excessive la difficulté de ce qu'on appelait alors la « grande rivière » et proposèrent de ramener l'obstacle à des dimensions plus raisonnables. Le comte de Thurn et Taxis, maître général des postes de l'Empire austro-hongrois et passionné d'équitation, défendit la fameuse rivière, peu après rebaptisée à son nom. Tout aussi difficile, le « talus irlandais » est un remblai haut de 2 m et large d'autant encadré de deux rivières la « rivière du serpent » et celle des « jardins ».

La redoutable rivière Taxis.

1802-1822, il abrite une bibliothèque, un théâtre et un musée consacré à l'agriculture. Il est agrémenté d'un jardin à l'anglaise planté d'essences rares.

Le quartier ancien de **Kolín** (12 km au nord de Kutná Hora par la route 38) présente le plan en damier des agglomérations fondées par les colons allemands autour du XIIIe siècle. La cathédrale **Saint-Bartholomé** fut construite un peu plus tard. Ses chapelles et ses absidioles admirablement éclairées, ainsi que son magnifique chœur – œuvre de Peter Parléř, architecte et sculpteur de génie associé à toutes les grandes réalisations du règne de Charles IV – en font l'un des plus beaux sanctuaires de Bohême. Kolín abrita longtemps une importante communauté juive. De ce passé seuls subsistent une synagogue en ruine et un cimetière médiéval.

Chaque été, en juin, Kolín accueille un festival de musique harmonique qui rassemble des fanfares du monde entier et célèbre la mémoire du compositeur František Kmoch, natif de la ville.

Lázně **Poděbrady** (15 km au nord de Kolín) est renommée pour ses sources thermales et ses cristalleries mais, aux yeux de ses habitants, c'est avant tout la ville natale du dernier roi tchèque de Bohême, Georges de Poděbrady (1420-1471). Monté sur le trône en 1458, il fit l'étonnante proposition de créer un organisme international chargé de veiller à la sécurité et à la paix en Europe. Le château des Poděbrady, remanié à la Renaissance, fut fréquemment utilisé comme pavillon de chasse par les Habsbourg.

En suivant la E 67 vers l'est, le visiteur ne manquera pas d'apercevoir le **château de Karlova Koruna**, œuvre de l'architecte italien Giovanni Santini (mort en 1723), qui domine la petite ville de **Chlumec nad Cidlinou**. La famine de 1772 et le maintien du servage suscitèrent la dernière grande révolte paysanne que connut la Bohême. La révolte embrasa tout le bassin de l'Elbe, et une fraction des rebelles décida de marcher sur Prague. Commandés par Jan Chvojka, ils furent écrasés par les

Au haras de Kladruby.

troupes impériales à Chlumec en 1775. Depuis, lorsqu'une entreprise échoue, les Tchèques ont coutume de dire qu'elle a «tourné comme les paysans à Chlumec».

Hradec Králové et ses environs

Hradec Králové (94 km à l'est de Prague) s'est développée au XIIIᵉ siècle au confluent de l'Elbe et de l'Orlice et devint une «ville dotale», propriété des reines de Bohême, sous le règne de Charles IV. La **cathédrale du Saint-Esprit**, édifiée à la même époque, reçut en 1424 les restes de Jan Žižka. La **tour Blanche** et son énorme cloche, la deuxième de Bohême par la taille, l'**église Sainte-Marie**, le **collège jésuite** et le **palais épiscopal** datent du XVIᵉ siècle.

Les quelques centaines de pierres tombales éparpillées entre **Hořiněves** (15 km au nord-ouest de Hradec Králové), **Čístěves** et **Sadová** rappellent modestement mais de façon touchante la bataille de Sadowa, qui vit la victoire des Prussiens sur les Autrichiens le 3 juillet 1866 et consacra le retour en force de l'Allemagne dans le concert européen et ses prétentions hégémoniques en Europe. Un mémorial a été élevé sur une hauteur près de **Chlum** (100 km plus au sud).

Deuxième ville de Bohême orientale, **Pardubice** (22 km au sud de Hradec Králové) prit son essor au XIVᵉ siècle sous l'autorité de la puissante famille des Pernštejn, comme en témoigne l'élégance Renaissance du centre-ville. Elle fut gravement endommagée par un incendie en 1507, puis lors du siège des troupes suédoises en 1645, mais on peut encore y voir de beaux édifices, tels la **porte Verte**, l'**église Saint-Bartholomé** et l'**église de l'Annonciation**. Le **château** qui domine la ville abrite une collection de peinture.

Résolument tournée vers l'avenir, Pardubice se flatte de posséder l'une des meilleures universités scientifiques du pays. Le complexe chimique Semtín, implanté à l'ouest de la ville, produit notamment le Semtex, explosif qui fut

La petite église en bois de Slavanov, près de Náchod.

longtemps l'arme de prédilection des groupuscules terroristes internationaux. La République tchèque s'est engagée à en contrôler la vente.

L'événement majeur de la vie locale est bien plus pacifique : il s'agit du steeple-chase, couru chaque année en octobre depuis 1874 (voir p. 236). Les haras de **Kladruby**, où sont élevés les fameux chevaux italiens et espagnols à robe grise, se trouvent non loin de là. La lignée de ces chevaux remonte au milieu du XVIe siècle, lorsque l'empereur Maximilien en offrit plusieurs au duc de Pernštejn.

Au sud de Pardubice s'étendent de douces collines boisées baignées par la Chrudimka. Le festival de marionnettes de **Chrudim** (9 km au sud de Pardubice) attire tous les ans, en juillet, des marionnettistes du monde entier. Un **musée de la Marionnette** a été aménagé dans l'ancienne savonnerie, un superbe bâtiment Renaissance.

A quelques kilomètres au sud de Chrudim, le château Renaissance de **Slatiňany** présente une collection de tableaux, de gravures et de sculptures qui ont pour thème commun l'élevage des chevaux.

Alimenté par la Chrudimka, le **lac artificiel de Seč** s'étend à 20 km au sud-ouest de Chrudim. Plusieurs réserves naturelles ont été aménagées dans cette magnifique région boisée. Le **musée ethnographique de Vysočina**, à l'ouest de Hlinsko (30 km au sud-est de Chrudim), permet de découvrir les caractéristiques locales de l'architecture rurale.

La petite ville de **Vysoké Mýto** (31 km à l'est de Chrudim sur la route 17) a conservé sa place du marché médiévale et trois de ses portes d'enceinte du XIIIe siècle. De là, la E 442 rejoint **Litomišl**, au sud-est. Cette ville installée sur la route reliant la Bohême à la Moravie a été très tôt un important foyer commerçant et culturel. Sa grand-place est bordée de belles maisons Renaissance et baroques à arcades aux façades pastel. Sur le site de l'ancienne forteresse se dresse un **château** Renaissance dont les corniches et les frontons sont abondamment décorés de sgrafittes. Le **presbytère**, le **collège** et

l'**église piariste** ne manquent pas non plus d'intérêt. Si Litomišl a perdu son importance économique, cette cité où naquit Bedřich Smetana accueille des musiciens de renom et des mélomanes du monde entier à l'occasion de son Festival annuel d'opéra et de musique classique. La brasserie locale abrite un musée de la Musique tchèque où sont évoquées la vie et l'œuvre de Smetana.

Plus à l'est, presque en pays morave comme l'indique d'ailleurs son nom, **Moravská Třebová** possède un magnifique hôtel de ville de style Renaissance, une imposante forteresse et un palais.

La vallée de la Sázava

Une autoroute relie Prague à Brno (192 km), mais les voyageurs qui aiment flâner ou souhaitent se déplacer en train préféreront sans doute suivre la route aménagée dans la vallée de la Sázava. Si la Sázava est encore une rivière fougueuse entre **Světlá** (17 km au nord-ouest de Havlíčkův Brod) et **Ledeč** (12 km à l'ouest de Světlá), elle est domptée par de nombreuses écluses plus en aval, à l'approche de la Vltava.

L'écrivain Jaroslav Hašek (voir page 101) passa les derniers mois de sa vie à l'ombre de la forteresse de **Lipnice nad Sázavou**, à une quinzaine de kilomètres à l'ouest de Havlíčkův Brod. Il repose dans le cimetière communal et sa maison a été transformée en musée. Même le château rend hommage à cet homme qui aima surtout l'architecture des tavernes.

Principale ville d'un pays de mineurs et de souffleurs de verre, **Havlíčkův Brod** reçut son nom actuel en 1945 en l'honneur du poète et écrivain satiriste Havlíček Borovský. Deutsch-Brod, son ancien nom, rappelle que des mineurs allemands s'installèrent au XIIIe siècle près d'un gué (*brod*, en allemand) de la Sázava. L'**église de l'Assomption** a conservé son portail gothique et sa plus vieille cloche, fondue en 1300. Le baroque domine l'architecture de la vieille ville comme en témoignent l'**église de la Sainte-Famille**, les **maisons** et la façade rococo de la **Krenoský dům**. Quant à la tour de l'**hôtel de ville**, elle est ornée d'un étrange squelette.

BRNO

Au confluent de la Svratka et de la Svitava, Brno (385 000 habitants) occupe le site d'un établissement celte appelé Brynn. Au cours du Ve siècle, les tribus slaves chassèrent les Celtes et les Quades (un peuple germanique établi en Moravie). L'archéologie date leur installation en Moravie méridionale du milieu du VIe siècle. Il est d'autre part presque certain que cette région abritait le centre politique du royaume de Grande-Moravie. Son importance déclina cependant avec le déplacement du pouvoir vers la Bohême et la création en 1063 d'un évêché à Olomouc, en Moravie du Nord – l'évêché de Brno ne sera créé qu'en 1781.

Le premier édifice fortifié défendant Brno fut construit sur le mont Petrov au début du IXe siècle. Cette place forte joua un rôle décisif dans l'intégration de Brno aux flux commerciaux reliant la mer Noire au nord de l'Europe – les produits remontaient d'abord le Danube jusqu'à Vienne, puis transitaient par Brno en direction de la Pologne. La ville de développa de manière significative aux XIIe et XIIIe siècles, profitant également de l'installation de colons allemands. En 1243, elle reçut sa charte municipale des mains de Venceslas Ier. Mais en dépit de sa prospérité, Brno dut attendre le règne de Charles IV – qui confia le margraviat de Moravie à son frère Jan Jindřich – pour acquérir un rôle politique. En 1350, la ville devint le siège du parlement de Moravie. Un siècle plus tard, en 1462, elle conquit le titre de capitale de Moravie au détriment de sa rivale Olomouc.

« La Manchester de Moravie »

L'industrie textile prit son essor dans les pays tchèques dans la seconde moitié du XVIIIe siècle. Des manufactures textiles existaient depuis un siècle (la première fut fondé près de Duchcov, en Bohême du Nord, en 1647), mais le statut de la main-d'œuvre, les techniques utilisées et le mode d'exploitation demeuraient pré-industriels. Brno fut un des premiers centres de la production drapière où l'on introduisit certaines innovations techniques héritées d'Angleterre. La laine provenait en quantité des troupeaux environnants et l'énergie était fournie par les rivières et accessoirement par le charbon.

A la fin du XVIIIe siècle, Brno comptait près de deux mille ouvriers, chiffre élevé pour l'époque, et exportait son drap dans toute l'Europe. La machine à vapeur et le charbon ne s'imposèrent dans ce secteur qu'autour de 1830. A la même époque, Brno se dota progressivement d'une industrie de construction mécanique.

Dès 1869, des ouvriers de Brno (les pays tchèques comptaient alors plus d'un million d'ouvriers) établirent des contacts avec le mouvement social-démocrate d'inspiration marxiste qui s'était créé à Vienne un an plus tôt. A partir de 1885, Brno devint le principal lieu de débats de la social-démocratie tchèque, notamment autour du journal *Revnost* (L'Égalité). En 1887, la ville accueillit d'ailleurs le congrès décisif qui devait réaliser l'unité du Parti, qui adhéra deux ans plus tard à la IIe Internationale (au congrès de Paris).

Brno, capitale de l'architecture

Ville d'avant-garde à plus d'un titre, Brno acquit, dans les années 1920, une renommée internationale dans le domaine de l'architecture. L'architecture constructiviste et fonctionnaliste apparut à Brno, comme à Prague, dans les années 1924-1925. Un cycle de conférences intitulé « Pour une architecture nouvelle » réunit à Brno les plus grands architectes européens : Le Corbusier, W. Gropius, A. Loo. Élève de Loos, Arnošt Wiesner (1890-1971) fut une des personnalités les plus marquantes de cette époque. On lui doit notamment les villas Munz (1925), le siège de l'Union tchèque des banques (1923-1925), le palais Morava (1926-1928). Bohuslav Fuchs (1927-1928) fut également l'un des animateurs de cet exceptionnel dynamisme architectural, il réalisa entre autres bâtiments l'hôtel Avion (1927-1928), ainsi que le premier plan d'amé-

Brno

160 m / 0.1 miles

Antonínská
Lidická
Mezířka
Grohova
Hotel Continental
Veveří
Gorkého
Jaselská
Obráncu míru
Église Saint-Thomas
Marešova
Gorazdova
9. Května
Église Saint-Jacqu
Solniční
Česká
Udolní
Veselá
Musée des Traditions populaires
Husova
nám. Svobody
Hotel International
Špielberk
Úvoz
Hôtel de ville
Église dominicaine Saint-Michel
Panská
Vieil Hôtel de v
Dominikánská
Mečova
Pellicova
Fontaine du Parnasse
Pekařská
Kopečná
Petrská
Musée de Moravie
Anenská
Cathédrale Saint-Pierre
Husova
Kopečná
Vodní
Hybešova
Václavská
Nové sady

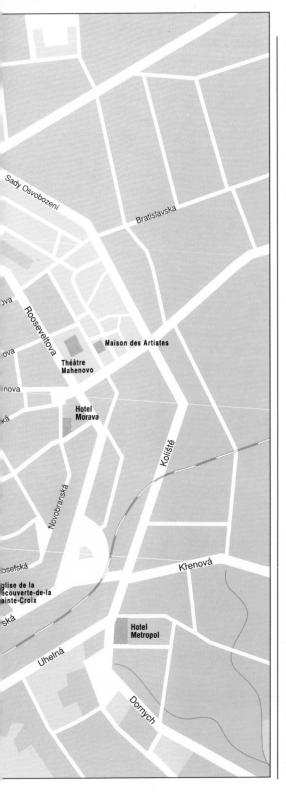

nagement du territoire (pour le Grand Brno en 1933) conçu en Tchécoslovaquie. La crise économique de 1929 freina ces recherches formelles et mit l'accent sur le logement social devenu d'une brûlante actualité. Jiří Kroha 1893-1974), professeur à la faculté d'architecture depuis 1925, fut le guide de ce courant marqué idéologiquement par le marxisme. C'est dans ce contexte qu'une des réalisations les plus marquantes de cette période, la villa Tughendadt (1928-1930) de Ludwig Mies van der Rohe fut jugée trop luxueuse. Après la guerre, cette créativité architecturale allait se heurter à l'instauration du communisme et de son style unique, le réalisme socialiste.

La vieille ville

Sur le site de l'ancienne forteresse slave puis d'une basilique romane se dresse l'imposante **cathédrale Saint-Pierre-et-Saint-Paul**. L'édifice, de style gothique, subit d'importants dommages pendant le siège de la ville par les troupes suédoises, en 1643-1645. Il fut rénové, dans le style baroque, dans les années 1738-1749, puis des travaux effectués en 1884-1891 lui donnèrent son allure néogothique, particulièrement reconnaissable à la forme des flèches qui prolongent les deux tours. L'ornementation intérieure compte quelques très belles fresques et sculptures, dont une imposante Vierge à l'Enfant de style gothique.

Dans la paroi nord, à l'extérieur de l'église, est ménagée une chaire, d'où, au XVe siècle, le moine italien Jean de Capestrano haranguait les foules rassemblées sur la place. Mais la principale particularité de cette église est de sonner deux fois la mi-journée, à 11 h et à midi, et cela depuis le jour de l'Ascension 1645. Ce matin-là, le général Linart Tortenson, dont les troupes assiégeaient la ville depuis de longs mois, déclara que s'il n'emportait pas la ville avant midi il lèverait le siège. Or vers 11 h, alors que Brno était sur le point de céder à cette ultime attaque, quelqu'un eut l'idée de sonner la mi-journée. Tortenson stoppa alors son offensive et évacua ses positions.

De l'autre côté de la place, à droite, l'étonnant ensemble de palais médiévaux abritent le **musée de Moravie**, créé en 1818. On peut y voir la fameuse **Vénus de Veštonice** une figurine de terre cuite vieille de 30 000 ans (la dernière période du Paléolithique) ainsi que des expositions consacrées notamment à la géologie et la zoologie de la région, à l'œuvre des moines grecs Cyrille et Méthode et au royaume de Grande-Moravie. Un peu plus à l'est, en direction de la gare, à côté de l'**église de la Découverte-de-la-Sainte-Croix**, les **tombes des capucins** renferment les corps momifiés de moines capucins et de dignitaires locaux.

De retour vers la cathédrale, la rue Peterská conduit à l'ancienne place du 25-Février, rebaptisée de son nom traditionnel, la **place aux Légumes** (náměstí Horni trh), dominée par la **colonne de la Trinité**. Au centre se dresse la **fontaine du Parnasse**, une œuvre baroque fantaisiste représentant des figures mythologiques et une allégorie des quatre saisons. De style néoclassique, le

théâtre Reduta (dans l'angle sud-est de la place) est le plus ancien de Brno. Mozart y joua en 1767.

A quelques pas de la place, au nord, se trouve le **vieil hôtel de ville**, le plus vieux monument non religieux de Brno. Construit au XVIe siècle – seules ses fondations datent du XIIIe siècle – l'édifice doit sa renommée à sa façade réalisée par l'architecte Antonín Pilgram. Payé en deçà de ce qu'on lui avait promis, maître Pilgram se vengea en sculptant, au-dessus de la statue de la Justice, un pinacle courbé. On lui en substitua alors un autre, bien vertical, mais en une nuit celui-ci, à son tour, prit mystérieusement cette allure voûtée qu'il a conservée. Non moins célèbre est le dragon qui garde le passage vers la cour. Le **dragon de Brno** est en fait un crocodile que l'archiduc Mathias reçut en cadeau des Turcs en 1608 et qu'il offrit à la ville alors qu'il y séjournait afin de conclure des alliances contre son frère l'empereur Rodolphe (lire pages 37-42).

En suivant la rue Mecova, le visiteur atteint la place Družby narodů, autour

Au loin, les flèches élancées de la cathédrale Saint-Pierre-et-Saint-Paul.

de laquelle se dresse le nouvel **hôtel de ville**, installé depuis 1945 dans cet ancien **monastère dominicain**. Le bâtiment Renaissance élevé au-dessus du cloître servit de salle de réunion au parlement morave à partir de 1582. L'**église gothique Saint-Michel**, fondée dans les années 1330, appartenait également à l'ordre dominicain. Elle fut reconstruite dans le style baroque au cours de la seconde moitié du XVIIᵉ siècle. Située plus haut dans la rue Husova, à côté de l'hôtel International, la **galerie d'art** présente des œuvres de Rubens et de Cranach, ainsi que des peintres moraves du XVᵉ siècle à nos jours. La **place de la Liberté** (náměstí Svobody) forme le centre de la **ville basse**. De l'époque où se tenait là le marché de la ville médiévale, ne subsiste (dans l'angle sud-ouest) qu'une demeure de marchand construite en 1596.

L'**église Saint-Jacques** (dans Jakubské nám) se signale de loin par sa flèche élancée. Détruite par un incendie, l'église fut reconstruite une première fois au début du XVIᵉ siècle, puis une seconde fois, dans le style néogothique, à la fin du XIXᵉ siècle. Sur le côté droit de la tour, au-dessus de la fenêtre, Pilgram a sculpté un personnage qui tourne son postérieur vers l'observateur, ou, selon d'autres hypothèses, vers la cathédrale, l'église des habitants aisés de la ville haute. Plus loin, en direction de la **place Rudé armady**, commence le quartier étudiant et son animation particulière – Brno est une ville universitaire très importante. L'**église Saint-Thomas** est l'ancienne église conventuelle du monastère augustinien fondé en 1350.

En prenant la direction de l'est depuis Saint-Jacques, on croise l'**église jésuite** consacrée en 1734, et considérée comme le plus bel édifice religieux baroque de Brno, avant d'atteindre Rooseltova qui borde une zone d'espaces verts. Le **théâtre Mahenovo** (situé à droite) est un bâtiment néo-Renaissance construit dans les années 1880 et qui fut la première salle de spectacles d'Europe éclairée avec des lampes Edison. Juste derrière se trouve la **maison des Artistes** bâtie en 1911.

Scènes de rue à Brno.

Plus à l'est, se dresse l'**opéra Leoš Janáček**, construit entre 1960 et 1965 et baptisé en l'honneur du grand compositeur morave qui résida à Brno de 1881 à sa mort, en 1928, et y créa le **conservatoire de musique**.

Dominant la ville et offrant une meilleure position stratégique que le mont Petrov, le **château de Špilberk** fut édifié autour de 1270 sur l'ordre du roi Otakar II. Imprenable, la citadelle, dont les défenses furent renforcées au cours du temps, résista aux assauts des Mongols, des Hussites, des Suédois, des Turcs et enfin à ceux du roi de Prusse Frédéric en 1742. Seul Napoléon s'en empara en 1809. Au XVIIe siècle, la citadelle devint une des prisons les plus redoutées de l'empire. Les guerres de religion, les révoltes paysannes et même les disgrâces royales – comme celle qui frappa le leader croate, le baron Trenck – y amenèrent chacune leur lot de condamnés. Après la Révolution française, les Habsbourg y incarcérèrent surtout des opposants politiques libéraux. Le poète italien Silvio Pellico

(1789-1854), patriote libéral, passa neuf ans à Špilberk et y rédigea ses mémoires, *Mes prisons* (1832).

Au pied de la forteresse se trouve le **monastère des Augustins** et son **église** de briques construite en 1322, qui abrite une piéta datant de 1385 et attribuée à Heinrich Parler le Jeune. Le monastère doit sa renommée à l'un de ses moines, **Johann Gregor Mendel** (1822-1884). Celui-ci fut ordonné prêtre en 1848 et enseigna la botanique à partir de 1853. Il commença ses expériences d'hybridation végétale en 1856 et en formula les lois générales dix ans plus tard. Véritable fondateur de la génétique, ses travaux ne furent pourtant reconnues dans les milieux scientifiques qu'en 1900. Mendel a fondé à Brno une tradition scientifique qui se perpétue aujourd'hui dans les six établissements d'enseignement supérieur (20 000 étudiants) que compte la ville. L'ingénieur autrichien **Viktor Kaplan** (1876-1934), inventeur de la turbine hydraulique à réaction, enseigna à l'université technologique de Brno.

Le parc des expositions de Písársky, dans la banlieue de Brno, est composé de pavillons construits en 1926.

LES ENVIRONS DE BRNO

Au matin du 2 décembre 1805 (jour anniversaire du sacre de Napoléon), 20 km à l'est de Brno, les forces de trois empereurs s'affrontèrent dans la **bataille d'Austerlitz**. Du sommet du **mont Žuráň**, où se trouvait son poste de commandement, Napoléon manœuvra 74 000 hommes – l'armée austro-russe en comptait 90 000 – et 250 canons. Davout sur l'aile droite, Lannes et Murat sur l'aile gauche s'illustrèrent pendant la bataille, ainsi que Soult dans l'attaque du fameux plateau de Pratzen (**Pracký kopec**, au sud du village de Prace), la position clé du dispositif austro-russe. Le 6 décembre, au **château de Slakov** (Austerlitz), Napoléon signa l'armistice que sollicita l'empereur d'Autriche, mettant fin à la troisième coalition groupant l'Angleterre, l'Autriche et la Russie.

En 1911, un monument fut érigé à la mémoire des soldats tombés au cours de l'assaut. Chaque année, le 2 décembre, des passionnés d'histoire de toute l'Europe viennent par milliers participer à la reconstitution de la bataille des trois empereurs.

Le Karst morave

Au nord de Brno, entre Blansko et Sloup, le Karst morave (un karst désigne un plateau calcaire où prédomine l'érosion chimique) s'étend sur une superficie de 120 km². C'est un paysage de gorges, de grottes – il y en a environ 400 – de toutes les tailles creusées dans un grès solide par des rivières souterraines.

Macocha est un gouffre aux parois verticales de 138 m de profondeur. On peut y descendre à pied et atteindre les deux lacs jumeaux qui se trouvent au fond de la fosse. De là, on part en bateau sur la rivière souterraine **Punkva**, à la découverte des **grottes de Punkvení** (longues de 3 km) et de leurs impressionnantes voûtes hérissées de stalactites. La Punkva fait surface dans la **grotte de Kateřinská** dont les dimension sont celles d'une cathédrale : 100 m de long, 20 m de haut et 40 m de large. Les grottes de **Balcarka** se trouvent dans la partie est du karst. On y trouve des stalactites, des stalagmites et des pis-

cines souterraines. Les **Sloupsko-Šošůvské jeskyně** forment un vaste réseau de grottes situées au nord-est du karst, dans une zone où ont été faites de nombreuses découvertes archéologiques. Les cavernes de **Kůlna** et **Býčí skála** conservent en effet les traces d'une occupation humaine datant du paléolithique.

Le vin de Moravie

Il semble que la vigne ait été introduite en Moravie par les Romains, et l'archéologie confirme sa présence dès le VIIe siècle. Planté sur les versants sud des collines situées au sud de Brno et autour d'Olomouc, le vignoble morave s'étend sur une superficie de 26 000 ha. Construits au XVIIe siècle, Valtice et Prímětice (près de Znojmo) figurent parmi les chais les plus anciens de Moravie et possèdent de magnifiques voûtes croisées. Tout aussi impressionnant, le chai de Satov (également près de Znojmo) est orné de fresques murales. A Velce Pavlovice, Mušov et Znojmo, de vastes caves modernes produisent des *rülander*, sauvignon, *traminer* et *spätburgunder* très appréciés.

Vendanges dans le sud de la Moravie.

LA MORAVIE MÉRIDIONALE

Quittant Brno par le sud, la route E 461 conduit à la frontière autrichienne (à 48 km). Chemin faisant, elle remonte le cours de la **Svratka** jusqu'au **réservoir de Nové Mlýny**, alimenté par la **Dyje**, et traverse une région vallonnée dont le relief s'accentue à mesure qu'au sud-est se profilent les **monts Pavlovské rchy**.

Située deux kilomètres avant la frontière autrichienne, au cœur du vignoble du sud de la Moravie, **Mikulov** fut fondée au XIIIe siècle. A partir du XVIe siècle, le destin de la petite ville se trouva étroitement lié à celui des **Dietrichstein-Mensdorff**, une famille noble de langue allemande, fidèle alliée des Habsbourg, qui donna à la Moravie plusieurs gouverneurs et des prélats catholiques. Son **château**, plusieurs fois reconstruit, se présente aujourd'hui comme un palais baroque.

La ville compte une importante communauté juive, établie autour d'une vieille **synagogue** d'allure orientale. Enfin, dominant les environs, la **chapelle Saint-Sébastien** se dresse au sommet de la **Svatý Kopeček** (la montagne sainte).

Le **château de Lednice** (une quinzaine de kilomètres à l'est de Mikulov) accueille chaque année un demi-million de visiteurs. Ce magnifique palais néogothique anglais est le fruit d'une reconstruction menée à bien par l'architecte viennois Jiří Wingelmüller dans les années 1846-1858. Le château abrite un musée, mais on peut également visiter les chambres ornées de très belles boiseries. La **chapelle Saint-Jacques** et les logements attenants ont été construits sur le site de l'ancienne église Saint-Jacques. Le château est entouré d'un **parc à l'anglaise** agrémenté d'une **serre** à structure métallique construite en 1834, d'un **temple d'Apollon** et, plus inattendu, d'un **minaret** haut de 60 m, édifié entre 1798 et 1802. Deux sentiers conduisent, 3 km plus loin, au **Janův hrad**, des ruines artificielles.

Valtice (à 12 km au sud-est de Mikulov), le château baroque (du XVIIe siècle) des princes Liechtenstein est un des ensembles architecturaux les plus élégants du pays. La colonnade de style néoclassique a été ajoutée au XIXe siècle. Construit au cœur d'une région viticole, le palais possède également de très beaux chais. Les amateurs de peinture ne manqueront pas d'aller admirer le retable de l'**église de l'Assomption** (l'église paroissiale de Valtice), dont l'auteur n'est autre que Rubens.

Jusqu'à présent, **Břeclav** (à 10 km de Valtice) était surtout une gare importante, les trains de Vienne et de Bratislava s'y arrêtaient. Depuis, des recherches archéologiques ont été entreprises au sud de la ville. Elles ont mis au jour un **campement fortifié slave** qui devait jouer un rôle important à l'époque du royaume de Grande-Moravie. Le **musée archéologique** local vous permettra d'en savoir plus sur cette découverte.

Au sud-ouest de Brno

Ivančice (24 km au sud-ouest de Brno) est la ville natale du peintre Art nouveau **Alfons Mucha** (lire page 111-113). Artiste cosmopolite, Mucha n'en resta pas moins très profondément attaché à la culture slave, comme le montre sa fameuse série de vingt toiles intitulée *Épopée slave*, exposée dans la salle des Chevaliers du **château Renaissance de Moravský Krumlov** (10 km au sud-ouest d'Ivančice).

Bien arrosée par la Dyje et ses affluents, la plaine qui s'étend autour de **Znojmo** (à 62 km au sud-ouest de Brno, prendre la route 54 après Pohořelice) fournit fruits et légumes en abondance, tandis que les coteaux les mieux exposés produisent l'un des meilleurs vins de Moravie. La ville a su préserver, au cours des siècles, son caractère médiéval. On peut encore voir les fortifications élevées entre le XIVe et le XVIe siècle, ainsi que des habitations et de nombreux édifices religieux de style gothique, Renaissance et baroque.

Sous la **place centrale** (Nám Míru) dominée par une **tour gothique**, seul vestige de l'hôtel de ville détruit pendant la Seconde Guerre mondiale, se

Pages précédentes : la place de Telč est considérée comme l'une des plus belles de la République tchèque. A gauche, parade costumée pendant un festival de folklore morave.

cache une vaste **cave** où vieillit le vin de la région. Le **château baroque** occupe le site d'une forteresse construite au XIᵉ siècle par les rois Přemyslides afin de défendre la frontière. Le bâtiment abrite aujourd'hui le **musée de Moravie méridionale**.

Du Haut Moyen Age ne subsiste que la **rotonde romane Sainte-Catherine** dont les murs sont ornés de très rares peintures romanes. Celles de Sainte-Catherine, exécutées en 1134, représentent la généalogie des Přemyslides. Dans le premier tableau, on reconnaîtra Přemysl le Laboureur appelé à Prague pour s'unir à Libuše et monter sur le trône.

Plus haut, en remontant la Djye, la vallée a été inondée et forme un vaste réservoir long de plusieurs kilomètres. Non loin du barrage, perchée sur un rocher escarpé et dominant **Vranov nad Djyí**, se dresse le magnifique **château de Frain**, une forteresse du début du XIIᵉ siècle – on en trouve mention dans la *Chronique* de Cosmas – transformée en une demeure baroque en 1678. La chapelle, les appartements et la grande salle méritent amplement une visite.

La petite ville de **Jaroměřice** (38 km au nord de Znojmo) et son **château** monumental doivent leur renommée au musicien **František Václav Miča** (mort en 1744). Hôte du comte Questenberk au château de Jaroměřice, Miča y composa des sonates inspirées de la musique italienne (lire pages 91-94). Cette tradition s'est perpétuée et la ville accueille chaque année, en été, un festival de musique classique.

A l'ouest de Brno

Bâti au cœur d'une région boisée, l'imposant château Renaissance de **Náměšť nad Oslavou** (36 km à l'ouest de Brno) servit entre autres de résidence d'été au président de la première République tchèque, Tomáš Guarrigue Masaryk. Dans le château est exposé une précieuse collection de tapisseries des Gobelins. Dans le petit village voisin de **Kralice nad Oslavou**, on peut visiter un musée consacré à la Bible tchèque

La place de Slavonice, avec sa fontaine et ses maisons décorées de sgraffites.

dite de *Kralická*, imprimée à la fin du XVIIᵉ siècle par la communauté des Frères Moraves.

Principalement tournée vers l'activité industrielle, **Třebíč** (à 21 km à l'est de Náměšť) compte tout de même quelques remarquables monuments, comme la **basilique Saint-Procop**, l'église de l'ancien couvent bénédictin, construite en 1240. Cet édifice à triple nef offre l'exemple d'un étonnant amalgame d'influences du roman tardif et du premier gothique. En cette fin de XIIIᵉ siècle, les églises paroissiales s'inspiraient fréquemment des églises conventuelles cisterciennes. La **chapelle abbatiale** contient de magnifiques peintures murales du XIIIᵉ siècle. A la Renaissance, une partie du monastère fut transformée en palais qui abrite aujourd'hui le **musée de Moravie de l'ouest**.

Telč (36 km à l'est de Třebíč) est unanimement considérée comme la plus belle ville historique de la République tchèque. Classée monument historique en 1970 – et inscrite sur la liste du Patrimoine mondial de l'Unesco depuis 1992 –, elle est en tout cas l'une des mieux préservées. De l'époque de sa fondation, à la fin du XIIᵉ siècle, ne subsiste qu'une **tour romane** haute de 49 m. La **place** est bordée de maisons Renaissance du XVIᵉ siècle toutes reliées par des arcades. La reconstruction qui suivit le grand incendie de 1530 explique cette unité de style. Seule la **fontaine** dressée au centre de la place apporte une note baroque à cet élégant ensemble qui compte aussi quelques éléments, notamment des portails, de style gothique tardif. Construite au XVᵉ siècle, l'**église de l'Assomption** est l'édifice religieux le plus remarquable de Telč.

Juste à côté de la place se dresse l'imposant **palais Renaissance**. Il fut bâti à la fin du XVIᵉ siècle sur l'emplacement d'un château fort gothique du XIVᵉ siècle. Très impressionnés par leurs voyages en Italie, les seigneurs de Hradec apportèrent au bâtiment tous les raffinements architecturaux de l'époque : des arcades à colonnades et

Costumes traditionnels de Moravie méridionale.

des salles d'audience ornées de statues, de tableaux, de stucs et de plafonds à caissons.

Les Hauteurs tchéco-moraves

Situé au cœur des Hauteurs tchéco-moraves, sur la frontière historique séparant les deux régions, la ville de **Jihlava** (77 km au nord-ouest de Brno) fut fondée au XIIe siècle sur le site d'un établissement slave plus ancien. La découverte, un siècle plus tard, de gisements d'argent lui apporta la prospérité. La cour d'appel d'Iglau (son nom allemand) faisait alors autorité en matière de droit minier. Après l'abandon de l'exploitation des mines à la fin du XVIIe siècle, Jihlava se tourna vers l'industrie textile.

De ce passé prospère, beaucoup de vestiges sont encore visibles, à commencer par une partie des **murs d'enceinte** de la ville. La place Mirú est, avec ses 3 700 m², une des plus vastes d'Europe. Du côté est, bordé de maisons à arcades aux façades colorées, se dresse l'**hôtel de ville**. Construit en 1426, il commande l'accès au réseau des **catacombes**, creusées au Moyen Age pour servir à la fois de magasins et de passages protégés. La **cour d'appel** siégeait dans la maison d'angle sise au numéro 7/63 ; l'**hôtel de la monnaie** occupait le bâtiment situé en face. La maison de la guilde des Artisans du textile, qui se trouvait également sur la place, abrite aujourd'hui un **musée**. Parmi les nombreuses églises que compte la ville, l'**église paroissiale Saint-Jacques** est peut-être la plus belle. Commencée en 1257, sa construction ne s'acheva qu'à la fin du XIVe siècle. De cette époque date la magnifique statue de Sainte-Catherine. L'**église dominicaine de la Sainte-Croix** et celle des Frères mineurs datent des années 1250. Enfin, le portrait de Jihlava ne serait pas complet si on ne mentionnait pas que le compositeur autrichien **Gustav Mahler** (1860-1911) y passa son enfance.

Bordés au nord par le Karst morave, à l'est par le plateau central de Bohême et à l'ouest par les bassins de Brno et d'Olomouc, les Hauteurs tchéco-moraves offrent un paysage de versants boisés et de lacs. **Žďár nad Sázavou** (31 km à l'est de Havlíčkův Brod) constitue un agréable point de départ pour explorer ces massifs et la **réserve naturelle des monts Zdarské**. La ville possède un monastère cistercien reconverti en château à la fin du XVIIIe siècle.

Les randonneurs découvriront des étendues de forêts d'épicéas, qui ont remplacé les hêtres et les pins d'origine, des landes tourbeuses et plus de 280 lacs de toutes tailles. Cette zone, la plus élevée des Hauteurs tchéco-moraves, est très appréciée des amateurs de ski de fond. Dans cette région reculée, les traditions ont conservé plus de vitalité qu'ailleurs et on peut encore y voir ces vieilles fermes de bois, les *dřevěnice*. La **Sázava** prend sa source une dizaine de kilomètres au nord de Žďár, sur le **mont Žákova** (810 m).

Vers l'est, la route 18 traverse la petite ville de **Nové Město na Moravě** (11 km de Žďár), où le **musée Horácké** présente une exposition sur le ski. La ville possède également un **château** du XVIe siècle.

A 12 km au sud de Bytřice (16 km à l'est de Nové Město), dominant la vallée de la Nedvědička, **Pernštejn** est un des châteaux forts les mieux préservés de la République tchèque. Plusieurs fois assiégé, notamment par les Suédois en 1645, Pernštejn n'a jamais failli à sa réputation de forteresse inexpugnable. Remanié aux XVe et XVIe siècles, il contient un palais résidentiel à l'architecture richement articulée. La tour ronde et les remparts accrochés au rocher forment les parties les plus anciennes. A l'intérieur, on peut voir du mobilier de différentes époques, des tableaux baroques et des collections d'armes ; le donjon est également ouvert à la visite.

De retour vers Brno, on ne manquera pas de visiter le magnifique **couvent cistercien de Porta Coeli**, « la porte du Paradis », situé à l'ouest de **Tišnov** (au nord de Brno). L'**église conventuelle** fut reconstruite dans le style baroque au XVIIIe siècle, mais l'imposant portail sculpté n'est que de quelques années postérieur à la fondation du couvent, en 1233. Les bâtiments du monastère abritent le **musée de Podhorárcko**.

L'inexpugnable Pernštejn, l'une des constructions les plus monumentales de la République tchèque.

LE NORD DE LA MORAVIE

La Moravie septentrionale est bordée à l'est par les Beskides occidentales et au nord par les Basses Jeseníky. Ces deux massifs encadrent l'étroit couloir de plaine fluviale – la Porte de Moravie – reliant la plaine fertile de la Haná, avec au centre Olomouc, au bassin minier d'Ostrava, le centre sidérurgique le plus important du pays.

Olomouc

Au confluent de la Morava et de la Bystřice, Olomouc fit son entrée dans l'histoire au début du XIe siècle, mais sans doute fut-elle le site d'un établissement slave plus ancien. Une fois la Moravie reconquise au détriment du puissant roi polonais Boleslas le Grand, les princes Přemyslides y édifièrent des forteresses pour asseoir leur autorité. En 1063, Olomouc devint la résidence d'un évêché – le deuxième après Prague. Les rois tchèques prirent alors l'habitude de confier l'administration de la Moravie à leurs fils, ou à des branches secondaires de la lignée. Olomouc resta la capitale du margraviat de Moravie jusqu'en 1641.

L'évêché joua un rôle déterminant dans la mise en valeur du nord de la Moravie. Au XIIIe siècle, il favorisa l'implantation de nombreuses communautés de paysans et d'artisans allemands et encouragea les moines prémontrés à s'établir dans la région. Les importantes destructions occasionnées par les troupes suédoises au cours de la guerre de Trente Ans amorcèrent le déclin d'Olomouc, ce dont profita sa rivale du sud, Brno. Bien que cernée par des régions gagnées à la Réforme, la ville demeura un bastion du catholicisme et une alliée fidèle des Habsbourg, une loyauté qui lui valut d'ailleurs le surnom de Salzbourg de Moravie.

Dominant la **náměsti Míru** (la place de la Paix) bordée de vieilles maisons aristocratiques, le magnifique **hôtel de ville** fut construit entre 1378 et 1607. Le bâtiment possède une gigantesque salle de banquet et une chapelle (Saint-Jérôme) de style gothique tardif. L'escalier extérieur et la loggia datent de la Renaissance. A la fin du XVe siècle, l'édifice reçut une horloge astronomique, malheureusement détruite à la fin de la Seconde Guerre mondiale. L'**horloge** que l'on peut voir à présent est l'œuvre de Karel Svolinský et date de 1955. Le jaune symbolise les champs de blé de la plaine de Haná qui ont fait la richesse d'Olomouc. Les deux imposantes figures représentent la complémentarité de l'ouvrier et de l'intellectuel; quant aux douze personnages, ils correspondent aux douze mois de l'année et aux tâches traditionnelles qui leurs sont associées.

Plusieurs artistes ont participé à la construction et à l'ornementation de la **Colonne de la Trinité**, commencée en 1726 et achevée en 1856. Des **six fontaines** construites au XVIIe siècle pour alimenter la vieille ville en eau potable, deux se trouvent sur la place, dont la **fontaine de César** (de 1725). Certaines légendes présentent le conquérant de la

Pages précédentes : vue sur les Beskides. A gauche, une église de campagne, près de Střílky ; à droite, costumes traditionnels des environs de Uherské Hradiště.

Gaule comme le fondateur de la ville – ce qui est historiquement exclu. Au nord de la place se dresse l'**église Saint-Maurice**, bâtie au XVe siècle. Vu de l'extérieur, l'édifice présente les caractéristiques du style gothique tardif. En revanche, reconstruit à la suite d'un incendie, l'intérieur mêle les styles baroque et néo-gothique. C'est le célèbre facteur allemand Engler qui construisit l'**orgue** dans les années 1740-1745. Avec ses 10 400 tuyaux, il figure parmi les plus grands du monde.

La **place Žerotínovo** célèbre la mémoire du grand seigneur morave Karel de Žerotín qui défendit avec ardeur les libertés politiques et religieuses du peuple tchèque contre l'absolutisme des Habsbourg. On peut y voir l'**église baroque Saint-Michel**, récemment restaurée, ainsi que l'ancienne faculté de théologie de l'**université Palacký**. Celle-ci était à l'origine un collège jésuite élevé au rang d'université en 1573.

La **cathédrale Saint-Venceslas** se dresse sur l'une des trois collines d'Olomouc. Édifiée sur le site d'une basilique romane datant du début du XIIe siècle, elle connut, au cours du temps, plusieurs restaurations combinant les styles Renaissance, baroque et néo-gothique. Les trois statues qui gardent l'entrée représentent saint Venceslas, saint Cyrille et saint Méthode. La **tour ronde** qui se dresse à côté de la cathédrale faisait partie des fortifications. Du **palais roman** des Přemyslides, il ne reste malheureusement qu'une partie, restaurée et ouverte au public.

A une vingtaine de kilomètres au nord-ouest d'Olomouc, la petite ville de **Litovel** se déploie sur les six bras de la Morava. L'**église Saint-Marc** et la **colonne de la Peste**, édifiée en 1724, constituent ses principaux monuments. Le **musée** local expose des costumes traditionnels, ainsi que des vestiges préhistoriques découverts dans la région. Construit au XIIIe siècle et gravement endommagé pendant la guerre de Trente Ans, le **château de Bouzov** (à une quinzaine de kilomètres à l'ouest) devint, en 1696, la propriété de l'ordre

Fenêtres en encorbellement, ou oriels, à Olomouc

teutonique, qui le transforma en un magnifique palais. Les **grottes de Javoříčko** se trouvent quelques kilomètres au sud de Bouzov.

A 64 km au nord-ouest d'Olomouc, **Šumperk** commande l'accès aux **Jeseníky**, les plus hautes montagnes de Moravie. Ces massifs sont couverts de conifères, principalement des épicéas et quelques mélèzes à basses altitudes, puis des pins nains à l'approche des sommets. La faune se compose de cerfs, de chevreuils, d'une espèce autrichienne de chamois, de quelques lynx et de coqs de bruyère. Au nord de Šumperk, la route traverse la petite station thermale de **Velké Losiny**. La ville fut sans doute l'une des dernières d'Europe à accueillir un procès en sorcellerie comme il y en avait tant au Moyen Age.

Fondée vers 1820, la station thermale de **Jeseník** (47 km au nord de Šumperk) est située à 640 m d'altitude sur une pente boisée des monts Rychlebské, à 2 km de la ville de Jeseník. Depuis la station, la vue embrasse toute la chaîne des Jeseníky,

qui culmine au mont Praděd (1 492 m), le plus haut sommet de Moravie, ainsi que la chaîne latérale d'Orlík qui part vers le nord-est. Le principal bâtiment thermal, le sanatorium Priessnitz, fut construit par l'architecte viennois Bauer. La station est également le point de départ des excursions vers les **lacs de Rejvíz**, les **grottes de Na Pomezí** et de **Špičák**. A Jeseník on peut admirer, le **château** des évêques de Wroclaw qui abrite à présent un musée.

La Porte de Moravie

Lipník nad Bečvou (24 km à l'est d'Olomouc) a su préserver son quartier historique et ses fortifications du XVᵉ siècle. Le **château Renaissance** et l'**église gothique** reconstruite dans le style baroque ne manquent pas non plus d'intérêt. De la ville, un sentier longeant les rives de la **Bečva** conduit au **château de Helfštýn**, qui figure parmi les ruines les plus imposantes du pays.

La station thermale de **Teplice nad Bečvou** doit moins sa notoriété à ses

Vue sur les Jeseníky, depuis le parc du château de Hradec nad Moravicí, où Beethoven séjourna, en 1806.

sources chaudes qu'aux **grottes de Zbrasovské aragonitové jeskyně** (situées un peu plus au sud) hérissées de puissantes stalactites et parsemées de petits lacs fumants. Le célèbre Jan Amos Comenius (lire page 97) résida à **Fulnek** (27 km au nord-est de Teplice) de 1618 à 1621, où un monument lui rend hommage. La ville possède également un **château** mêlant les styles Renaissance et baroque.

Un peu avant Opava (39 km au nord de Fulnek), la route passe à proximité du palais de style empire de **Hradec nad Moravicí** bâti sur le site d'un fort slave du Xe siècle. D'illustres musiciens tels que Paganini et Liszt ont séjourné au « Château blanc » à l'invitation du maître des lieux, le prince Lichnovsky. Les « Semaines musicales Beethoven » commémorent les visites qu'effectua le grand compositeur allemand en 1806.

Le nom d'**Opava** apparaît dans les documents historiques autour du XIIe siècle. La ville était la capitale du duché de Troppau, alors situé en Silésie allemande. Outre des vestiges du **mur d'enceinte**, on peut y admirer les **églises gothiques** Sainte-Marie, Saint-Esprit et Saint-Jean. Datant de 1618, la **tour de la maison Papillon** servait autrefois d'entrepôt pour les marchandises des commerçants de passage qui disposaient de trois jours pour les vendre. Cité prospère, Opava est considérée comme un modèle de reconversion à l'économie privée.

Avec 328 000 habitants, **Ostrava** est la troisième ville de la République tchèque. Postée à l'entrée de la Porte de Moravie, Ostrava se destinait à n'être qu'un point de passage entre le Nord et le Sud. Mais la découverte, au début du siècle, d'importants gisements de charbon l'a précipitée dans l'ère industrielle. Vers 1830, la banque viennoise Rothschild acquit les industries sidérurgiques Vítkovice et implanta à Ostrava, avec le concours de techniciens anglais, le premier haut-fourneau à coke de la monarchie. La même banque finança un peu plus tard la première ligne de chemin de fer reliant Prague au bassin industriel d'Ostrava. Aujourd'hui, la

Štramberk dominée par sa tour médiévale.

conurbation formée par Ostrava, Karviná et Frydek-Místek est synonyme de laminoirs, d'industries mécaniques (machines-outils, matériel de forage, véhicules) et chimiques et de pollution.

Des signes d'un passé plus ancien sont encore visibles ; on a même retrouvé des vestiges d'un camp de chasseurs de mammouths sur la **colline de Landek**. Plus près de nous, l'**église Saint-Venceslas** date du XIIIe siècle et l'**hôtel de ville**, situé place Masaryk, fut édifié en 1687. A **Ostrava Hrabová**, on peut admirer une petite église en bois du XVIe siècle. **Kárvina** possède un château Renaissance entouré d'un magnifique parc. De son passé de ville frontalière fondée au XIIIe siècle au pied des Beskides occidentales, **Frydek-Mistek** a conservé un château, à présent de style baroque.

Les Beskides

La chaîne des Beskides forme un arc qui coiffe la Slovaquie d'ouest en est, de la Porte de Moravie (Beskides occiden-

tales) jusqu'à la frontière polono-ukrainienne (Basses Beskides). Le sommet le plus élevé, le mont Babia (1 725 m), se trouve à la frontière slovaco-polonaise. Le massif des Beskides, c'est également 1 160 km² de forêt primaire (que les besoins en bois au moment de la révolution industrielle vers 1820 et aujourd'hui les pluies acides ont déjà partiellement détruite) et de pâturages d'altitude qui ont été classés zone de conservation.

Blottie à l'ombre des ruines d'une forteresse médiévale, **Hukvaldy** (une dizaine de kilomètres à l'est de Frydek) est la ville natale du compositeur Leoš Janáček. A quelques kilomètres de là, à **Příbor** (Freiberg), un autre génie vit le jour deux ans plus tard, en 1856, Sigmund Freud. Mais Příbor a d'autres charmes : une église gothique et de très belles demeures Renaissance qui bordent la place.

Dressée au sommet d'une colline, une puissante tour médiévale percée de meurtrières domine la ravissante petite ville de **Štramberk** (quelques kilomètres au sud de Příbor) et son dédale

Un visage cuivré par les flamboyants étés d'Europe centrale.

de rues étroites. Sa voisine **Kopřivnice** connaît la notoriété depuis qu'elle a accueilli une **usine de construction automobile Tatra**. Joyau gothique est le terme qui convient le mieux pour qualifier l'ensemble architectural que forment l'église, le château et certaines demeures de **Nový Jičín**.

Ce ne sont ni les vestiges de l'église gothique du XIIIe siècle, ni les modestes activités thermales qui font la réputation de **Rožnov pod Radhoštěm** (24 km au sud de Příbor) mais bien son **musée de l'architecture traditionnelle de la Valachie morave**. Ce musée en plein air comprend deux parties : la première, inaugurée en 1925, reproduit une petite ville en bois avec son église, la seconde, un village avec son moulin à eau. Au total, plus de 90 constructions authentiques ou reconstituées sont visibles. Un musée présente également le folklore, les costumes traditionnels et l'artisanat. Enfin, Rožnov jouit d'une excellente situation géographique pour l'exploration des Beskides. De la vallée voisine de Ráztoka, un télésiège grimpe au sommet du **mont Pustevny** (1 018 m) dont les flancs sont parsemés de chalets traditionnels. De là, un chemin de crête conduit au **mont Radhošt** (1 129 m), protégé par une majestueuse statue du dieu slave Radegast. La légende prétend que celui qui touche le ventre de la statue est destiné à revenir un jour sur ces lieux.

Plus à l'est, se dressent les 1 323 m du **Lysá hora** – le pic le plus élevé des Beskides moraves. On y accède depuis **Ostravice** (17 km au sud de Frydek) au terme d'une marche de plusieurs heures. Du sommet, on aperçoit par temps clair la chaîne des Basses Fatras en Slovaquie. L'hiver, le Lysá hora est l'un des rendez-vous favoris des amateurs de ski de descente et de ski de fond.

Non loin de la frontière slovaque (prendre la route E 75 depuis Těšin), les villages de **Dolni Lomná** et de **Horní Lomná** vous invitent à un voyage dans le temps. Nichées au cœur d'une vallée d'altitude, cernées de montagnes, ces petites communautés ont conservé intactes leurs traditions.

La nef baroque de l'église conventuelle du monastère de Velehrad.

Les Javorníky et les Carpates blanches

Encadrée au nord par les Beskides et au sud par les Carpates blanches, la chaîne des **Javorníky** s'étend d'ouest en est. Massif montagneux boisé, de 90 km de long et 20 km de large, situé entre les vallées de la Morava et du Váh (en Slovaquie), les **Carpates blanches** se dressent le long de la frontière moravo-slovaque.

Située dans la vallée de la Bečva, **Vsetín** (75 km à l'est d'Olomouc) est la capitale régionale des Javorníky. Les collections du **musée du château** vous permettront de découvrir les coutumes et les traditions de cette région.

Construit sur le site d'un monastère du XIIIe siècle, le **château de Vizovice** contient une collection de tableaux comprenant des œuvres de maîtres allemands, italiens et français. Mais **Vizovice** (19 km au sud de Vsetín) doit moins sa notoriété à la peinture qu'à ses distilleries d'où sort la précieuse *slivovice*, l'eau-de-vie de prune.

Zlín (15 km à l'est de Vizovice) se résignait à un paisible anonymat, jusqu'à ce que **Tomáš Baťa** décide, à la fin du XIXe siècle, d'y fabriquer les *Baťovky*, des chaussures en lin, simples et bon marché. A sa mort, en 1938, l'entreprise devint un groupe industriel international. Nationalisée en 1949, la marque Baťa a poursuivi ses activités dans le monde entier. Patron autoritaire et progressiste, Tomáš Baťa avait invité certains des meilleurs architectes fonctionnalistes de l'époque (Gahura, Le Corbusier) à faire surgir une nouvelle ville. Rebaptisée Gottwaldov en hommage au président Gottwald, Zlín retrouva son nom en 1990.

Les eaux thermales de **Luhačovice** (20 km au sud de Vizovice) sont connues depuis le milieu du XVIIe siècle, mais la station connut un véritable essor au début du XXe siècle. Les principaux établissements thermaux sont l'œuvre du Slovaque Dusan Jurkovíc, qui s'inspira de l'architecture de Valachie morave. Le château baroque de Luhačovice date de 1738.

Aux quatre coins de l'Europe, tous les paysans affûtent leur faux de cette manière.

La plaine de la Morava

Kroměříž (47 km au sud d'Olomouc) commande l'entrée de l'étroite vallée que forme la Morava lorsqu'elle quitte Olomouc en direction du sud. Devenue la propriété des évêques d'Olomouc en 1110, la ville s'était développée sur le site d'un établissement slave plus ancien, occupé à présent par la place centrale, **Riegrovo náměstí**.

Sa position géographique avantageuse et ses privilèges commerciaux attirèrent marchands allemands et juifs qui contribuèrent à la prospérité de la ville. Cette époque vit s'élever une cathédrale et un château gothique, ainsi que **l'église Saint-Maurice** commencée au XIIIe siècle et achevée autour de 1500. Bastion catholique, Kroměříž souffrit durement du siège des troupes suédoises en 1643. La ville et ses plus beaux édifices furent presque entièrement détruits.

Le château fut une première fois reconstruit dans le style baroque par des architectes italiens, en 1686, puis une seconde fois, en 1752, après un incendie. Le **palais** abrite à présent une des plus belles collections de tableaux du pays : y figurent des Titien, des Cranach, des Brueghel, ainsi qu'un portrait du roi Charles d'Angleterre et de la reine Henriette par Van Dyck. A la fin du XVIIIe siècle, les **jardins rococo** situés au pied du palais archiépiscopal (depuis 1777) ont été transformés en parc paysager agrémenté de petites architectures classiques.

Otakar II fonda **Uherské Hradiště** (37 km au sud de Kroměříž) en 1257 afin de protéger l'importante route commerciale que constituait la vallée de la Morava. Située à la frontière de ce qui était autrefois la Haute Hongrie – dont la plus grande partie forme désormais la Slovaquie – la ville doit son nom, Uherské signifiant hongrois, au groupe de protestants qui s'établit là pour fuir les persécutions religieuses perpétrées en Hongrie.

L'hôtel de ville a conservé son style gothique, mais la plupart des **églises** ont été reconstruites à l'époque

La colonnade dans le jardin du palais de Kroměříž, où Miloš Forman tourna Amadeus.

baroque ; signalons également la **pharmacie** rococo située sur la place.

Mais l'attrait majeur de Uherské Hradiště se trouve à **Staré Město**, sur la rive ouest de la Morava. Cette banlieue s'étend sur ce qui fut peut-être la capitale du royaume de Grande-Moravie, **Velehrad** (qui signifie « grand château »). L'autre hypothèse place le centre politique de Grand-Moravie à **Mikulčice** (près de Břeclav). Les premiers vestiges furent découverts au siècle dernier, mais il fallut attendre 1948 pour que des fouilles systématiques soient entreprises. Ces travaux ont mis au jour des milliers d'urnes funéraires des VIᵉ et VIIᵉ siècles, les restes d'une agglomération et de 5 km d'enceinte qui la protégeaient, ainsi qu'une église à deux étages – sans doute de type anglo-saxon. On peut voir le résultat de ces recherches archéologiques au musée de **Památnik Velké Moravy**.

Le nom de Velehrad désigne également une abbaye située à l'ouest de Uherské Hradiště. Fondé en 1205 par le margrave de Moravie, le frère d'Otakar Iᵉʳ, ce **monastère cistercien** possédait une basilique romane (achevée en 1238) dédiée aux saints grecs Cyrille et Méthode. Gravement endommagé pendant la guerre des hussites, il a été reconstruit à la fin du XVIIᵉ siècle et seul le cloître conserve des traces de l'architecture romane d'origine. Le pape y a fait une visite lors de son voyage épiscopal en Tchécoslovaquie, en 1990.

Quelques kilomètres seulement séparent Velehrad du magnifique **château de Buchlovice**, un palais baroque bâti à la fin du XVIIᵉ siècle. D'abord de style italien, le parc fut, au siècle suivant, transformé en jardin à la française – l'influence du paysagiste de Versailles, Le Nôtre, était alors très forte – et parsemé de sculptures allégoriques. C'est au château de Buchlovice que, en septembre 1908, le ministre autrichien D'Aerenthal rencontra secrètement son homologue russe Isvolsky à propos de l'annexion de la Bosnie-Herzégovine par l'Autriche-Hongrie.

La salle impériale rococo du château de Bučovice.

LA SLOVAQUIE

Avec ses 49 000 km², la Slovaquie est à peu aussi grande que la Suisse et tout aussi montagneuse, environ les trois quarts du territoire. Demeurée principalement un pays agricole, elle a conservé intacte une grande partie de son patrimoine naturel, comme l'atteste la présence d'ours, de loups et de lynx. C'est dire que le pays possède un important potentiel touristique.

Jusqu'à présent, 90 % des visiteurs étaient originaires de République tchèque, de Pologne et de Yougoslavie. Depuis 1989, ce chiffre n'a cessé de baisser, les touristes des ex-pays socialistes, lorsqu'ils en ont les moyens, préférant désormais se rendre à « l'Ouest ». D'autre part, la Slovaquie a encore, auprès des touristes européens, la réputation d'un pays un peu archaïque. Et, en effet, si des efforts ont été engagés pour moderniser les équipements d'accueil, le pays ne dispose pas d'autant de moyens financiers que son voisin tchèque et opère un retour à l'économie de marché plus lent.

L'image de la Slovaquie souffre également de l'habitude acquise pendant des décennies de considérer les pays de l'Est comme un bloc uniforme. C'est ignorer toute la richesse de ce pays, où l'on retrouve les influences de l'Autriche, des Balkans – et notamment de la Hongrie – et de la lointaine région de Transylvanie. Passionnante à plus d'un titre, la Slovaquie est d'abord un pays méconnu, pour ne pas dire inconnu.

Neuf siècles sous la domination hongroise

Durant neuf siècles – de la fin du royaume de Grande-Moravie jusqu'à 1918 – la Slovaquie demeura une province de la Hongrie. Rebaptisée Haute-Hongrie et exclusivement dirigée par la noblesse magyare, cette région n'en conserva pas moins une population majoritairement slave. Au XVe siècle des groupes de taborites s'y installèrent et répandirent les thèses hussites. Le roi Mathias Ier Corvin les en chassa définitivement à l'issue de la bataille de Kostolany en 1467. Au XVIe siècle le pays fut épargné

Pages précédentes : Štrbské Pleso, dans les Hautes Tatras ; les impressionnants vestiges du château de Spiš, l'une des plus vastes forteresses d'Europe centrale ; à gauche, habitations de bois, près de Zuberec, au pied des Tatras.

par les invasions turques et l'administration hongroise s'installa à Pozcsony (Bratislava).

Pays essentiellement agricole – les minorités allemande et juive dominant le commerce – pays de servage et de fréquentes jacqueries, la Slovaquie subit le contre-coup de la création en 1867 d'un État dualiste austro-hongrois. Le gouvernement de Budapest lança une politique de magyarisation intensive dont un des aspects fut l'interdiction de l'enseignement en langue slovaque qui commençait à se développer. Le vote censitaire interdisait pratiquement toute représentation politique slovaque au parlement de Budapest. Au début du siècle beaucoup de Slovaques (500 000) émigrèrent aux États-Unis.

Depuis 1993

Depuis l'investiture du nouveau chef du gouvernement slovaque, Josef Moravčik, il semble que soit achevée la période – d'une année et demie – qui s'était ouverte au lendemain de la séparation des Tchèques et des Slovaques et qu'avait symbolisée l'ancien Premier ministre, Vladimir Mečiar.

Une large coalition de forces politiques, allant des catholiques aux ex-communistes, s'est en effet constituée pour mettre un terme à certaines dérives politiques extrémistes. Le discours de Moravčik tient en trois points : régler pacifiquement le différend – l'importante minorité magyare, 11 % de la population, vivant en Slovaquie – qui oppose son pays à la Hongrie (l'exemple yougoslave y encourage) ; amorcer un développement économique équilibré ; et enfin préparer l'intégration de la Slovaquie à l'Union européenne. C'est en substance le message que le Premier ministre slovaque est venu apporter au gouvernement français lors de son voyage à Paris des 16 et 17 mai 1994.

Signe de la bonne volonté slovaque, le parlement de Bratislava a autorisé l'utilisation de noms hongrois, et le gouvernement ne s'oppose plus à la mise en place de panneaux bilingues dans les régions à forte densité magyare. De son côté, le gouvernement hongrois multiplie les gestes visant la réconciliation avec ses voisins, slovaques et roumains, mais continue de refuser d'entériner l'inviolabilité des frontières actuelles.

La question est aujourd'hui de savoir si cette « dynamique de l'apaisement » incarnée par Moravčik résistera aux élections législatives qui se tiendront en Slovaquie, en septembre 1994.

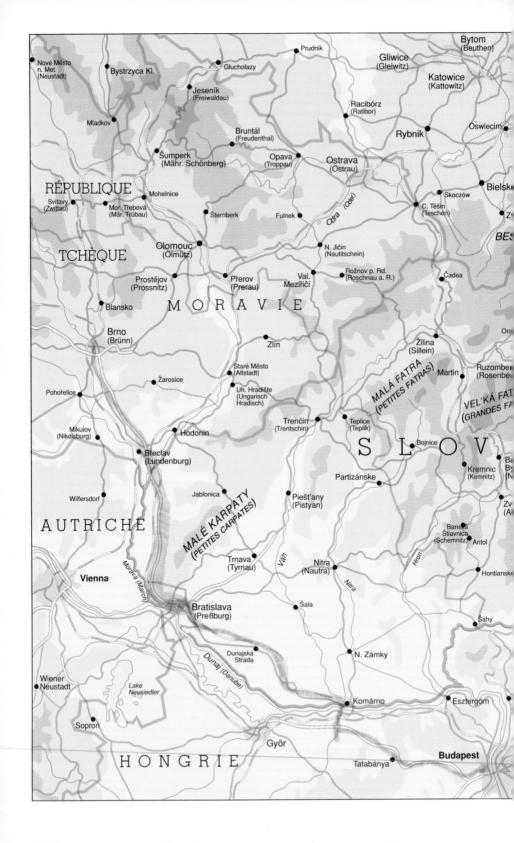

La Slovaquie

48 km / 30 miles

BRATISLAVA

Dominée au nord par les pentes de la pointe sud des Petites Carpates, baignée par le Danube, Bratislava occupe un site géographique privilégié. La capitale slovaque commande en effet le point de passage entre le couloir danubien, enfermé à l'ouest entre les pré-Alpes autrichiennes et le massif de Bohême, et la grande plaine hongroise qui s'étend à l'est. Cette voie danubienne, dite « route de l'ambre », reliait jadis les villes d'Europe centrale et de la Baltique au monde balkanique et méditerranéen, et même, *via* la mer Noire, à l'Extrême-Orient. Les plaines qui l'entourent ont d'ailleurs livré les traces d'une occupation humaine depuis les temps les plus reculés.

A partir du Vᵉ siècle av. J.-C. des tribus celtes, les Boïens, établirent un camp fortifié près de Bratislava, d'où ils animèrent un commerce de métaux relativement actif. Après une brève période de domination germanique, les Romains fondèrent, entre 35 et 9 av. J.- C, des camps militaires le long de la rive sud du Danube – le fleuve marquant les limites (les *limes*) septentrionales de la province de Pannonie – destinés à protéger l'Empire contre l'invasion des tribus germaniques venant du nord. Ces positions fortifiées jouaient également un rôle de relais sur « la route de l'ambre ».

L'invasion des Huns au IVᵉ siècle mit un terme à la *pax romana* et ruina l'Empire. Mais ni les Huns, ni les Lombards et les Avars qui leur succédèrent ne laissèrent véritablement de traces de leur passage. En revanche, les Slaves qui arrivèrent dans cette région autour du Vᵉ siècle, d'emblée, s'y installèrent définitivement. Dès le milieu du VIIᵉ siècle, des tribus slaves qui occupaient une partie de la Bohême, la Moravie et le sud-ouest de la Slovaquie se dégagea l'amorce d'une unité politique, fondée notamment sur la nécessité de se défendre contre les tribus nomades venant de l'est. Cette tendance prit véritablement forme au IXᵉ siècle avec l'apparition du royaume de Grande-Moravie (lire pages 25-27),

dont le centre se situait vraisemblablement dans le sud-ouest de la Slovaquie, au nord-ouest de Bratislava. Ce toponyme de Bratislava, comme d'ailleurs sa traduction en allemand, Pressburg, tirent sans doute leur origine du nom du fondateur slave de la ville, Braslav.

La domination hongroise

Les défaites des troupes slaves, commandées par le prince morave Mojmír II, devant la poussée magyare, au tout début du Xᵉ siècle, marqua un tournant dans l'histoire de la région. Les chroniques de l'époque évoquent la bataille de Brezlauspurg, en 906, comme l'événement décisif entérinant la victoire des Hongrois. Par la suite, et en dépit des attaques répétées des princes Přemyslides et de l'Empire romain germanique, les Magyares fortifièrent leurs positions et assujettirent les Slaves, tout en maintenant en place une petite noblesse slovaque.

Bratislava amorça son développement économique au XIIIᵉ siècle. Le roi de Hongrie, André II (1205-1235) octroya à la cité une charte municipale (en 1217), et favorisa l'installation de marchands juifs et arabes, ainsi que d'artisans saxons et italiens, qui contribuèrent à la prospérité de la ville. Dans le conflit de succession au trône de Hongrie qui opposa, à la fin du XIIIᵉ siècle, André III (1290-1301) à l'Autrichien Albert de Habsbourg, Bratislava prit fait et cause pour André III, qui l'emporta finalement. Ce dernier récompensa cette fidélité en élevant Bratislava au rang de ville libre, en 1291. Ce statut – signifiant notamment l'autonomie judiciaire et fiscale – créa les conditions d'un véritable boum économique et culturel. En effet, par nature plus tolérantes, les villes libres attirent de nouveaux résidents et leurs savoir-faire.

La construction d'un port sur le Danube favorisa l'exportation des produits locaux, le fer, le vin et les textiles, et permit à la municipalité de prélever une taxe sur les produits en transit et un péage sur les voyageurs de passage. La ville gothique, dont on peut encore voir quelques vestiges, est née à cette époque, à l'abri de ses puissantes fortifications. En devenant une ville libre

Silhouettes du château de Bratislava et du clocher de la cathédrale Saint-Martin.

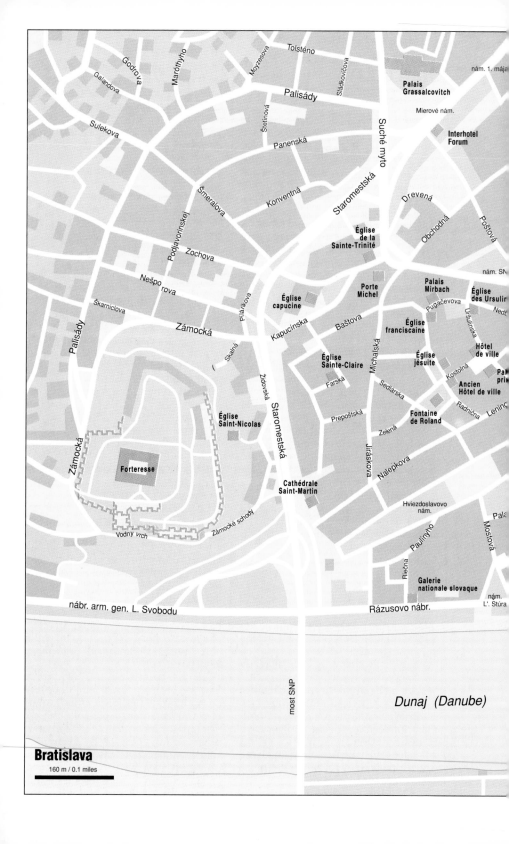

Godrova
Galandova
Maróthyho
Moyzesova
Tolsténo
Sládkovičova
nám. 1. mája

Palisády
Palais Grassalcovitch

Sulekova
Štetinová
Panenská
Suché myto
Mierové nám.

Interhotel Forum

Šmeralova
Konventná
Staromestská
Drevená

Podjavorinskej
Zochova
Église de la Sainte-Trinité
Obchodná
Poštová

Nešporova
Porte Michel
Palais Mirbach
nám. SN
Église des Ursulin

Škarniclova
Église capucine
Pugačevova
Nedl

Palisády
Zámocká
Pilárikova
Kapucínska
Baštova
Église franciscaine
Ursulinská

Skalná
Église Sainte-Claire
Église jésuite
Hôtel de ville

Michalská
Kostolná

Farská
Sediárska
Ancien Hôtel de ville
Pal priv

Židovská
Église Saint-Nicolas
Prepoštská
Fontaine de Roland
Radničná
Lening

Staromestská
Zelená

Zámocká
Forteresse
Jiráskova
Nalepkova

Cathédrale Saint-Martin

Hviezdoslavovo nám.
Pala

Vodný vrch
Zámocké schody
Riečna
Paulínyho
Mostová

Galerie nationale slovaque
nám. Ľ. Stúra

nábr. arm. gen. L. Svobodu
Rázusovo nábr.

most SNP

Dunaj (Danube)

Bratislava
160 m / 0.1 miles

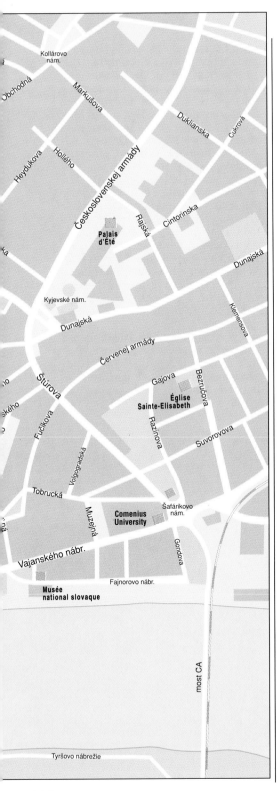

royale, en 1405, Bratislava reçut de nouveaux privilèges, dont celui de frapper sa propre monnaie. La fondation, en 1467, d'une université – la première de Hongrie – l'Academia Istropolitana, acheva d'en faire une grande métropole d'Europe centrale.

Capitale de la Hongrie

La défaite de la coalition austro-hongroise devant l'armée de Suleyman II, à Mohács, en 1526, marqua le début de l'occupation turque dans la moitié sud-est de la Hongrie (la Cisdanubie). Les institutions hongroises quittèrent la capitale Buda et s'établirent à Bratislava (Pozsony), en 1535. Conçue comme un repli provisoire, cette situation dura pourtant jusqu'en 1784, et pas moins de onze rois et de huit reines de Hongrie furent couronnés à Bratislava, à la cathédrale Saint-Martin.

Sous le règne de Marie Thérèse (1740-1780), impératrice d'Autriche et reine de Hongrie, Bratislava connut une nouvelle ère de prospérité. L'ancienne forteresse fut transformée en une résidence, tandis que la vieille ville était modernisée conformément aux nouveaux canons de l'architecture baroque. Aux portes de la ville, les premières manufactures firent leur apparition, mettant à profit le savoir-faire d'une longue tradition artisanale. La création, en 1830, de la Compagnie des bateaux à vapeurs du Danube, et l'ouverture, en 1848, de la ligne de chemin de fer Bratislava-Vienne, précipitèrent la ville dans l'ère industrielle.

Sur le plan politique, les leaders slovaques prirent conscience que les nationalistes magyares étaient hostiles à leur revendications linguistiques et culturelles. Aussi s'engagèrent-ils aux côtés de l'armée impériale contre les révolutionnaires Hongrois, pendant la répression de 1848. Ceux-ci sauront s'en souvenir et, à partir de 1867 – date à laquelle François Joseph (1848-1916) accorda l'autonomie à la Hongrie–, ils s'attachèrent à briser toute expression du nationalisme slovaque. La domination hongroise prit fin le 1er janvier 1919, avec l'entrée des troupes de la République tchécoslovaque dans Bratislava, qui ne deviendra pourtant la capitale de la Slovaquie qu'en 1969. Depuis 1945, la ville a connu une rapide expansion. Si la vieille ville, à peu près épargnée par l'urbanisme d'après-guerre, a conservé sa beauté d'origine, les nouveaux quartiers, et notamment Petržalka, sur la rive opposée du Danube, sont unanimement considérés comme des désastres architecturaux.

Autour du château et de la cathédrale

Construite au XIVe siècle, la **porte Michel**, autrefois intégrée à l'enceinte, est la seule porte médiévale encore visible. Elle abrite à présent le **musée d'Armes anciennes**. La tour, qui reçut son dôme baroque au XVIIIe siècle, est surmontée d'une statue de l'archange Michel. De la plate-forme située sous les horloges, la vue embrasse toute la vieille ville. En passant sous l'arcade de la tour, on débouche sur l'ancienne barbacane (bâtie en deçà du fossé qui entourait la ville). Sur la droite, l'ancienne boutique d'apothicaire, qui

porte l'enseigne « au Crabe Rouge », abrite le **musée de la Pharmacie**.

En suivant la **rue Michalská**, vous allez apercevoir, au n° 7, une belle demeure Renaissance, construite en 1648 pour un conseiller municipal, Andreas Segner, dont les armoiries ornent encore l'entrée. Un peu plus loin, la **chapelle Sainte-Catherine** n'attire guère l'attention. Elle renferme pourtant un bel intérieur gothique.

Construit au milieu du XVIIIe siècle, le **palais de la Chambre royale** abrita le siège du parlement hongrois de 1802 à 1848. Il accueille à présent la bibliothèque universitaire. Une plaque commémorative rappelle que Ludovít Štúr, l'initiateur du mouvement patriotique slovaque, y tint un discours historique sur l'égalité des droits des peuples à l'intérieur de la monarchie austro-hongroise.

Prolongeant la rue Michalská, la **rue Jiráskova,** toujours très animée, était déjà au Moyen Age une des artères principales de la ville. Le pavillon d'été du **palais Pauli** accueillit l'un des tous

Bratislava, alors appelée Pozsony, fut la capitale de la Hongrie de 1541 à 1784.

premiers concerts de Frantz Liszt, alors âgé de neuf ans. Non loin de là, au n° 3, se dresse le bâtiment de l'**ancienne université**, fondée en 1467 par le roi Mathias Corvin. L'**Académie des beaux-arts** occupe à présent l'édifice. Le café situé de l'autre côté de la rue est l'un des lieux de rencontre favoris des étudiants, des intellectuels et des artistes. Au bout de la rue, vous pouvez admirer le **palais rococo du comte Erdödy**.

Parvenu à la hauteur de la **rue Nalepkova**, prenez à gauche et vous apercevrez, un peu plus haut, au n° 19, le **palais Pálffy**. Mozart, alors âgé de six ans, s'y est produit en 1762. Ironie de l'histoire, cet édifice qui abritait le collège du parti communiste, devint après « la révolution de Velours » le siège du Mouvement public contre la violence, l'alter ego du Forum civique de Václav Havel. Il abrite aujourd'hui une galerie d'art. Des travaux de soubassement ont mis au jour des tombes de l'époque du royaume de Grande-Moravie et des traces d'un établissement celte.

A droite, la rue Nalepkova vous conduira au pied de la **cathédrale Saint-Martin**. L'architecture de Saint-Martin est assez inhabituelle. La tour, surmontée d'une couronne d'or et d'un toit de tuiles scintillantes, formait une partie des fortifications médiévales. Ce qui explique que les entrées aient été pratiquées dans les flancs de ce bâtiment, dont la construction s'étendit sur plus d'un siècle et s'acheva en 1452.

Au-dessus d'une triple nef se croisent des voûtes gothiques en éventail, qui dénotent des influences architecturales viennoises. L'un des piliers du chœur est orné des armes du roi Mathias Corvin. La cathédrale possède quelques os de saint Jean l'Évangéliste offerts par le sultan Mahmud I. Ces précieuses reliques, sont conservées dans une chapelle du transept, spécialement conçue par Georg Raphael Donner, en 1732-1734. L'autel baroque et la magnifique statue équestre de saint Martin offrant la moitié de son manteau au mendiant sont l'œuvre du même artiste. Parmi les trésors de l'église, signalons également

La porte Michel, à l'entrée de la vieille ville.

un ostensoir d'une beauté exceptionnelle, datant de 1449. Sur l'ordre des rois de Hongrie – couronnés dans cette cathédrale de 1563 à 1830 – la simplicité de l'ornementation gothique a peu à peu laissé la place à l'exubérance baroque.

Suivant les anciennes fortifications de la ville, la grande voie de circulation sépare la vieille ville du château avant de franchir le Danube en empruntant le **pont du Soulèvement national slovaque** (*most SNP*), construit en 1972. Sans doute très utile à la circulation, l'aménagement de cette artère a cependant nécessité la destruction d'une partie du patrimoine de la vieille ville (et notamment une ancienne synagogue) et a fait l'objet d'une vive controverse.

Sur le chemin qui conduit au château, la « **maison du Bon Berger** » (*Dom U Dobrého Pastiera*), située à l'angle des **rues Židovská** et **Mikulášska**, mérite bien un détour. Les stucs jaunes qui ornent la façade annoncent une demeure de style rococo construite vers 1760. Chaque étage forme une pièce unique et l'ensemble abrite un **musée de**

l'Horlogerie. De l'autre côté de la rue, vous trouverez le **musée des Arts décoratifs**.

Édifié au sommet d'une butte rocheuse, la puissante **forteresse** domine la ville et le fleuve. Dès le IXᵉ siècle, les Slaves bâtirent sur ce site une place forte destinée à protéger ce point de passage sur le Danube. L'ouvrage fut ensuite agrandi et renforcé par les Hongrois au cours des siècles, notamment dans la première moitié du XVᵉ siècle. Les Habsbourg comprirent son importance décisive dans la défense de Vienne contre l'avancée turque, et firent élever, en 1635-1649, de puissants murs, renforcés de tours d'angle, selon un plan établi par Carlone, le grand architecte militaire de l'époque. A la fin du XVIIIᵉ siècle, le château perdit ses fonctions défensives et devint, en 1802, la caserne de la garnison de Bratislava. Détruit par un incendie en 1811, il ne fut reconstruit qu'à partir de 1953.

Un coup d'œil à la tour de la Faim et à la chambre des tortures donne une idée des souffrances qu'endurèrent les

Restauration d'une fresque, dans une maison Renaissance de la rue Michalská.

nombreux prisonniers, notamment politiques, incarcérés entre ces murs.

De retour à la cathédrale, empruntons la **rue Kapitulská**, où habitaient, durant le Moyen Age, les chanoines du chapitre de Saint-Martin. Ils étaient autorisés à vendre le vin qu'ils tiraient des vignes environnantes, et étaient exemptés d'impôts. Bon nombre des maisons de cette rue sont décorées avec soin. On remarquera tout particulièrement le **palais du Prévôt**, au n° 19, le **Collegium Emmericianum**, au n° 20 et la **demeure des Chanoines**, au n° 15, qui se distingue par sa façade Renaissance et sa porte baroque.

Une visite de cette partie de la ville ne serait pas complète sans un détour par le célèbre restaurant de poisson **U Zlatého Kapra**, « la Carpe d'Or », situé dans la **rue Prepoštská**. La ruelle suivante, **Farská**, conduit au **couvent des clarisses**, dont l'église gothique abrite à présent une galerie exposant des peintures gothiques, et sert à l'occasion de salle de concerts. L'église possède une tour à cinq faces, bâtie vers 1360.

La cuisine slovaque offre une grande variété de saveurs.

Au bout de la **rue Klariská**, vous trouverez sur votre droite l'étroite **rue Baštová**, autrefois baptisée la rue du Bourreau. Cet honorable fonctionnaire municipal résidait en effet au n° 5.

Place Októbrové (à l'extrémité de la **rue Kapucínska**), on peut admirer l'**église de la Sainte-Trinité**, construite en 1717-1727. La décoration intérieure est due au peintre italien Galli Bibiena. Le monastère fut reconstruit en 1844 afin d'accueillir le conseil régional. Dominant la place, la **colonne Sainte-Marie** fut érigée en 1723 en souvenir des victimes de l'épidémie de peste qui s'abattit sur la ville en 1712-1713. Derrière la colonne se dresse la petite **église capucine**, construite en 1708-1711. Modestement décorée, calme, elle accueille davantage de gens en prière.

Vers les bords du Danube

En suivant la **rue Zámočnicka**, dans le prolongement de la rue Bastová, jusqu'à la **place Dibrovovo**, vous ne manquerez pas d'appercevoir le **palais Mirbach**

(au n° 11), un édifice rococo, construit vers 1770 pour un riche brasseur. Le palais abrite aujourd'hui le **musée municipal de peintures anciennes**.

De l'autre côté de la rue se dresse l'**église franciscaine**. Achevée en 1297, c'est l'église la plus ancienne de Bratislava, et son chœur a d'ailleurs conservé la simplicité décorative de cette époque. L'édifice a été transformé et agrandi à plusieurs reprises, ces travaux mêlant les styles Renaissance et baroque. Au XVIIIe siècle, on y a même construit une chapelle consacrée à Notre-Dame-de-Lorette, identique à celle de Prague. A côté de l'autel, on peut voir une très belle *pietá* en grès, de style gothique tardif. La **chapelle Saint-Jean-l'Évangéliste**, située au nord de l'église, figure parmi les plus beaux ouvrages gothiques de Slovaquie.

En descendant la place Dibrovovo, on aperçoit sur la gauche l'**église jésuite**. Ce bâtiment était un temple protestant avant d'être confisqué par les autorités de la Contre-Réforme et donné aux jésuites. Ceux-ci décidèrent de ne pas élever de tour afin que l'édifice s'insère plus harmonieusement dans son environnement. Cette « discrétion » extérieure contraste avec le faste de l'ornementation intérieure (notamment la magnifique chaire baroque).

L'**ancien hôtel de ville** (situé de l'autre côté de la **rue Kostolná**) est un élégant mélange de plusieurs bâtiments – dont le plus ancien date de 1421 – et de différents styles. Outre la tour baroque, édifiée en 1732, et la chapelle gothique, minutieusement restaurée, c'est cependant l'architecture Renaissance qui domine. A l'intérieur, vous pourrez admirer les plafonds à caissons de la salle du conseil, les stucs et les fresques du tribunal. Le **musée municipal** occupe la cave et le premier étage, la cour intérieure accueille en été, des concerts.

Derrière l'ancien hôtel de ville, la **place Primaciálny**, ornée d'une fontaine dédiée à saint Georges, s'ouvre sur le **Palais primatial**. Construit en 1777-1781, ce bâtiment servait de résidence d'hiver à l'archevêque d'Esztergom, la plus haute autorité religieuse de Hongrie. Il abrite à présent l'hôtel de ville, mais on peut y visiter la salle des Miroirs, où fut signé, le 26 décembre 1805, le traité de Presbourg, consacrant la défaite autrichienne à la bataille d'Austerlitz. De magnifiques tapisseries anglaises sont exposées au deuxième étage. A quelques pas de là, la **rue Uršulínska** mène au **couvent des ursulines**, bâti en 1687.

Situé plus bas dans la **rue Radničná**, non loin de l'ancien hôtel de ville, le **palais Apponyi** (construit en 1762) accueille à présent le **musée du Vin**. En face, bordée d'hôtels particuliers, s'étend la **place 4 Aprila**, dominée en son centre par l'imposante **fontaine de Roland**, exécutée en 1572.

Commençant place du 4 Avril, la **rue Rybárska brána** traverse ensuite les **rues Leningradská** et **Gorkého** avant d'aboutir **place Hviezdoslavovo**. A gauche, se dresse le bâtiment néo-classique du **Théâtre national**, édifié en 1888, précédé par l'impressionnante **fontaine de Ganymede** (1833). De l'autre côté de la place, la **rue Mostová**

La cour intérieure et la tour de l'ancien hôtel de ville.

passe devant le **Reduta** – un édifice néobaroque construit en 1914 –, la salle de concerts de l'orchestre philharmonique de Slovaquie, et s'achève **place Ľudovit Štúra**, où s'élève un monument à la mémoire de celui qui a fait du slovaque une langue moderne.

La **Galerie nationale slovaque** se trouve un peu plus haut, en remontant le Danube en direction du pont SNP. Cette étonnante architecture moderne a été construite autour d'un palais du XVIIIᵉ siècle. La galerie proprement dite présente une collection d'œuvres d'art allant de la période gothique à nos jours.

A l'opposé, en descendant le fleuve, vous apercevrez sur votre gauche le **Musée national slovaque**. Construit en 1928, il abrite des collections d'anthropologie, d'archéologie, d'histoire naturelle et de géologie. Y est en particulier exposée une grande carte en relief de la Slovaquie.

Les hydroglisseurs à destination de Vienne, Devín et Budapest accostent juste en face.

La ville moderne

Bordée de grands magasins, d'hôtels et de quelques immeubles modernes des années 1920-1930, la **place Kiev** (délimitée par les **rues Českolovenskej** et **Dunajská**) est reliée à la place SNP par la large **rue piétonnière Poštová**. C'est au nord-est de la vieille ville, au-delà de la **place SNP** (place du Soulèvement national slovaque), que Bratislav connaît son expansion la plus rapide.

Cette place portait bien son nom lorsqu'en novembre 1989, bravant le froid, des dizaines de milliers de citoyens l'occupaient en protestant pacifiquement. Depuis, elle est restée le lieu d'expression privilégié des contestations de tous bords. A ses moments de calme, elle est plutôt le lieu de rendez-vous des écoliers qui viennent y manger des glaces.

Plus au nord, la rue Poštová traverse la très commerçante **rue Obchodná** dans une certaine confusion de piétons et de tramways. **Place Mierové** se dresse le **palais Grasalkovič**, construit en

sculptures ornant la porte de la cathédrale Saint-Martin.

1760. Ce magnifique édifice baroque servait autrefois de résidence d'été aux plus hauts dignitaires hongrois. L'escalier circulaire conduit à la chambre espagnole où Franz Josef Haydn et son orchestre donnèrent un concert en 1772. Juste à côté, vous apercevez le luxueux hôtel Forum. Les jardins qui s'étendent derrière le palais conduisent au **monument Klement Gottwald**, l'homme qui organisa l'arrivée des communistes au pouvoir, en 1948.

Plus au nord commence le quartier résidentiel chic de la ville avec ses villas début de siècle. Édifié en 1960, le monument aux morts slaves (au nord-ouest de Bratislava), le **Slavín**, honore la mémoire des 6 845 soldats soviétiques tombés lors de la prise de Bratislava par l'Armée rouge en 1945.

Au-delà des portes de la ville

Des sentiers bien indiqués conduisent dans les collines du **parc Horský**. Plantée au sommet de la butte de **Kamzík** (440 m), la tour de la télévision et son excellent restaurant offrent une vue magnifique sur la capitale slovaque. On peut également s'y rendre en empruntant le trolleybus n° 213.

Si vous sortez de Bratislava en voiture, il vous faudra choisir le versant des Petites Carpates, **Malé Karpaty**, que vous souhaitez suivre. Les amateurs de vin opteront sans doute pour le versant sud (quitter Bratislava par le nord-est), et ses coteaux plantés de vigne. La route du vin et des dégustations passe par **Sväty Jur**, **Pezinok** (à 21 km de Bratislava) et **Modra**. Entouré de forêt, le restaurant Pezinská Baba est recommandé pour faire une pause gastronomique. La propriété voisine, la *Chata na Bielej skale*, recevait les dignitaires communistes en villégiature. Truites et carpes importées étaient relâchées dans la rivière tout spécialement à leur intention. En compagnie de chefs d'État de l'Est, comme de l'Ouest, ils chassaient le sanglier, le mouflon et le cerf. Celui-ci est encore abondant dans les forêts slovaques et il n'est pas rare non plus d'entendre des loups.

Joueurs de cithare.

La région compte également plusieurs châteaux dignes d'intérêt : le **château de Budmerice** (situé quelques kilomètres à l'est de Modra), le **palais de Smolenicky** (à Smolenice, 25 km au nord de Modra), et le **château de Cervený Kameň** (un peu après Castá, au nord de Modra). Ce dernier a fait l'objet d'importants travaux de restauration. Ses quatre bastions à canons bâtis en 1537-1540 offrent un bel exemple de l'architecture militaire qui se développa sous la menace de l'invasion turque.

Le long du Danube

Le **château de Devín** se dresse sur un promontoire rocheux dominant le Danube, peu après avoir reçu les eaux de la Morava. La position géographique exceptionnelle de ce site lui a valu d'être occupé depuis des temps très anciens, comme le laissent supposer les nombreuses légendes qui courent à son sujet. On sait de source sûre qu'une forteresse s'y élevait au IXe siècle. Les ruines que l'on voit à présent sont celles d'un château bâti au XIIIe siècle, reconstruit au XVIe siècle par Étienne Ier de Báthory (1576-1586) roi de Pologne et prince de Transylvanie, d'origine hongroise. La citadelle résista aux assauts des Turcs, mais fut brûlée par les troupes napoléoniennes, en 1809. Il y a quelques années, sa position sur la frontière rendait suspecte toute tentative de visite. Un festival s'y tient en juillet.

Le **site archéologique de Gerulata** se trouve, à quinze minutes en voiture, au sud-est de Bratislava, non loin des villages de **Rusovce**, de **Jarovce** et de **Čuňovo**. Plusieurs sites d'origine romaine, camps militaires, ou *villa rustica* (une installation agricole), jalonnent les rives du Danube, dont le tracé constituait la frontière de la province de Panonie. Les fouilles entreprises à Gerulata apportent de précieux renseignements sur les relations qu'entretenaient les Romains et le monde celte environnant. Le petit musée de Rusovce est consacré à ces découvertes. Le village possède également un château néo-gothique entouré d'un parc.

Le sud es Petites Carpates est une portante région viticole.

LA SLOVAQUIE OCCIDENTALE

Nichée au creux d'une vallée fertile, entourée de vignobles, **Trnava** n'est qu'à 45 km au nord-est de Bratislava, accessible par la route D 61, ou par le train. En prévision de la célébration de son 750e anniversaire, en 1988, les monuments historiques de la ville ont bénéficié d'une restauration méticuleuse. Ces travaux ont fait ressortir une variété et une richesse architecturales dignes d'une ville qui fut, au temps de l'occupation turque, l'un des centres religieux et culturels les plus importants de Hongrie.

En 1238, le roi de Hongrie Béla IV (1235-1270) octroya à Trnava une charte municipale, et plaça la ville directement sous la juridiction de la couronne. Ces privilèges, et cette protection royale, conjugués à une position géographique avantageuse dans la **vallée de la Váh** – loin des positions turques – contribuèrent à son développement économique. En 1543, son siège épiscopal étant passé sous le contrôle des Turcs, le primat de Hongrie, l'archevêque d'Esztergom, s'établit à Trnava, faisant de cette cité, riche mais modeste le centre religieux du pays. La fondation, moins d'un siècle plus tard, d'une université confirma son rang de métropole culturelle.

Le transfert de cette université à Buda, en 1777, et le départ de l'archevêque d'Esztergom, en 1822, auraient dû renvoyer Trnava, à son atonie provinciale et commerçante, si les intellectuels slovaques n'avaient décidé d'y établir le siège de leur académie, en 1792, la principale institution scientifique et littéraire slovaque de l'époque.

Visite de Trnava

Surmontée de deux puissantes tours jumelles, la **cathédrale Saint-Nicolas** domine la vieille ville. Bâtie sur le site d'une basilique romane en 1380, cette église gothique fut plusieurs fois remaniée et agrandie. La fondation de l'université Saint-Jean-Baptiste marqua une étape majeure dans la stratégie de la Contre-Réforme en Slovaquie. Les

jésuites en confièrent la réalisation (1626-1637) à des architectes italiens. Cet édifice et le **palais de l'archevêché**, également de style baroque, donnent à la **place de l'Université** son unité architecturale.

Du haut de ses 69 m, la **tour de la Ville** surplombe l'étroite et longue place principale. On reconnaîtra l'**hôtel de ville** aux stucs qui ornent sa façade. Cette riche ornementation, datant de 1793, tout comme le **théâtre municipal**, édifié en 1830, témoignent de l'optimisme et de l'aisance des habitants de Trnava. On se convaincra de ce dernier point en admirant les quelques très belles demeures qui bordent les **rues Kapitulská et Hollého**. La visite des **fortifications**, jalonnées, à l'est et à l'ouest de la vieille ville, de bastions saillants, ne manque pas non plus d'intérêt.

La vallée de la Váh

Piešťany se trouve à 35 km au nord de Trnava, en remontant la vallée de la

Váh. Une des statues qui ornent le quartier des établissements thermaux dit clairement l'ambition de cette ville d'eau. La statue en question représente en effet un personnage jetant ses béquilles, en signe, sans doute, de totale guérison.

Ce sont environ 3,5 millions de litres d'eau minérale qui jaillissent chaque jour du sol à une température de 67 °C. Les malades atteints de rhumatismes apprécient également les boues sulfureuses. Piešt'any possède de bons équipements hôteliers et thermaux, et le lac voisin de **Slňava** permet de pratiquer les sports nautiques. Protégée à l'ouest par les Petites Carpates, et à l'est par le **massif des Považsky Inovec**, la ville bénéficie, en outre, d'un climat particulièrement doux.

C'est à partir du XVIIe siècle, que le thermalisme commença à se développer à Piešt'any. En 1827, le comte Erdödy, un Hongrois, dont la famille posséda la quasi-totalité de la ville jusqu'en 1940, décida d'exploiter pleinement les ressources naturelles de la ville et entreprit d'importants travaux d'aménagement. Il fit construire des parcs, des buvettes, des établissements de bains (les bains Napoléon), ainsi qu'un **pont à colonnade** reliant la ville à la source principale, la **Pranem Adam Trajan**. À la fin du XIXe siècle, un homme d'affaires, Alexandre Winter, obtint la concession des établissements thermaux de la ville. Sous son impulsion, la station thermale, déjà très appréciée des élites, chercha à s'ouvrir à de nouvelles classes sociales. Winter collecta des fonds pour permettre aux plus démunis de bénéficier des soins gratuitement.

Depuis, les équipements thermaux ont été constamment modernisés. La ville possède un **musée** d'art moderne, organise des expositions d'arts plastiques en plein air, et accueille un festival estival de musique. La vocation artistique de Piešt'any est ancienne puisque en 1939, un fermier découvrit, dans les environs, une petite figurine sculptée dans une défense de mammouth, la **Vénus de Moravany**, une des plus anciennes sculptures jamais découvertes.

Le climat du sud de la Slovaquie favorise la culture des fruits.

Une dizaine de kilomètres séparent **Čachtice** (au nord) de Piešt'any. Au XIIIᵉ siècle, le **château de Čachtice** était une place forte importante sur la frontière hongroise. Mais c'est surtout au tournant du XVIᵉ et du XVIIᵉ siècle que la forteresse acquit sa sinistre réputation. Là résidait en effet la « comtesse sanglante », Alžbeta Nádasdy-Báthory, qui, dit-on, tortura et assassina pas moins de 651 filles de paysans afin de se baigner dans leur sang et d'obtenir ainsi la jeunesse éternelle. Le château est inhabité depuis qu'un incendie l'a gravement endommagé, en 1708.

Trenčín

Bâtie au fond d'une vallée encaissée, au bord de la Váh, **Trenčín** est une petite ville animée et fière d'un long passé historique. Elle est en effet située au croisement de voies anciennes. Des fouilles archéologiques ont révélé que ce site était occupé dès le Paléolithique. Beaucoup plus près de nous, des inscriptions latines gravées dans des rochers et datant de 179 av. J.-C. – les plus anciennes de Slovaquie – évoquent la victoire d'une légion romaine sur des tribus de Quades. Au VIᵉ siècle, les Slaves édifièrent un camp fortifié sur le promontoire rocheux qui domine la vallée. Les chroniques mentionnent la présence d'un château dès le IXᵉ siècle et l'apparition, au pied de la citadelle, d'un centre marchand au début du XIIᵉ siècle. Vers 1300, le prince hongrois, Matuš Čák, transforma l'édifice en un vaste palais, et le dota de puissantes fortifications, à l'abri desquelles il contrôlait tout l'ouest de la Slovaquie. Au XVᵉ siècle, le roi Sigismond éleva de nouveaux remparts pour faire face aux hussites de Moravie. Au XVIIᵉ siècle, devenu la propriété des comtes Illésházy, qui avaient reçu la ville et la forteresse en fief des Habsbourg, le château joua un rôle défensif important contre les Turcs. Gravement endommagé par un incendie en 1790, sa reconstruction commença en 1954. Depuis 1987, le noyau historique de Trenčín est classé secteur sauvegardé.

Vlkolínec, un village entièrement bâti en bois.

De la **citadelle** médiévale ne subsistent aujourd'hui qu'une chapelle et la tour Matuš. Ce vaste complexe défensif comprend, outre les pièces habituelles, un arsenal, des casemates et des oubliettes. Il abrite également la **galerie d'art de Trenčin**, qui compte quelques tableaux de maîtres anciens. Construite dans l'ombre de la forteresse, l'**église paroissiale**, de style gothique, renferme un ossuaire. Un magnifique autel d'albâtre orne la **chapelle funéraire des Illésházys**, bâtie à une époque ultérieure.

Le tracé de la place centrale de la vieille ville, la **place Mierové**, épousant l'axe nord-sud de l'ancien centre marchand, n'a guère changé depuis le Moyen Age. Aux XVIe et XVIIIe siècles, les maisons qui la bordent furent agrandies, donnant naissance à des demeures Renaissance parfois munies d'arcades. Depuis, celles-ci n'ont subi que des transformations superficielles affectant les toits, les façades, etc. Rompant avec cette unité de style, l'**église Saint-Francis** est un édifice datant du premier baroque. On peut y admirer des fresques très colorées. L'ancienne porte d'enceinte et sa tour octogonale débouchent sur une synagogue du XIXe siècle de taille inhabituelle. Cet édifice rappelle le rôle prépondérant que joua la communauté juive dans le développement économique de Trenčin.

Quinze kilomètres séparent Trenčin de la station thermale de **Trenčianske Teplice**, située au nord-est, dans l'étroite vallée de la **Teplica** (un affluent de la Váh) entourée de collines boisées. Riches en sulfure, les sources chaudes sont utilisées pour le traitement des rhumatismes et des troubles nerveux. Les Illésházy y ayant acquis une résidence d'été en 1729, la bonne société hongroise commença à fréquenter cette région, dont les sources étaient pourtant connues depuis le Haut Moyen Age. Bâti dans le style des châteaux Renaissance, l'**hôtel Kaštiel** ouvrit ses portes en 1750, bientôt suivi d'équipements thermaux et hôteliers. L'établissement le plus original de la ville est sans conteste le *hammam*, construit par Franz Schmoranz qui s'inspira de l'architecture de l'Espagne musulmane. C'est Iphigénie d'Harcourt – l'ancienne

propriétaire des lieux – qui, à l'occasion de l'Exposition universelle de 1878, eut l'idée de construire ces bains turcs très luxueux.

La vallée de la Nitra

Bordée à l'ouest par le massif des Považsky Inovec et à l'est par le **massif du Tribeč**, la **vallée de la Nitra** (un affluent de la Váh) forme le cœur historique de la Slovaquie. Enfermée dans une boucle de la rivière Nitra, **Nitra** (à 41 km à l'est de Trnava) est la plus ancienne ville de l'ex-Tchécoslovaquie. Les Slaves occupaient ce site depuis de nombreuses générations, lorsque le prince slave Přibina y fit consacrer une chapelle par l'archevêque de Salzbourg, Adalram. Quelques années plus tard, vers 833, le premier souverain du royaume de Grande-Moravie mentionné par des sources historiques, Mojmír, s'empara de la région, chassa Přibina de Nitra, qu'il agrandit. En 880, le pays ayant été christianisé par Cyrille et Méthode, le pape fit de Nitra le premier diocèse de Slovaquie.

Le **château** (entièrement rebâti au XVIIe siècle) servait de résidence aux princes-évêques de Nitra, prélats et seigneurs de la région. Il est d'ailleurs l'actuelle demeure de monseigneur Ján Chrysostome Korec, qui se fit autrefois une solide réputation d'opposant au régime communiste. Également à l'abri de l'enceinte du château, la **cathédrale**, gothique à l'origine, fut plusieurs fois remaniée, avant d'endosser définitivement une silhouette baroque en 1720. En 1930, des travaux d'entretien mirent au jour les vestiges d'une église romane sans doute très ancienne, que les architectes des époques ultérieures avaient eu soin d'emmurer.

Devant les murailles, dominant la place, la splendide **colonne** baroque consacrée à la Vierge Marie fut élevée en 1750, en souvenir des épidémies de choléra qui avaient ravagé la ville. Un pont de pierre, bordé de statues de saints, débouche sur la porte de la ville haute, défendue par une tour (récemment restaurée) qui appartenait aux fortifications médiévales.

Du château, la **rue Východná** descend vers une place calme donnant sur

Les magnifiques bains turcs de Trenčianské Teplice.

l'**avenue Samova**. Là se dresse l'**ancien grand séminaire**, un édifice dont le style hésite entre le baroque et le classicisme. Il abrite à présent le **Musée régional**, qui expose notamment les découvertes archéologiques locales. La **bibliothèque diocésaine**, située juste à côté, se flatte de posséder le fameux codex de Nitra, datant du XIᵉ siècle.

En face, vous apercevez la **maison des Chanoines**, également de style classique. Dans un des angles, l'architecte a placé un Atlas à l'allure athlétique. Découvrant que cet élément ne remplissait aucun usage architectural, les habitants ont pris l'habitude de l'appeler le *corgoň*, le « coquin », sous-entendu le paresseux. En suivant l'avenue Samova, vous allez passer devant l'**ancien monastère franciscain**, devenu le **musée de l'Agriculture**. L'église adjacente possède de très belles sculptures sur bois illustrant la vie de saint François. La **galerie Studenie** et l'**Académie des beaux-arts** sont installées dans l'ancien bâtiment de l'administration régionale.

La **rue Saratovská** forme l'axe central autour duquel s'organise la vieille ville, où résidaient autrefois la classe aisée et le clergé. Plus au sud, elle s'ouvre sur la **place Mierové**, dominée en son centre par la **chapelle Saint-Michel**, construite après les deux épidémies de choléra qui frappèrent la ville. Les cafés environnants et la terrasse de l'hôtel Slovan offrent un cadre agréable pour s'accorder un moment de détente.

Au-delà commence la ville basse, l'ancien quartier des commerçants et des artisans. Le plus ancien édifice de cette partie de la ville est sans conteste la **chapelle romane Saint-Stéphane**, ornée d'une série de magnifiques fresques du XIᵉ siècle. **Rue Gudernova** on peut voir le bel ensemble baroque formé de l'**école de Rhétorique** et de l'**église** adjacente, surmontée d'une double tour. Avec le **théâtre Andrej Bagar** et l'**hôtel de ville**, l'architecture moderne domine sur l'ancienne place principale de la ville basse, bordée à l'est par l'avenue Leninova.

Orienté au nord-est, le massif du Tribeč culmine à 829 m. Le versant sud de cette chaîne de faible altitude offre de bonnes conditions à la culture de la vigne. Pour découvrir ces coteaux et la cuisine traditionnelle des petites auberges qui les jalonnent, il faut quitter Nitra par le nord-est.

Située à mi-chemin entre Nitra et Bratislava, **Galanta** se présente au premier abord comme une petite ville ordinaire de 15 000 habitants. C'est pourtant le bastion de la famille Esterházy, qui joua un rôle capital dans l'histoire militaire, politique et culturelle de la Hongrie. Des quatre châteaux que compte la ville, le plus ancien est un édifice Renaissance, le plus récent, de style néo-gothique, abrite un **musée** consacré à l'histoire locale.

Sur le chemin qui conduit à Bratislava, à 25 km de la capitale, les deux lacs de **Senec** et le paysage romantique qui les entoure attirent bien des visiteurs.

En descendant le Danube

De Bratislava à Esztergom, via Komárno, le Danube forme la frontière naturelle séparant la Slovaquie de la

La forteresse de Trenčín, et les deux tours de l'église baroque.

Hongrie. Dans ce quart sud-ouest du pays, où vivent la plupart des 600 000 Slovaques magyarophones, l'influence hongroise est, on s'en doute, très fortement marquée. Et dans certains villages, le hongrois est de loin la langue dominante.

La petite route (quitter la route 63 après le village de Báč) qui traverse les prairies bordant le fleuve offrait l'occasion d'une balade des plus plaisantes. Malheureusement, les travaux destinés à la construction de la **centrale électrique de Gabčíkovo** ont bouleversé le paysage à partir de **Šamorín**. Ce projet a soulevé bien des interrogations, concernant son opportunité économique, les conséquences sur l'environnement et l'habitat des populations, et entretenu la polémique entre les gouvernements slovaques et hongrois.

Le projet de Gabčíkovo consistait à détourner la quasi-totalité des eaux du Danube au profit d'un canal de 30 km qui, à Gabčíkovo, devait alimenter une puissante centrale hydro-électrique. Le fleuve majestueux, ramené à un débit de 50 m³/s au lieu de 2 400 m³/s, en serait presque mort. Les écologistes hongrois sont, pour l'heure, parvenus à stopper les travaux.

Il est par conséquent conseillé de contourner cette zone de travaux en suivant la 63. Le nom de **Dunajská Streda** (à 25 km de Šamorín) signifie « mercredi sur le Danube », en référence au marché qui se tenait là le mercredi depuis le XVIe siècle. Un musée consacré à l'histoire locale a été aménagé dans le château baroque de la ville, baptisé **Zity Kaštiel** (le « château jaune »). **L'église gothique de l'Assomption** possède de belles fresques médiévales.

Une dizaine de kilomètres avant Komárno s'étend la réserve naturelle protégée de **Zlatná na Ostrove**. Ce site est, en autres, le domaine de la grande outarde, un grand oiseau devenu extrêmement rare en Europe de l'Ouest.

Chef d'orchestre à Trieste, à Vienne, puis à Budapest, le compositeur autrichien Franz Lehár (1870-1948) – mondialement connu pour son opérette, *La Veuve joyeuse* (1905) – illustre assez bien l'histoire de sa ville natale, **Komárno**. Située un peu en aval du confluent de la

Váh et du Danube, la ville est, depuis 1918, divisée en deux parties, l'une slovaque, l'autre hongroise (Komárom). Camp militaire romain dans l'antiquité, Komárno fut, au cours des siècles, l'enjeu de luttes successives visant le contrôle des deux rives du Danube. Parmi les nombreuses églises que compte la ville signalons l'**église orthodoxe Pravoslav** pour son exceptionnelle collection d'icônes et d'objets liturgiques.

Bénéficiant à la fois d'un climat quasi méditérranéen, chaud et sec, et de la fraîcheur qu'apporte le fleuve, la région qui s'étend entre Kmárno et Štúrovo est une des plus agréables du pays. Dans la ville thermale de **Štúrovo**, très bien équipée sur le plan hôtelier, on ne manquera pas de goûter les spécialités gastronomiques hongroises, notamment les fameuses brochettes flambées, accompagnées de vin et de musique tzigane

Des ferries, les *kompa*, font la navette entre Štúrovo et **Esztergom**, sur l'autre rive du Danube. Célèbre pour sa cathédrale, Esztergom est, depuis toujours, la capitale religieuse de la Hongrie.

Les cigognes apprécient le climat du sud de la Slovaquie.

LA SLOVAQUIE CENTRALE

La Slovaquie centrale est une région montagneuse coupée de vallées fluviales. On n'y compte aucune agglomération majeure, mais plutôt des villes de moyenne importance qui se sont développées dans de petits bassins miniers où étaient extraits le cuivre, l'or et l'argent.

Banská Bystrica

De toutes ces villes minières, **Banská Bystrica** est sans doute la plus intéressante. Blotti dans un coude de la rivière **Hron**, presque au centre de la Slovaquie, le hameau de Banská fut saisi par la fièvre de l'or dans la première moitié du XIIIᵉ siècle. Les souverains de l'époque encouragèrent des mineurs allemands, déjà installés à Zvolen (à une vingtaine de kilomètres au sud), à exploiter ces richesses (l'or, l'argent et le cuivre), octroyant à ces communautés certains privilèges.

Très vite, l'importance de cette mine fut telle qu'elle éveilla l'intérêt des Fugger, les plus riches banquiers (établis à Augsbourg) de l'époque, qui y investirent des sommes importantes. Au XVIᵉ siècle, Jacob II Fugger, dit le Riche (1459-1525), acquit de nombreuses mines à Banská et dans toute la Hongrie, s'octroyant de fait un monopole sur le marché du cuivre en Europe. En traitant leurs affaires à Neusohl (le nom allemand de Banská), les Fugger et leurs associés contribuèrent également au développement de l'artisanat et du commerce.

Banská s'illustra à nouveau à la fin de la Seconde Guerre mondiale. En effet, c'est de cette ville que fut lancé à la radio, le 29 août 1944, l'appel au soulèvement national contre le gouvernement fasciste de Bratislava. Aménagé dans un bâtiment très impressionnant, un **musée du Soulèvement national slovaque** entretient le souvenir de cet événement. En dépit des travaux entrepris à la Renaissance, et plus tard dans le style baroque, bon nombre des demeures qui bordent la **place du Soulèvement national slovaque** (SNP en slovaque et en abrégé) ont conservé des éléments gothiques. La plus belle d'entre elles, la **maison Thurzo**, située dans l'angle sud-est, servait de siège à la compagnie minière. Elle abrite à présent le **musée de l'Histoire et des traditions locales**. A l'opposé, en diagonale, la **maison Benicky** se signale par son balcon cerné de colonnes et surmonté d'un chapiteau. On remarquera également la **palais de l'Évêché** (au numéro 19), la **tour Municipale** (1576) et les deux tours typiquement baroques de l'**église des jésuites**.

Les plus vieux édifices de la ville se trouvent **place de l'Armée rouge** (*Červenej Armády*), qui occupe par ailleurs l'emplacement d'une mine du XIIIᵉ siècle. On distingue la **tour** de l'une des anciennes portes d'enceinte. Plus loin se dressent l'**ancien hôtel de ville** Renaissance, aménagé en galerie d'art, et l'**église paroissiale gothique**. Bâtie en 1479, la **maison dite du Roi Mathias Corvin** servait de résidence au

Pages précédentes : l'hiver dans les Basses Tatras. A gauche, maréchaux-ferrants au travail ; à droite, habitantes de Košice.

fonctionnaire chargé par le roi de contrôler l'exploitation de la mine. On peut également voir les vestiges des remparts et des tours du château construit au début du XVIᵉ siècle.

A **Zvolen**, comme à Banská, l'activité minière et ses richesses ont façonné l'architecture de la ville. Zvolen fonda sa prospérité sur l'extraction de l'argent. Pourtant, la ville présente moins d'intérêt que le magnifique **château** construit entre 1370 et 1382 par le roi de Hongrie, Louis Iᵉʳ le Grand (1342-1382). Au début du XVᵉ siècle, les hussites envahirent cette place forte. Mathias Corvin ne mit fin à « l'insurrection » hussite qu'en 1467, à la bataille de Kostolány. Au XVIᵉ siècle, l'édifice devint la propriété des Thurzo, associés des Fugger. La menace turque grandissant, ceux-ci élevèrent de puissantes fortifications. Ce sont finalement les Esterázy qui transformèrent le château en un imposant palais richement décoré. On peut y voir aujourd'hui une exposition d'œuvres d'art slovaques du Moyen Age.

Zvolen était autrefois un centre réputé dans le domaine de la sculpture sur bois, mais bien peu de vestiges témoignent encore de ce passé. Cependant cette tradition ne s'est pas totalement perdue, comme on peut le constater chaque année au mois de juillet, à l'occasion du festival folklorique.

Banská Štiavnica et Kremnica

Banská Štiavnica (Schemnitz) est, comme Kremnica (Kremnitz), une de ces « villes royales » où les rois de Hongrie – Géza II (1141-1162) le premier – installèrent des colonies allemandes afin d'exploiter les mines. Celles-ci fournissaient en effet aux souverains la plupart de leurs ressources financières. Le royaume étant structurellement endetté, les banquiers en vinrent progressivement à recouvrir directement leurs créances en s'assurant du produit de ces mines.

Sous le contrôle des Fugger, Banská Štiavnica fut, aux XVᵉ et XVIᵉ siècles, le plus gros producteur d'argent de

A Pâques, il est de coutume d'asperger ses voisines.

Hongrie. Cette prospérité permit le développement de nouvelles techniques d'extraction. Ainsi, les explosifs furent pour la première fois utilisés à Banská Štiavnica en 1627. Un système de pompes mécaniques, mis au point par des ingénieurs locaux, fit son apparition au XVIIIᵉ siècle. Une « école des mines », formant des ingénieurs, ouvrit ses portes en 1735. A la fin du XVIIIᵉ siècle, Banská Štiavnica était la deuxième ville la plus importante de Slovaquie.

Les anciennes demeures des propriétaires de mines constituent sans doute les plus beaux édifices de la ville. Leur architecture Renaissance – les fondations sont parfois plus anciennes – reflète bien l'énorme richesse qui afflua à Banská Štiavnica. La plupart de ces demeures bordent la **place de la Trinité** (Trojičné), dominée par une **colonne** baroque. Egalement située sur la place (au numéro 47), l'**ancien tribunal minier** fondait ses verdicts sur le « droit minier de Schemnitz », codifié en 1217. Ce bâtiment abrite à présent un **musée** consacré à la mine et aux techniques d'extraction employées depuis le Moyen Age. Non loin se dressent l'**église Saint-Nicolas** et l'**ancien hôtel de ville**.

A l'emplacement où s'élève le **château** se trouvait jadis une église romane. Mais devant la menace turque, les habitants décidèrent de fortifier la ville et d'utiliser ce site stratégique pour y construire une forteresse, entourée de murs épais et défendue par cinq tours.

Kremnica était un village ordinaire avant qu'une communauté de mineurs allemands s'y implante aux alentours du XIIᵉ siècle. Riches en or et en argent – on en extrait encore –, les montagnes environnantes apportèrent à la ville une soudaine prospérité. En 1328, Kremnica passa sous la juridiction royale et, en 1335, elle obtint du roi le privilège de frapper ses propres ducats d'or. Cette tradition fut perpétuée par l'hôtel de la monnaie, **rue Horná**, jusqu'à une époque récente. Une telle richesse n'a pas manqué de susciter les convoitises, et la ville a subi plusieurs assauts au

Mariage à la campagne.

cours des siècles. Elle fut même pillée par les hussites en 1434.

Parmi les maisons qui bordent la vaste **place du Iᵉʳ Mai** (1 Mája) bon nombre possèdent des soubassements médiévaux, même si elles furent agrandies ou reconstruites à la Renaissance. Le **musée municipal** (situé au numéro 7) vous propose de remonter dans le temps et de parcourir du regard l'histoire de la ville.

Jouxtant la place, construite sur une pente faiblement inclinée, le **château** du XIIIᵉ siècle servait à la fois de centre administratif et de chambre forte pour les métaux précieux. Au centre de l'enceinte renforcée de bastions se dressent une **église gothique** et un **donjon** menaçant.

Les châteaux de la région

Outre des villes pittoresques, chargées d'histoire, la Slovaquie centrale compte bon nombre de forteresses et de palais. Ce sont, au total, pas moins de soixante-dix châteaux parmi lesquels on trouve aussi bien des ruines que des édifices parfaitement restaurés.

Le **château de Bojnický Zámok**, à l'ouest de Prievidza, est généralement considéré comme l'un des plus beaux d'Europe centrale. Certains historiens situent sa construction vers l'an mil. Il changea ensuite fréquemment de propriétaires. On peut y admirer la magnifique collection de peintures que les seigneurs de Pálffy rassemblèrent. D'autre part, un **établissement de bains thermaux** se trouve juste sous les murs du château. Enfin, le parc accueille le plus vaste **jardin zoologique** de Slovaquie.

À une vingtaine de kilomètres au sud de Martin, le **château de Blatnický** domine la magnifique **vallée de Gaderská**. Invisible de loin, dissimulée par une vaste forêt, sa silhouette imposante surgit brusquement au détour du chemin – il n'est accessible qu'à pied. On en trouve mention pour la première fois dans des documents du XIIIᵉ siècle.

Fondée au croisement de voies commerciales anciennes, **Žilina** demeure

Les puissantes fortification du châteaux d'Orava.

aujourd'hui encore un carrefour d'échanges important. Décorée de très belles fresques, l'**église Saint-Stéphane** est une des plus vieilles églises romanes du pays. Un peu à l'est du confluent de la Váh et de la **Kysuca**, au nord de Žilina, s'élève le **château de Budatín**, construit au XIVᵉ siècle et rebâti dans les années 1920. Un musée consacré à la région de la Váh y a été aménagé.

En outre, Žilina constitue un excellent point de départ pour visiter la région qui borde la **rivière Orava**, à la pointe septentrionale de la Slovaquie. De nouvelles infrastructures touristiques se sont développées autour du **lac artificiel d'Orava**. Perché au sommet d'un piton calcaire dominant la rivière, 112 m plus bas, le **château de l'Orava** (construit au milieu du XIIIᵉ siècle) avait pour mission de garder la route conduisant en Pologne. On distingue d'ailleurs des ouvrages défensifs datant de différentes époques. L'édifice abrite à présent un **musée** consacré à l'histoire locale.

Le petit village de montagne de **Čičmany**, à une quarantaine de kilomètres au sud de Žilina, est réputé pour ses vêtements richement brodés et ses maisons de bois aux motifs colorés.

Vers les sommets

Au nord-est de Žilina, il faut suivre la **vallée de la Vrátna** jusqu'à **Terchová**, puis prendre au sud vers **Vrátna**. Là un téléphérique vous emmène un peu avant le sommet du **mont Kriváň** (1 709 m), le point le plus élevé de la **chaîne des Petites Fatras** (Malá Fatra). Notez au passage que Terchová est le village natal de Juro Jánošík, le Robin des Bois slovaque, héros d'innombrables contes populaires, qui fut pendu au début du XVIIIᵉ siècle. Plus à l'est, séparée des Petites Fatras par la vallée de la **Turie** (un affluent de la Váh) – dont **Martin** est la capitale régionale –, se dresse la **chaîne des Grandes Fatras** (Veľká Fatra), qui culmine au **mont Ostredok** (1 592 m).

Au-delà commence la **chaîne des Basses Tatras** (Nízké Tatry), un véritable paradis pour les randonneurs et les skieurs. Bâtie au bord de la **Biely**

Váh, en amont du **lac Mara**, **Liptovský Mikuláš** est le meilleur point de départ pour aller explorer les Basses Tatras. La ville possède un **musée** consacré au karst slovaque, et plus particulièrement au réseau de **grottes de Demänovská**, situé une dizaine de kilomètres au sud. Au bout de la route qui y conduit, vous trouverez l'auberge de montagne de **Jasná**. En face, on apperçoit le **mont Chopok** (2 024 m), et à l'est le **mont Ďumbier** (2 043 m), le point culminant des Basses Tatras. Ce dernier n'est accessible que par le sud, depuis **Čertovica** (prendre la route 72 au sud de Liptovský Hrádok).

En poursuivant au sud on parvient dans la **vallée de la Bystrá** dont les pentes douces séduiront les randonneurs débutants. Le village de **Bystrá** est équipé de remontées mécaniques et possède une piscine découverte. On peut également explorer les **grottes de Bystrianska**. La petite route qui prend la direction du nord aboutit à l'auberge de montagne de **Srdiečko**, au pied du versant sud du mont Chopok.

LA SLOVAQUIE ORIENTALE

Peu de régions de l'ex-Tchécoslovaquie présentent, comme la Slovaquie orientale, une combinaison aussi riche de beautés naturelles et de sites historiques. Au point que les habitants des régions de Spiš (autour de Levoča), de Šariš (autour de Prešov), de Zemplín (à l'est de Košice) et de Gemer (à l'ouest de Rožňava) et éprouvent le sentiment d'appartenir à une entité géographique différente du reste du pays.

Košice

Bâtie au pied des **monts Métallifères slovaques** (Slovenské Rudohorie), dans la vallée de la Hornád, **Košice** est la capitale régionale de la Slovaquie orientale et la deuxième ville du pays – elle était déjà la deuxième ville de Hongrie avant 1918. Fondée par des colons saxons, Košice gagna vite en importance. Dotée d'une charte municipale en 1244, elle fut élevée au rang de ville royale un siècle plus tard, et bénéficia du rarissime privilège de porter ses propres armes. Enrichie par les échanges commerciaux entre la Pologne et la Hongrie, elle devint également une métropole culturelle avec la fondation, en 1657, d'une université. Cet âge d'or se poursuivit jusqu'au XVIIIᵉ siècle quand la présence turque au sud et la guerre que le prince hongrois Ferenc Rákóczi mena contre les Habsbourg amorcèrent son déclin.

Mais pour beaucoup, Košice est d'abord la ville où fut formé, le 4 avril 1945, le gouvernement de coalition (le Front national) où étaient représentés les partis qui n'avaient pas collaboré avec les nazis. Le « programme de Košice » posa les bases de la future constitution tchécoslovaque d'après-guerre.

Un **musée** consacré à ces événements se trouve en face de la cathédrale. Construite dans la seconde moitié du XVᵉ siècle sur le modèle des cathédrales

Rue piétonne de Košice.

françaises, la **cathédrale Sainte-Élisabeth** (située place Slobody) est un chef-d'œuvre du style gothique flamboyant. « Ce monument du gothique tardif est un véritable manifeste de la culture christiano-romaine aux confins de ses frontières orientales » écrit Dobroslav Líbal. On peut voir une statue de sainte Élisabeth dans le **portail nord**. Le magnifique **autel** sculpté représente douze scènes de la vie de la sainte. A côté se dresse le **beffroi** (*Urbanova věža*) du XVe siècle, rebâti à la Renaissance. En remontant la place, après la **fontaine**, vous allez apercevoir le **Théâtre d'État**, un bâtiment très décoré de la fin du XIXe siècle. Au niveau de la rue Adyho s'élève l'**église jésuite**, bâtie entre 1671 et 1681 dans un style baroque précoce.

En trente ans, la ville de Košice est passée de 30 000 à 220 000 habitants – dont 15 000 Tziganes. Ce bond en avant a résulté de la volonté du régime communiste de faire de Košice et de sa région un grand centre sidérurgique, bien que les ressources en minerai de fer et en eau aient été manifestement insuffisantes. La Slovaquie se retrouve aujourd'hui à la tête d'un complexe industriel peu rentable et désastreux pour l'environnement, dont le seul aspect positif fut la création d'une université technologique.

De Prešov à Bardejov

Trente-six kilomètres d'autoroute séparent Košice de **Prešov** (au nord). Ce pôle économique de 72 000 habitants se signale surtout comme un centre culturel ukrainien important. La ville compte d'ailleurs deux théâtres, l'un slovaque et l'autre ukrainien. Les Ukrainiens représentaient 0,3 % de la population de l'ex-Tchécoslovaquie et sont répartis le long de la chaîne des Beskides. Outre une très belle place ornée de demeures gothiques et Renaissance, Prešov possède un magnifique palais, le **Rákoczyho Palác**. Ce dernier était la résidence des Rákhóczy, d'où sont sortis plusieurs princes de Transylvanie, et qui se sont illustrés dans la lutte contre l'hégémonie Habsbourg en Hongrie.

Profitant de sa position privilégiée au carrefour des routes reliant la Hongrie,

la Pologne et l'Ukraine, **Bardejov** (à 41 km au nord de Prešov) devint, dès le début du XIVe siècle, une ville marchande prospère. Élevée au rang de ville libre royale en 1376, elle connut une fortune croissante jusqu'au XVIIe siècle. Une tentative de révolte contre le pouvoir des Habsbourg amorça alors son déclin. Mais c'est peut-être cette stagnation économique qui a permis de conserver intactes la ville médiévale (fondée en 1219) et ses **fortifications gothiques** (du XVe siècle), dont on peut encore voir les remparts, les bastions et les fossés.

Alliant les styles gothique et Renaissance, le cœur historique de Bardejov fait l'objet de travaux de restauration depuis 1954. Le joyau de cet ensemble est sans conteste l'**église gothique Saint-Egidius** (du XIVe siècle). Particulièrement riche, l'ornementation intérieure compte onze magnifiques autels (de la fin du XVe siècle) avec leurs peintures et leurs sculptures d'origine. Le bâtiment voisin, l'**hôtel de ville**, date de 1509 et abrite les archives municipales et un musée.

La célèbre Madone de la cathédrale Sainte-Élisabeth, à Košice.

Les eaux de la petite station thermale voisine de **Bardéjovské Kúpele** (la deuxième de Slovaquie après Piešťany) sont connues depuis le Moyen Age. Elles sont recommandées pour le traitement des problèmes digestifs.

De Prešov à Levoča

Bâti au sommet d'une arête rocheuse dominant le village de Spišské-Podhradie (44 km à l'ouest de Prešov), le **château fort de Spiš**, la plus grande forteresse de Slovaquie, offre un spectacle très impressionnant (voir la photo pages 272-273). Construit au XIIe siècle, le château apparaît pour la première fois dans les documents en 1209. Occupant une position stratégique, il a connu, au cours des siècles, de nombreux remaniements. Ravagé par un incendie en 1780, l'édifice tomba peu à peu en ruine. Sa restauration a commencé en 1969.

Avec vingt-trois autres villes de la région, **Spišské-Podhradie** appartenait à la ligue de Spiš, créée à la fin du XIIIe siècle, et placée sous l'autorité de la ville royale de Levoča. Spišské-Podhradie était alors un centre artisanal important.

Levoča fut fondée au XIIe siècle par des colons saxons, que le roi de Hongrie avait encouragés à s'établir aux frontières du royaume de manière à contenir les incursions mongoles. Cette fonction défensive se lit dans les puissantes **enceintes gothiques** (des XIVe et XVe siècles), jalonnées à intervalles réguliers de bastions rectangulaires qui ceinturent la ville. Après celle de Košice, la **cathédrale gothique Saint-Jacques** (du XIVe siècle) est la plus vaste de Slovaquie. Elle renferme d'autre part une œuvre d'art unique en Europe : un **autel gothique** en bois (du début du XVIe siècle), haut de 18 m et large de 6 m, exécuté, sculpté et doré par maître Pavol. A côté de Saint-Jacques, **place Mierové**, se dresse l'**hôtel de ville**. De style gothique à l'origine, ce bâtiment reçut de nombreux embellissements Renaissance autour de 1560, comme en témoignent les magnifiques arcades et le beffroi qui surmonte l'ensemble. Il abrite à présent un **musée** contenant des œuvres d'art et des expositions consacrées à l'histoire régionale. De part et d'autre de la place, on peut voir de très belles demeures Renaissance qui rappellent que Levoča était un centre commercial prospère. L'ancien **siège du « gouverneur » régional**, situé au n° 59, et l'**église Évangélique**, fréquentée par la communauté allemande de rite protestant, sont de style Empire. Parvenu jusqu'à la **porte Košice**, l'une des anciennes portes d'enceinte, vous apercevrez l'**église des frères mineurs**, construite en 1750. A l'ouest de la **place Slobody**, le *gymnázium*, le collège, est surmonté d'une superbe tour.

Les églises en bois

Située à une trentaine de kilomètres au nord-ouest de Levoča, la petite ville de **Kežmarok** possède quelques monuments intéressants : l'**église de la Sainte-Croix**, alliant les styles roman et gothique, une **forteresse** gothique transformée en palais et, plus rare, un **temple protestant** en bois. Cet édifice

Le piment pousse bien sous le climat de Slovaquie orientale.

du XVIIIe siècle présente les principales caractéristiques des temples évangéliques construits en bois (principalement aux XVIIe et XVIIIe siècles) : plan en croix avec galeries latérales et volume intérieure compact. Les peintures intérieures représentent des scènes de l'Ancien Testament. Notez également que si l'église est faite en bois de pin, les bancs et les colonnettes ont été fabriqués dans de l'if, un matériau rare et coûteux.

Outre ces édifices, que l'on rencontre également en Silésie et dans le nord de l'Europe, on peut voir, dans certains villages du nord et de l'est de la Slovaquie, deux autres types d'églises en bois.

Pour la plupart, les églises de culte catholique – souvent les plus anciennes – se présentent comme une adaptation d'édifices gothiques en pierre : nef allongée couverte d'un toit incliné, clocher, abside. Le village d'**Hertvatov**, à quelques kilomètres au sud de Bardejov, en possède l'un des plus beaux exemples, édifié au XVe siècle. A l'intérieur, on peut admirer quelques

très rares fragments de peintures médiévales, ainsi que de deux fresques murales (sur la paroi nord) représentant, l'une, la parabole des Vierges sages et des Vierges folles, l'autre, un saint Georges terrassant le dragon.

Les églises de rite oriental, presque toutes orthodoxes, sont les plus fréquentes. Situées géographiquement à la rencontre de deux puissantes sphères culturelles, le monde russo-byzantin et la civilisation christiano-latine, ces édifices empruntent des traits à l'une et à l'autre, même si le modèle byzantin domine. Ce dernier se lit dans la forme carrée du sanctuaire et de la nef, surmontés d'une « coupole » en bois, dans les toits superposés, terminés par un bulbe, ainsi que dans la présence d'un iconostase. L'influence latine se révèle davantage dans des détails stylistiques (forme des portes et des fenêtres), inspirés du gothique. On peut visiter, à titre d'exemple, les églises le **Ladomirová** et de **Mirol'a**, situées une cinquantaine de kilomètres au nord-est de Prešov, non loin de Svidnik.

La façade d'une maison de Bardejov.

LES HAUTES TATRAS

Les premières paroles de l'hymne national slovaque – « Au-dessus des Tatras, les éclairs brillent, et le tonnerre gronde sauvagement. » – disent la fierté des Slovaques, peuple de montagnards, lorsqu'ils aperçoivent les cîmes bleutées. Plus que toute autre région de Slovaquie, les majestueuses Vysoké Tatry, les Hautes Tatras, jouissent de la faveur des visiteurs slovaques et étrangers. En parcourant les nombreux sentiers qui sillonnent le parc national des Tatras, le Tatransky Národní Park, on peut observer une nature demeurée à l'état sauvage. Presque tous les sommets sont accessibles et, de tous les points du parc, on a une vue magnifique sur l'arête des sommets.

Physionomie des Hautes Tatras

Partie la plus septentrionale de la chaîne des Carpates, longue de 1 200 km, les Tatras s'étendent sur environ 64 km le long de la frontière slovaco-polonaise. Ces montagnes granitiques, sculptées par les glaciers qui recouvraient des massifs durant l'ère quaternaire, présentent un caractère alpin, même si elles n'atteignent pas les altitudes fréquentes dans les Alpes. Les glaciers ont pratiquement disparu, il n'en reste que quelques vestiges sur les versants nord.

Des massifs jeunes, les Tatras possèdent la physionomie déchirée : étroites arêtes rocheuses, profondes vallées glaciaires, à-pics nombreux. Les pentes de faible altitude sont couvertes de forêts denses de conifères, qui laissent place, entre 1 500 et 1 800 m, à une végétation plus clairsemée de taillis et de pins nains, enfin, au-delà commence la flore rare des sommets.

Environ 300 sommets ont été identifiés, mesurés et baptisés. Jusqu'à ce qu'un tremblement de terre le décapite, au XVIe siècle, le pic le plus élevé, le **mont Slavkovský** dépassait les 2 700 m. Les masses rocheuses qui furent projetées alors dans la **vallée de Veľká Studená** attestent la violence de l'explosion. Le **Gerlachovský** (2 655 m)

et le **Lomnický** (2 632 m) sont les sommets les plus élevés.

Au total, on compte une trentaine de vallées et une centaine de lacs glaciaires, parmi lesquels le magnifique **Veľké Hincovo** qui couvre une superficie de 20 ha pour une profondeur maximun de 50 m. Toujours très impressionnantes, les chutes d'eau sont relativement abondantes dans les Tatras. Notons parmi les plus spectaculaires celles de **Kmeťov**, dans la **vallée de Nefcerka**, hautes de 80 m, celles de **Studenovodské Vodopády** et de **Skok** dans la **vallée de Mlynická**, ou enfin, celles de **Obrovský**, dans la **vallée de Studenovodská**.

Particularités climatiques

Outre un décor naturel magnifique, les Tatras bénéficient d'un climat très agréable, lié au fait qu'elles sont entourées de chaînes montagneuses moins élevées. Ce microclimat, unique en Europe centrale, se traduit par un taux d'ensoleillement (1 800 à 2 000 heures de soleil par an) aussi élevé que dans le sud-est du pays, et un air très pur préservé de toute pollution. L'hiver est froid, au-dessous de 0 °C, mais relativement sec. Les premières neiges font leur apparition en novembre, les dernières tombent en avril. La fonte commence sur les versants exposés au sud dès le mois de mai. L'été, vers 1 000 m d'altitude, la température varie entre 12 °C et 15 °C. C'est la saison la plus humide – il n'est pas rare qu'il neige.

Comme souvent en montagne, les brusques variations climatiques sont monnaie courante. En effet, les différences de température entre les vallées et les sommets engendrent de puissants mouvements de masse d'air et, en quelques minutes, les pics ensoleillés se recouvrent de brume.

On peut également y observer des phénomènes plus rares : des effets de mirage, que crée la lumière en se reflétant d'une montagne à l'autre, des bourrasques de vent sec et chaud, le fœhn – que l'on rencontre aussi en Suisse et dans le Tyrol – qui atteint parfois 150 km/h. Les courants d'air de très haute altitude apportent parfois du

Pages précédentes : le mont Gerlachovský (2 655 m), plus haut sommet de Slovaquie. A gauche, grimpeurs dans les Hautes Tatras.

sable du Sahara, qui se dépose sur les arêtes enneigées des Tatras. Enfin, les incessantes variations de la luminosité au lever du soleil et en soirée sont au nombre des phénomènes typiques de cette région.

La faune

Les Hautes Tatras abritent de nombreuses espèces animales disparues dans la plupart des autres pays européens. On y rencontre des ours bruns (environ cinq cents en Slovaquie), des loups, des lynxs, des chats sauvages, des marmottes, des loutres, des martres, des visons et des chevaux sauvages. Le chamois des Tatras, considéré depuis de nombreuses années comme une espèce menacé, a fait sa réapparition dans les montagnes slovaques.

La chasse est strictement interdite dans les Parcs nationaux mais la plupart de ces espèces sont encore chassées dans le reste du pays. Parmi les oiseaux communs de la région – et qui peuvent être chassés – on trouve des faisans, des perdrix, des oies sauvages et plusieurs espèces de canards. Les oiseaux rares, l'aigle royal, le grand-duc, le vautour, la cigogne, le balbuzard, le grand coq de bruyère et l'outard sont en revanche protégés.

Le paradis des randonneurs

L'automne est probablement la meilleure saison pour effectuer des randonnées dans les Tatras. Certes, les journées sont plus courtes, mais le ciel atteint sa clarté maximale et prend une teinte bleu profond. Quant aux pentes boisées, elles se colorent de mille nuances allant du vert au rouge. Un réseau de 350 km de sentier balisé permet aux randonneurs de tous niveaux de découvrir vallées, lacs glaciaires et plateaux d'altitude moyenne. En revanche, la chaîne des plus hautes cimes – longue de 26 km, entre le L'aliové Sedlo et le Kopské – n'est accessible qu'aux alpinistes de haut niveau – les faces nord de ces sommets sont considérées comme particulièrement difficiles.

L'approch du mont Rysy en automne.

L'hiver, la pratique du ski de fond et du ski alpin attire dans les Hautes Tatras un grand nombre de visiteurs. Il est donc particulièrement recommandé de réserver. Sur le plan des transports, la région, bien qu'excentrée, est assez bien desservie. Vous avez le choix entre les bus qui font la liaisons Bratislava-Tatranská Lomnica (via Nitra, Banská Bystrica et Starý Smokovec), ceux qui viennent de Prešov (via Levoča), les trains express reliant Bratislava à Košice, dans ce cas changez à Proprad ; un train fait la liaison avec Stary Smokovec.

Il y a un siècle, il n'existait aucune route directe conduisant dans les Tatras. Aujourd'hui, la **Cesta Slobody**, la « voie de la liberté », encercle tout le massif jusqu'à la frontière polonaise, desservant les principaux centres touristiques : Štreské Pleso, Starý Smokovec et Tatranská Lomnica. D'autre part, le développement du tourisme explique que vous trouviez une gamme d'équipements hôteliers plus large qu'ailleurs : de l'hôtel grand luxe au simple refuge de montagne.

'arête du mont Kriváň se tache de a chaîne s Hautes Tatras.

La « Magistrale »

Le meilleur itinéraire pour découvrir la région consiste sans doute à emprunter le sentier baptisé la « **Magistrale** », la Magistrála. Cette piste bien entretenue, et indiquée en rouge, traverse les Tatras de Podbanské, à l'ouest de Štrbské Pleso, à Tatranská Kotlina, à une altitude comprise entre 1 300 m et 2 000 m.

La première partie du trajet longe des berges du **lac Jamské**, poursuit ensuite jusqu'à Štrbské Pleso, passe près du **lac Popradské**, puis le long du **lac de Batízovské**, monte en zig-zag au sommet de l'**Ostrava** (1 959 m), dépasse le **mont Túpa** pour atteindre le **chalet de Sliezsky**. De là, le sentier suit les pentes du **mont Slavovský** (2 452 m), passe le **lacs Sesterské**, et aboutit au **Hrebienok** (tout près du chalet Bilikova). Traversant successivement les **vallées de la Veľká Studená et de la Malá Studená**, la piste remonte jusqu'à Skalnaté Pleso.

Cheminer le long de la Magistrála est une expérience inoubliable, même pour

les marcheurs peu expérimentés, surtout si l'on prend le temps de faire de courts détours pour explorer les vallées et les hauteurs environnantes. Avant d'entreprendre un trajet vérifiez cependant qu'il vous reste suffisamment de temps avant la tombée de la nuit – les temps de marche d'un point à un autre sont souvent indiqués sur les panneaux qui balisent les pistes. Si vous souhaitez entreprendre une ascension difficile, ou un long parcours, renseignez-vous au préalable auprès des associations de secouristes (Horska Sluzba) présents dans tous les gros villages.

Quelques excursions

De **Podbanské**, Tri Studničky, ou du **chalet de Furkotská**, grimpez jusqu'à Kmeťov pour admirer les **chutes d'eau de Vajanského**, dans l'ombre du mont Kriváň. De là, on rejoint deux itinéraires intéressants : le premier conduit, au-delà de la crête du Koproské, aux **lacs de Hincovo et de Popradské** ; le second, vous emmène vers la **vallée de la Furkotská** et les **lacs de Wahlenbergové**.

Perché à 1 355 m, dans la vallée de la Furkotská, non loin du lac du même nom, **Štrbské Pleso** est le plus haut village de Slovaquie. C'est le point de départ de nombreuses pistes et la principale station de sports d'hiver de la région, mais les files d'attente pour les remontées mécaniques sont plus longues qu'ailleurs. On y skie de décembre à mai.

Il faut environ une heure (piste rouge) pour atteindre à pied le **lac Pleso** (1 447 m) ; il en faut sept (piste bleue), aller et retour, pour se rendre jusqu'au Kriváň (2 494 m). Un téléphérique relie Štrbské Pleso à **Solisko**, à 2 093 m d'altitude, où l'on peut se rafraîchir. Une journée entière est nécessaire pour remonter la vallée de la Furkotská (piste bleue, à la sortie du téléphérique), franchir le **Bystré Sedlo** (piste jaune), et enfin redescendre dans la **vallée de la Mlynická**, passer les chutes d'eau de Skok et les lacs Vyšné Kozie et Capie, et rentrer à Štrbské Pleso.

Le sommet du **mont Rysy** (2 499 m), sur la frontière polonaise réserve l'une des plus belles vues sur les Tatras. Pour s'y rendre, grimpez jusqu'au lac Popradské (piste rouge), puis remontez la **vallée de la Mengusovská** (piste bleue), puis suivez la piste rouge jusqu'au sommet. En passant vous croiserez le « chata pod Rysmi », le plus haut chalet de Slovaquie.

De **Tatranská Polianka**, rendez-vous au chalet de Sliezsky puis, du lac Velické, grimpez jusqu'au Poľský Hrebeň, avant de redescendre dans la vallée de la Bielovodská, pour atteindre Javorina, non loin de la frontière polonaise. De Sliezsky, on peut également se rendre au sommet du Hrebienok, ou prendre vers l'ouest jusqu'au lac Batizovské, et de là descendre vers le village de **Vyšné Hágy**. Enfin, de Sliezsky, de bons alpinistes accompagnés d'un guide peuvent s'attaquer au Gerlachovský (2 655 m).

De **Starý Smokovec**, un funiculaire vous dépose à Hrebienok (où l'on peut skier) et de là, le chemin qui mène au **Slavosky** (2 452 m) est long (environ neuf heures) mais raisonnablement difficile.

Chalet de Tatranská Lomnica, au pied du mont Lomnický.

Un autre itinéraire consiste à remonter la vallée de la Veľká Studená jusqu'au chalet de Zbojnická, puis à prendre la direction du Poľsky Hrebeň, avant de descendre vers le chalet de Sliezsky. Enfin, vous pouvez aller admirer les chutes de Studenodské, avant de vous reposer au chalet de Téryho, qui a la particularité d'être géré par un écrivain de réputation, Belo Kapolka.

Tatranská Lomnica (860 m) est un petit village pittoresque, dont le principal centre d'intérêt est le **musée du Parc national des Tatras**. Outre des expositions consacrées au folklore de la région, on peut y voir une très belle collection de plantes provenant du massif des Spišska Magura. C'est également un point de départ idéal pour visiter la région – bon nombre d'excursions en groupe partent d'ailleurs de là. Les partisans d'un effort plus raisonnable apprécieront le téléphérique, construit en 1937. Ce dernier fait une halte à **Skalnaté Pleso**, à 1 750 m, avant de finir son ascension au sommet du **mont Lomnický** (2 632 m). Le téléphérique étant très fréquenté, il est conseillé de se présenter au guichet assez tôt pour réserver sa place.

A **Skalnaté Pleso**, vous pourrez séjourner à l'hôtel Encián et visiter l'observatoire. De l'hôtel, une piste conduit aux chutes de Studenovodské, au-dessus de Hrebienok, une autre descend dans la vallée occupée par les lacs Bielé et Zelené, puis retourne à Tatranská Lomnica.

Pour ceux qui souhaitent éviter les « foules », et qui ne sont pas attirés uniquement par les très hauts sommets, la région située entre Tatranská Kotlina et Javorina est tout indiquée. A une vingtaine de minutes de marche de **Tatranská Kotlina**, les **grottes de Belanská** (découvertes en 1881) offrent un spectacle très impressionnant.

Niché dans la vallée de la Biela, entre le massif des Spišská Magura et les Tatras Blanches (Belianské Tatry), **Ždiar** est un authentique village de montagne des Carpates avec ses maisons en bois peintes et, parfois, ses habitants revêtus des costumes traditionnels.

Ambiance de chalet après une journée de randonnée.

INFORMATIONS PRATIQUES

PRÉPARATIFS
ET FORMALITÉS DE DÉPART

PASSEPORT ET VISA

Pour tout séjour inférieur à trois mois, les ressortissants français, belges et suisses n'ont besoin que d'un passeport en cours de validité. Les visiteurs canadiens devront en revanche y ajouter un visa indiquant la durée de leur séjour. Mais cette démarche (un formulaire et deux photos) doit pouvoir s'effectuer très rapidement – il est même possible d'obtenir ce visa à certains postes frontières.

AMBASSADES ET CONSULATS

● **République tchèque**

France
Consulat général de République tchèque
18, rue Bonaparte, 75006 Paris, tél. (1) 44 32 02 00
Belgique
152, avenue A. Buyl, 1050 Bruxelles,
tél. (2) 64 75 898 / 79 296 / 77 126
Suisse
Muristrasse 53, Postfach 16, 3000 Berne,
tél. (31) 44 36 45 / 85 99 / 39 25
Canada
50, Rideau Terrace, Ottawa, Ontario, K1M 2A1,
tél. (613) 749-1566 / 749-0033

● **Slovaquie**

France
125, rue du Ranelagh, 75016 Paris,
tél. (1) 44 14 56 00
Belgique
118, avenue Brugmann, 1060 Bruxelles,
tél. (2) 34 33 505 / 36 132
Suisse
Phunstrasse 99, 3006 Berne, tél. (31) 44 36 46 / 47
Canada
50, Rideau Terrace, Ottawa, Ontario, K1M 2A1,
tél. (613) 749-4442 / 749-4450

ALLER EN RÉPUBLIQUE TCHÈQUE

EN AVION

Prague est bien insérée dans le réseau du transport aérien international. Pratiquement toutes les grandes compagnies aériennes desservent la capitale tchèque. Au départ de Roissy, le vol dure environ 1 h 40.

L'aéroport de Ruzyně est à 20 km au nord-ouest de Prague. Un service public de bus assure la liaison avec le centre-ville, numéros 254 et 119 de la station de métro Dejvická (ligne A), numéro 108 de la station de métro Hradčanská (ligne A), numéro 179 de la station de métro Butovice (ligne B). Outre les taxis, on peut également emprunter les bus de la compagnie aérienne tchèque, ČSA. Ces bus partent de l'agence de voyages Vltava (*25 rue Revoluční, Prague 1*), font un arrêt à la station de métro Dejvická (ligne A) et se rendent directement à l'aéroport. Le trajet dure environ une demi-heure et un billet coûte 15 couronnes. L'agence de voyage Čedok a mis en place une navette reliant l'aéroport aux hôtels de la chaîne Interhotel (entre 11 h et 16 h).

EN TRAIN

Des trains directs relient Prague à l'Allemagne et à l'Autriche. De Stuttgart et de Munich, le voyage dure environ huit heures. Il faut compter dix heures depuis Francfort et six depuis Berlin, ou Vienne. En règle générale, les cartes Eurorail et ses équivalents ne sont pas utilisables sur les lignes intérieures.

Sous réserve de modifications d'horaires, l'**Express Paris-Prague** – connu à Prague sous le nom de Zapadní Express – via Francfort et Nuremberg, quitte la gare de l'Est à 23 h et arrive à Prague le lendemain à 17 h 53 : soit dix-neuf heures pour un trajet d'environ mille kilomètres.

Tous les trains en provenance du sud de l'Allemagne et d'Autriche ont pour terminus la Gare principale (*Hlavní nádraží*), aussi appelée la gare Wilson (*Wilsonovo nádraží*), ceux qui viennent de Berlin terminent leur trajet à la gare Masaryk (*Masarykovo nádraží*) ou à la gare Holešovice (*Nádraží Holešovice*). Les voyageurs venant d'Allemagne peuvent se rendre directement dans les stations thermales de l'ouest de la Bohême en empruntant la ligne Nuremberg-Cheb.

Des billets pour les lignes intérieures et internationales peuvent être achetés en devises. S'adresser à : l'Agence Čedok, *Na příkopě 18, Prague 1, tél. (02) 212 71 11.*

Pour obtenir des informations sur les horaires et les correspondances, contacter le *(02) 236 44 41*, à Prague, entre 7 h et 15 h 30 ; la gare Wilson pour ce qui concerne les rapides internationaux (billets, réservations et couchettes), station de métro Hlavní nádraží (ligne C), *tél. (02) 235 38 36* ; la gare Smichov, station de métro Smíchovské (ligne b), *tél. (02) 2161 50 86.*

EN AUTOCAR

Certaines agences françaises organisent des liaisons Paris-Prague en autocar pour un rapport qualité prix très raisonnable. Des agences privées tchèques proposent le même service mais dans des conditions plus rustiques. L'agence **ČSAD Klíčov** (contacter Euroline, à Paris, au *(1) 42 43 26 99*) propose trois départs hebdomadaires depuis la porte de la Villette.

Le choix est naturellement beaucoup plus large si on part d'Allemagne ou d'Autriche. Voici, à titre d'exemple, les coordonnées de deux agences spécialisées :
Deutsche Touring
Am Römerhof 17, 6000 Francfort,
tél. (069) 79 03 248
Autobus Oberbayern
Lenbacplatz 1, 8000 Munich 2,
tél. (089) 55 80 61

Pour tout renseignement sur les correspondances avec les lignes intérieures, contacter : **la gare autoroutière Florenc** (station de métro Florenc, ligne B et C) entre 6 et 20 h
Na Florenci, Prague 8,
tél. (02) 22 14 45
Les agences Autoturist
tél. (02) 290 956 , (02) 295 096 , (02) 204 300
Bohemia Tours
tél. (02) 232 38 89

EN VOITURE

● **Précautions indispensables**
Si on décide d'utiliser son véhicule, on découvre le bien-fondé de la réputation des autoroutes allemandes mais, une fois la frontières tchèque franchie, le voyage risque d'être un peu plus difficile : la qualité des routes est très inégale – sur les 73 793 km du réseau routier de l'ex-Tchécoslovaquie, il n'y a que 403 km d'autoroutes – les stations-services ne sont pas aussi répandues qu'en Europe de l'Ouest, et si on est victimes d'une panne, sauf si on possède une Škoda, on a peu de chances de trouver des pièces détachées. Aussi n'est-il pas inutile de contacter, avant le départ, une association d'automobilistes, ou son assureur, afin de préparer une telle éventualité. Se procurer également les coordonnées du concessionnaire local de la marque du véhicule.

Plusieurs garages de Prague effectuent des réparations rapides 24 heures sur 24.

Macurova 10, Prague 4, tél. (02) 791 91 57
Lodzská 14, Prague 8, tél. (02) 855 83 81.
On peut également joindre :
le Central du Service de dépannage routier
tél. (02) 773 45 53
Autoturist, *Ječná 40, Prague 1, tél. (02) 293 723*
L'Automotoklub de Prague, *tél. 123*
L'agence Pragis Assistance, *tél. (02) 758 115*
« **Ange jaune** » (agence Autoturist), *tél. 154*

On trouve désormais de l'essence sans plomb dans la plupart des grandes stations-services, mais aucune chance de faire le plein pendant la nuit, en pleine campagne !

● **Postes frontière**
L'automobiliste venant d'Allemagne peut se rendre à Prague *via* les principaux postes frontières suivants :
– Schirnding / Pomezi en venant de Bayreuth
– Waidhaus / Rozvadov en venant de Nuremberg
– Furth im Wald / Folmava en venant de Regensbourg
– Phillipsreuth / Strážný en venant de Passau
– Bayrisch Eisenstein / Železná Rudá en venant de Munich
– Zinnwald / Cínovceb en venant de Berlin
Si on entre en République tchèque *via* l'Autriche, les principaux postes frontières sont :
– Linz Summerau / Horni Dvořiště en venant de Salzbourg
– Gmünd / České Velenice, ou Grametten / Nová Bystřice en venant de Vienne

● **Documents nécessaires et réglementations routières**
Le code de la route tchèque est presque identique au nôtre : conduite à droite ; port obligatoire de la ceinture de sécurité et du casque pour les motards ; les enfants de moins de douze ans doivent s'asseoir à l'arrière du véhicule ; interdiction absolue de prendre le volant après avoir consommé de l'alcool ; vitesse limitée à 60 km/h dans les agglomérations, 90 km/h sur les routes secondaires et 110 km/h sur les autoroutes – un excès de vitesse coûte environ 500 Kčs (couronne tchèque).

Dans les villes, se garer de préférence sur les parkings gardés – ne serait-ce que par souci de sécurité – les zones piétonnières et les stationnements réservés sont nombreux et pas toujours indiqués, on risque l'enlèvement immédiat.

Les automobilistes étrangers doivent se munir de leur permis national, du permis international, de la carte grise, de l'attestation d'assurance et signaler leur nationalité par un autocollant extérieur. Aucun document particulier n'est nécessaire pour les caravanes, les bateaux et les remorques. Au moment du franchissement d'une frontière s'armer de patience : les contrôles peuvent être très longs – les douaniers ont conservé cette méfiance acquise sous le régime communiste.

EN BATEAU

On peut se rendre en République tchèque par la voie fluviale. Des bateaux remontent l'Elbe depuis Dresde *via* Schmilka-hřensko.

ALLER EN SLOVAQUIE

EN AVION

Avant la séparation des deux pays, Bratislava n'était desservie que par un petit nombre de vols internationaux. De plus, les lignes de ČSA faisaient d'abord escale à Prague. Au moment de la publication de ce guide, on ignore encore dans quelle proportion la compagnie tchèque maintiendra ses vols en direction de Bratislava. A terme, la Slovaquie devrait mettre en place ses propres lignes aériennes et créer sa propre compagnie. La solution la plus simple demeure donc de transiter par Vienne – qui n'est qu'à 56 km de la capitale slovaque – et de finir le trajet en train (environ trois heures), ou en bus (environ deux heures).

La compagnie ČSA possède deux agences à Bratislava :
– Une pour les vols internationaux, *Mostová 3, tél. (07) 31 12 17, (07) 31 12 03*
– Une seconde pour les vols intérieurs, *Gorkého 3, tél. (07) 33 07 88, (07) 33 07 90*

Un bus ČSA se rend directement à l'aéroport ; il quitte l'agence Mostová une heure avant l'embarquement pour les vols intérieurs et deux heures avant l'embarquement pour les vols internationaux. Le bus 24 relie la Gare principale (*Hlavná stanica*) et l'aéroport.

EN TRAIN ET EN AUTOCAR

Outre la ligne Vienne-Bratislava précédemment mentionnée, il existe naturellement de nombreux trains au départ de Prague (se reporter aux renseignements pratiques énumérés plus haut). Le trajet dure environ cinq heures.

Le voyage en autocar est en général un peu plus cher, mais on gagne une heure.

EN VOITURE

Les visiteurs en provenance d'Autriche peuvent emprunter l'autoroute de Vienne, *via* Hainburg, qui longe le Danube et franchit la frontière à Petržalka. Venant de République tchèque, on peut se tromper, il n'y a qu'une autoroute reliant Prague, Brno et Bratislava. Les règles de conduite énoncées à propos de la République tchèque s'appliquent également en Slovaquie. Quant aux mises en garde, elles sont doublement de rigueur, mais l'aventure est peut-être à ce prix ?

EN BATEAU

On ne saurait trop conseiller ce périple sur le Danube, reliant Vienne à Bratislava. D'avril à octobre, un hydrofoil fait quotidiennement la navette entre les deux capitales. Le restant de l'année, ce service ne fonctionne que le jeudi, le vendredi et le samedi.
DDSG-Danube, *Handelskai 254, A-1021, Vienne, tél. (01) 21 75 00*

A L'ARRIVÉE

DOUANES

Les contrôles douaniers sont fréquents et les règlements appliqués avec rigidité. Avant d'entrer en République tchèque et en Slovaquie, on remet aux visiteurs un document énonçant ces règles douanières. Le mieux est encore de s'y conformer.

IMPORTATIONS

Chaque voyageur peut importer les quantités suivantes de marchandises à caractère non commercial sans payer les droits douaniers : 200 cigarettes, ou 100 cigarillos, ou 50 cigares, ou 250 g de tabac, ou une quantité adéquate de ces articles assortis ; 1 l d'alcool, 2 l de vin, 50 g de parfum, ou 0,25 l d'eau de toilette. Les médicaments, dont la quantité et le type correspondent au besoin personnel du voyageur, sont autorisés. Chaque personne peut importer des marchandises pour une valeur totale douanière de 3 000 Kčs sans acquitter de droits de douane. Si on a décidé de faire découvrir l'architecture baroque à un animal domestique, il faudra présenter le certificat international de vaccination, avec la confirmation de vaccination contre la rage et un examen médical de l'animal provenant de son lieu de domicile et datant de moins de trois jours.

EXPORTATIONS

Dans le cadre des exportations non-commerciales, on peut exporter n'importe quelle marchandise sans limitation de valeur. Au moment d'acheter des antiquités ou des œuvres d'art se renseigner tout de même sur les conditions de leur exportation.
Administration centrale des douanes *Prague, tél. (02) 232 22 70*

MONNAIE ET DEVISES

Les couronnes tchèque et slovaque – cette dernière récemment mise en circulation – ne sont exportables, ni convertibles dans les banques étrangères. Mais sur place, on n'a aucun mal à changer des devises – ces pays en ont grand besoin. La libéralisation n'a pas vraiment fait apparaître le marché privé des changes, il faisait partie du paysage traditionnel des pays communistes. En revanche, elle en a considérablement dynamisé l'essor et on trouve de ces petites officines un peu partout. Vous rencontrerez également les fameux changeurs de rue, les *veksláci* – mais outre que recourir à ceux-ci est illégal, sans compter les mauvaises surprises : fausse monnaie, liasse de billets truquée, zloty polonais – certains billets se ressemblent beaucoup – acheté au cours de la couronne tchèque, etc. De plus, le mark et le dollar étant beaucoup plus recherchés que le franc français, le gain est loin de jusifier de tels risques. Il faut enfin savoir qu'on ne peut changer les couronnes contre des devises que sur la présentation du reçu – légal – qui accompagne tout achat de couronnes.

Les cartes de crédit ne sont utilisables que dans les hôtels internationaux, les grands restaurants et les magasins de luxe. Les chèques de voyage sont acceptés dans toutes les banques et bureaux de change. La présence sur place de certaines banques françaises – la Société générale, le C.I.C., le C.C.F., le Crédit lyonnais, la B.N.P. – offrent également certaines facilités.

La couronne tchèque (*koruna*, ou Kčs) se divise en 100 *halérs*.
Il y a des billets de 10, 20, 50, 100, 1 000 et 2 000 Kčs, des pièces de 1, 2, 5 et 100 Kčs, ainsi que des pièces de 5, 10, 20 et 50 *halérs*.
En juin 1994 les Kčs tchèque et slovaque valent toutes deux 0,20 FF.

A SAVOIR SUR PLACE

HEURE LOCALE

Il n'y a pas de décalage horaire entre la France, la Belgique, la Suisse et les Républiques tchèque et slovaque. Lorsqu'il est midi dans les Républiques tchèque et slovaque, il est 6 h au Canada.

ÉLECTRICITÉ

Les réseaux tchèques et slovaques fournissent presque exclusivement du courant électrique alternatif en 220 volts.

HORAIRES D'OUVERTURE

La plupart des magasins sont ouverts du lundi au vendredi, entre 9 h et 17 h – mais il n'est pas rare que les petites boutiques ferment deux heures pour le déjeuner, vers treize heure – et jusqu'à 12 h ou 13 h le samedi, exception faite des grands magasins qui ferment leurs portes à 18 h.

D'une manière générale, les restaurants et les tavernes ferment plus tôt qu'en France. Essayer par conséquent de déjeuner vers 13 h, d'arriver au restaurant pour dîner avant 20 h et ne pas s'étonner pas si les tavernes sont bondées dès 19 h. Elles ferment au mieux vers 23 h.

En moyenne, les banques sont ouvertes de 8 h à 12 h, du lundi au vendredi. Certaines succursales importantes restent ouvertes jusqu'à 17 h. Les horaires des bureaux de change sont plus pratiques : de 8 h à 19 h et parfois jusqu'à 22 h. La plupart des hôtels rendent ce service 24 h sur 24, mais ils pratiquent des taux de change moins intéressants.

Les monuments historiques sont ouverts tous les jours, sauf le lundi et les jours fériés, généralement de 9 h à 18 h. Au mois de septembre les horaires passent de 9 h à 17 h. Les châteaux sont, sauf exception, fermés de novembre à mars.

JOURS FÉRIÉS

● **République tchèque**
1er janvier : Jour de l'An
Lundi de Pâques
1er mai : fête du Travail
8 mai : fête de la Victoire de 1945
5 juillet : fête de saint Cyrile et Saint-Méthode, apôtres des slaves

6 juillet : fête de Jan Hus
28 octobre : jour de l'Indépendance
24-26 décembre : Noël

● **Slovaquie**
1er janvier : Nouvel An
6 janvier : Épiphanie
1er mai : fête du Travail
5 juillet : Saint-Cyrille et Saint-Méthode
24-26 décembre : Noël

POSTES ET TÉLÉCOMMUNICATIONS

● **Poste**
Sous réserve de nouvelles tarifications, l'affran-
chissement d'une lettre de moins de 20 g à destination de l'Europe (par avion) coûte 9 Kčs et
6 Kčs pour une carte postale. Les timbres sont
vendus dans les kiosques à journaux, les
bureaux de tabac.
   Les grands centres postaux sont ouverts de
8 h à 19 h, et jusqu'à 12 h le samedi, les postes
ordinaires de 8 h à 13 h, ou 15 h, du lundi au
vendredi et la **poste principale** de Prague,
14 rue Jindřišká, tél. (02) 26 41 93, est ouverte
sans interruption. Il est déconseillé d'envoyer
des paquets contenant des objets de valeur.
D'autre part, si on a absolument besoin de faire
parvenir des documents, le faire en recommandé. D'une manière générale, il est toujours préférable de déposer les lettres destinées à
l'étranger dans une poste plutôt que dans une
boîte à lettres.

● **Téléphone**
Certaines cabines n'acceptent que les pièces
d'une couronne, d'autres les pièces de 1, 2, et
5 couronnes – il faut insérer la pièce après que
le correspondant ait décroché. Depuis peu de
temps, des cabines fonctionnant avec des cartes
téléphoniques ont fait leur apparition et des
cartes sont vendues dans les kiosques, les
bureaux de tabac, etc. Le téléphone coûtant
cher, la carte téléphonique s'impose pour les
appels à l'étranger. Les hôtels font généralement payer une surcharge de 20 à 30 % du prix
de la communication pour l'usage du téléphone.

Numéros utiles :
Pour toute communication avec la France, composer le *00-33* puis le numéro du correspondant
; pour obtenir des informations sur les appels à
l'étranger, faire le *01 39*, ou le *01 49*. De l'étranger, il faut composer le *42* pour obtenir la
République tchèque ; ajouter *02* pour obtenir
Prague, *05* pour Brno et *07* pour Bratislava. Il

est possible d'expédier un télégramme par téléphone en composant le *01 27*.

MÉDIAS

Dans les deux républiques, radio et télévision
demeurent des monopoles d'État.

● **Radio et télévision**
Jusqu'à présent, la télévision n'était pas d'une
grande qualité. Les quatre chaînes – F1, ČTV,
STV, la télévision slovaque, et OK 3 – fonction-
nent au ralenti, avec peu de moyens, dans
l'espoir d'une ouverture des ondes aux capitaux
privés. OK 3 diffuse sans interruption des pro-
grammes étrangers, en anglais, en allemand et
en français.
   La radio s'est transformée plus rapidement
et des radios privées ont déjà fait leur apparition. Europe 2 est très écoutée à Prague.

● **Presse écrite**
La situation de la presse écrite est bien meilleure. Plus aucune contrainte ne pèse, comme par
le passé, sur l'approvisionnement en papier et
les Tchèques aussi bien que les Slovaques sont
avides de nouvelles. Là-bas comme ailleurs, on
est friand de scandales et de commérages
concernant les personnalités publiques. Sur
place, on trouve sans difficulté les principaux
périodiques français. D'autre part, si une envie
irrépressible de relire les *Mémoires d'outre-
tombe* – Chateaubriand a séjourné à Prague –
vous saisit, Prague et Bratislava comptent
quelques grandes librairies internationales.
Ceux que la présence culturelle française à
l'étranger passionne peuvent se rendre dans les
Centres culturels français de Prague et de
Bratislava.

SÉCURITÉ

La République tchèque et la Slovaquie connaissent des taux de criminalité très inférieurs à la
moyenne des pays européens. Mais, depuis
quelques années, le développement du tourisme a fait apparaître une nouvelle délinquance :
vol de sacs à mains, escroquerie, etc. Dès lors,
quelques mesures de prudence élémentaires
s'imposent : garer la voiture dans un parking
surveillé, laisser l'argent et les objets de valeurs
en sûreté à l'hôtel, etc.

SANTÉ

La France, la Belgique, le Canada et la Suisse
n'ont pas conclu d'accord avec la République
tchèque et la Slovaquie concernant les soins

médicaux gratuits. Par conséquent, pour les petits problèmes de santé, les soins et les consultations dans les dispensaires et les polycliniques sont payables en couronnes. Si c'est plus grave, s'adresser aux hôpitaux internationaux (à Prague, *Karlovo nám. 32, Prague 2, tél. (02) 29 93 81*), les soins sont payables en devises. En cas d'extrême urgence, il est préférable d'avoir souscrit une assurance rapatriement avant le départ.

Les pharmacies sont généralement ouvertes aux même heures que les magasins, et elles affichent dans la vitrine les adresses des pharmacies de garde du quartier.

Numéros d'urgence :
Urgence médicale : *155*
Ambulance : *156*
Pompiers : *150*
Police secours : *158*

PHOTO ET VIDÉO

Certains pays de l'ancien bloc communiste (R.D.A., U.R.S.S.) s'étaient fait une réputation internationale dans le domaine de l'optique de haute précision. Si on trouve ce type de matériel à un prix raisonnable, c'est peut-être l'occasion de faire une bonne affaire. Les grandes marques de film sont présentes en République tchèque et en Slovaquie. Les boutiques de développement rapide réalisent des tirages de qualité. En revanche, le matériel vidéo se fait encore attendre sur les marchés tchèques et slovaques.

COMMENT SE DÉPLACER

Le secteur touristique s'est considérablement développé depuis 1989. Sur place, l'agence **Čedok** demeure cependant l'interlocuteur le plus efficace et le mieux implanté dans les deux républiques. Elle compte plusieurs bureaux à Prague :
Na příkopě 18, tél. (02) 212 71 11
Václavské nám. 55, tél. (02) 227 096
ainsi qu'un un bureau à Bratislava,
Štúrova 13, tél. (07) 52 081, ou (07) 55 280.
Autre contact utile à Prague :
Prague Information Service (PIS),
Na příkopě 20, tél. (02) 544 444
Staroměstské nám., tél. (02) 236 71 49
En revanche, la patience est de rigueur : les interlocuteurs ne parlent pas tous l'anglais ni, *a fortiori*, le français.

L'homologue slovaque du PIS, le BIPS, le **Service d'information de Bratislava**, est situé : *Leningradská 1, tél. (07) 33 715*
(le nom de cette rue a pu changer)
Wolkrova 6, tél. (07) 33 56 97
Le BIPS assure une gamme très étendue de services. A noter également, pour les réservations de chambres, l'Interhotel Bratislava, *Hviezdoslavovo nám. 5,*
tél. (07) 33 31 85-87, fax (07) 31 46 45

EN AVION

De Prague, les lignes intérieures tchèques de la compagnie **ČSA** desservent Brno, Bratislava, Karlovy Vary, Košice, Ostrava, Sliač, Piešťany et Poprad. Les billets pour ces destinations sont payables en devises.
De Bratislava, il existe des vols en direction de Prague, Košice et Poprad. Depuis janvier 1993, les vols reliant la République tchèque et la Slovaquie sont considérés comme des lignes internationales.

EN TRAIN

Relativement denses, les réseaux de chemins de fer tchèques et slovaques permettent de voyager confortablement à bon marché. Seule la ponctualité laisse quelque peu à désirer. Outre les services d'information présents dans les gares, on peut obtenir des renseignements sur les horaires et les prix en composant le *(02) 26 49 30*, à Prague, 24 h sur 24 h, ou le *235*, du lundi au vendredi, de 7 h à 15h.

EN BATEAU

Pendant la saison touristique (du 1er mai au 15 octobre), des croisières sont organisées sur la Vltava au départ de Prague. Pour plus d'information appeler le *(02) 29 38 03*. Les bateaux mouillent près du pont Palacký, *Rašínovo nábřeží, tél. (02) 29 83 09*.
De Bratislava, des bateaux relient Vienne et Budapest par le Danube. Les horaires et les tarifs changeant fréquemment, il est préférable de se renseigner sur place.

EN VILLE

● **Transports en commun**
La plupart des villes tchèques et slovaques possèdent des réseaux de transports en commun combinant le tramway, le bus et le trolley-bus – à Prague s'ajoutent le métro et le funiculaire. Dans une même agglomération, un

seul type de ticket est valable pour tous les moyens de transport. Les billets sont vendus – généralement par carnet de cinq – dans les kiosques, les bureaux de tabac, les gares, les stations de métro, certains magasins, et dans les distributeurs automatiques – souvent en panne – installés aux arrêts ou dans les stations de transports en commun. Les prix diffèrent selon les villes. A Prague, un billet coûte 4 Kčs, 1 Kč pour les enfants de moins de seize ans, les enfants de moins de dix voyagent gratuitement. Il existe des forfaits touristiques qui permettent un nombre illimité de déplacements pour une durée déterminée : une journée (30 Kčs), deux jours (50 Kčs), trois jours (65 Kčs), quatre jours (80 Kčs), cinq jours (100 Kčs).

Il faut composter les tickets à l'entrée du métro, dans les tramways et les bus. Les contrôles sont fréquents et les contrôleurs impitoyables. Chaque fois qu'on change de tramway ou de bus on doit composter un nouveau billet ; un ticket de métro est valable 60 min sans limitation de changement.

Le métro fonctionne tous les jours de 5 h à minuit. Les horaires des tramways et des bus sont affichés à tous les arrêts. Pour tout renseignement concernant les transports en commun à Prague, contacter la direction des Transports publics à la station de métro Karlovo náměstí (ligne B), *tél. (02) 29 46 82.*

● **Taxis**
S'il y a bien quelques bus de nuit, après minuit, le taxi est pratiquement le seul moyen de transport. Outre les taxis «officiels», la nécessité d'un deuxième métier a fait apparaître les taxis clandestins. Si on choisit cette solution, tout reposera sur l'art de la négociation et la fermeté. Les taxis officiels rechignent parfois à utiliser leur taximètre, préférant procéder à une évalution intuitive du prix de la course. Insister. En cas de litige, et seulement avec les taxis officiels, il est conseillé de prendre ostensiblement le numéro de la licence. La perspective de complications devrait adoucir l'humeur du chauffeur.

Il est possible d'appeler un taxi par téléphone :
– A Prague, *tél. (02) 20 39 41, (02) 20 29 51*
– A Brno, *tél. (05) 25 404, (05) 25 606*
– A Bratislava, *tél. (07) 50 851, (07) 50 852*

On peut également louer les services d'un taxi pour la journée entière. Vérifier seulement que le véhicule est sûr. Négocier le montant du forfait avant de partir et ne pas oublier qu'un consentement mutuel sur un prix équitable garantit la bonne humeur du chauffeur.

● **Location de voitures**
Sur place, la location d'une voiture, payable en devises ou par carte de crédit, revient assez cher. Il faudra naturellement présenter les documents nécessaires à la conduite à l'étranger et avoir au moins vingt et un ans.

Pragocar
Štěpánská 42, Prague 1, tél. (02) 235 28 25
Aéroport de Ruzyně, tél. (02) 34 10 97
Opletalova 33, Prague 1, tél. (02) 22 23 24
Hôtel Atrium, tél. (02) 284 20 43
Hôtel Intercontinental, tél. (02) 231 95 95
Bureau de réservation internationale,
tél. (02) 22 23 24, (02) 26 74 17
Pragocar, et son parc de Škodas, propose les tarifs les moins onéreux. Cette agence étant également représentée à Karlovy Vary, *tél. (017) 228 33-4*, on peut louer une voiture à Prague et la rendre à Karlovy Vary.
Czech Auto rent
Hôtel Palace, Panská 12, tél. (02) 236 16 37
Hôtel Prezident, Náměsti Curieových 100,
tél. (02) 231 48 12
Hertz
Aéroport de Ruzyně, tél. (02) 312 07 17
Hôtel Atrium, tél. (02) 284 11 11
Karlovo nám., tél. (02) 29 01 22
Avis
Hôtel Atrium, tél. (02) 284 20 43
A Bratislava contacter l'agence **Čedok** :
Štúrova 13, tél. (07) 520 02, ou (07) 558 34
ou l'agence **Slovakoturist**
Nálepkova 13, tél. (07) 33 34 66

POUR MIEUX CONNAÎTRE LA RÉPUBLIQUE TCHÈQUE ET LA SLOVAQUIE

INSTITUTIONS POLITIQUES

Le 1er janvier 1993, la République fédérative tchèque et slovaque s'est divisée en deux pays indépendants : la République tchèque et la Slovaquie.

● **La République tchèque**
La République tchèque est de type parlementaire. Elle a pour président Václav Havel et pour chef de gouvernement, Václav Klaus.

Les principaux partis politiques sont : le Parti civique démocratique, le Parti-social-démocrate et le Bloc de gauche qui regroupe le Parti communiste de Bohême et de Moravie et la Gauche démocratique.

● **La Slovaquie**

La Slovaquie est également une république parlementaire dont le président est Michael Kováč et le chef de gouvernement, Josef Moravcik.

Les principaux partis politiques sont le Mouvement pour la Slovaquie démocratique (HZDS), le Parti de la gauche démocratique (SDL) et le Parti national slovaque (SNS).

GÉOGRAPHIE ET POPULATION

L'ex-Tchécoslovaquie est située entre le 48e et le 51e degré de latitude nord et entre le 12e et le 22e degré de longitude est.

● **La République tchèque**

Elle s'étend sur 78 864 km^2 et compte 10,3 millions d'habitants. La République tchèque est entourée par la Slovaquie, l'Autriche, l'Allemagne et la Pologne. Sa capitale, Prague, située entre 176 m et 397 m au-dessus du niveau de la mer, compte 1,2 millions d'habitants et s'étend sur une superficie de 497 km^2. Elle se divise en 56 arrondissements. La langue officielle du pays est le tchèque mais il existe une importante minorité de langue allemande.

● **La Slovaquie**

La Slovaquie s'étend sur 49 035 km^2. Ses pays frontaliers sont la République tchèque, l'Autriche, la Hongrie, la Pologne et l'Ukraine. Elle compte 5,2 millions d'habitants dont 400 000 vivent dans la capitale, Bratislava. Ce port fluvial est à 56 km de Vienne et à 20 km de la frontière hongroise. La langue officielle est le slovaque mais 600 000 personnes, soit 11 % de la population, sont magyarophones.

CLIMAT

Ces pays connaissent des étés chauds, ponctués d'averses, et de longs hivers secs, caractéristiques d'un climat continental modéré recevant des influences océaniques.

On constate cependant des écarts climatiques considérables principalement liés à l'altitude. A titre d'exemple, il pleut 476 mm en moyenne annuelle à Prague et 1 665 mm en moyenne annuelle dans les Hautes Tatras. D'un strict point de vue météorologique, le printemps et l'automne sont les meilleures saisons pour visiter Prague. En mai, parcs et jardins sont en pleine floraison et symbolisent on ne peut mieux l'un des événements culturels majeurs de l'année, le festival musical du «Printemps de Prague». La douceur de l'automne invite davantage à flâner aux alentours de la ville.

LANGUES

Le tchèque est une langue slave dont la prononciation est ardue. Nulle échappatoire, puisque le mot tchèque pour «mort», *smrt*, ne compte aucune voyelle! Les mots sont accentués sur la première syllabe.

č	se prononce	tch
ř		rj
s		ch
z		j
j		i

L'accent sur une voyelle signale une voyelle longue : á, ó, ú ou ů (son identique).

ý	=	«i» long
ou	=	le «o» de mot
ě	=	ail

Particularités slovaques :

ľ	=	«l» mouillé de«vieille».
ä	=	«ail»

● **Expressions courantes**

Bonjour	dobrý den
Bonsoir	dobrý večer
Merci	děkuji
S'il vous plaît	prosím vás
Je vous en prie	není zac
Au revoir	na shledanou
Oui	ano
Non	ne
Excusez-moi	promiňte
Je comprends	rozumín
Je ne comprends pas	nerozumín
Quel est votre nom?	jak se jmenujete?
Qu'est-ce que c'est?	kdo je to?
Où est…?	kde je…?
Combien cela coûte-t-il?	kolik to stojí?
Monsieur, madame	pán, pani

● **Lieux**

Place	náměstí
Rue	ulice
Avenue	třída
Maison	dům
Gare	nádrazí
Aéroport	letiste
Église	kostel
Palais	palác
Ile	ostrov
Escalier	schody
Jardin	zahrada

● Magasins

Épicerie	potraviny
Légumes	ovoce zelenina
Boulangerie	chleb pečivo
Pâtisserie	cukrárna
Boucherie	maso uzeniny
Pharmacie	lékárna
Banque	banka
Librairie	knihkupectvi
Restaurant	restaurace
Brasserie	pivnice
Café	kavárna
Taverne	vinárna

● Chiffres et dates

Un	jeden
Deux	dva
Trois	tři
Quatre	čtyři
Cinq	pět
Dix	deset
Cent	sto
Mille	tisíc
Lundi	pondělí
Mardi	úterý
Mercredi	středa
Jeudi	čtvrtek
Vendredi	pátek
Samedi	sobota
Dimanche	neděle
Aujourd'hui	dnes
Demain	zítra
Hier	včera
Janvier	leden
Février	únor
Mars	březen
Avril	duben
Mai	květen
Juin	cerven
Juillet	cervenec
Août	srpen
Septembre	září
Octobre	říjen
Novembre	listopad
Décembre	prosinec

● Au restaurant, au café

Bière	pivo
Café	káva
Eau	voda
Eau minérale	minerálka
Jus de fruit	dzus
Lait	mléko
Thé	čaj
Vin	vino
Pain	chléb
Saucisse	párek

Poulet	kuře
Rôti de porc	vepřová pečene
Bœuf	hovězí
Poisson	ryba
Légumes verts	zelenina
Salade	salát
Riz	rýze
Chou	zelí
Boulettes de farine	knedlíky
Soupe	polévka
Œuf	vejce
Gâteau	moucnik
Pommes de terre	brambory
Fruit	ovoce
Fromage	syr
Jambon	sunka
Sel	súl
Sucre	cukr
Beurre	máslo
Glace	zmrzlina
Vin blanc	vino bilé
Vin rouge	vino červené
Addition	zaplatime

● Divers

Tramway	tramvaj
Entrée	vchod
Sortie	východ
A droite	na pravo
A gauche	na levo
Tout droit	rovně
Plan	mapa
Timbre	znamka
Carte postale	pohled
Clef	klič
Journal	časopis
Chambre	pokoj
Téléphone	telefon

SHOPPING

PRAGUE

En matière de shopping, et malgré la libéralisation de l'économie, Prague ne peut encore prétendre rivaliser avec les métropoles d'Europe
de l'Ouest. Pourtant, avant 1989, la capitale
tchèque faisait figure de «paradis de la
consommation» comparée à ses voisines du
pacte de Varsovie. Et il n'y a encore pas si
longtemps, Allemands de l'Est et Polonais
venaient chercher dans les magasins de la cité
vltavine, dans ses boîtes de nuit et dans ses
tavernes ce qui leur faisait cruellement défaut
chez eux.

En revanche, les amateurs de porcelaine et de cristallerie ne seront pas déçus. Dans ces domaines, la réputation des ateliers tchèques n'est plus à faire et les produits qui en sortent demeurent bon marché. Paradoxe amusant, il arrive désormais de voir des visiteurs européens faire la queue devant les magasins de porcelaine et de cristallerie. Au total, la demande dépassant largement les capacités de production, les stocks anciens sont vendus sur place tandis que la production courante est presque exclusivement réservée à l'exportation.

Il est devenu difficile de faire une très bonne affaire en matière d'antiquités. A présent, les commerçants connaissent bien les goûts des touristes européens et ils ont modifié leurs prix en conséquence. L'art contemporain connaît en revanche une véritable envolée. Beaucoup d'artistes, exclus jusqu'en 1989 des milieux artistiques officiels, sont maintenant exposés dans de nombreuses galeries.

Le marché des objets artisanaux présente un grand intérêt et réserve même quelques surprises. On trouve des objets en bois, finement sculptés ou usuels, de grande qualité. Sur le pont Charles et dans la rue Na příkopě, des vendeurs de rue, souvent assez jeunes, proposent des articles faits à la main : des marionettes, des bijoux, etc. Depuis peu de temps, des petits marchés aux puces sont apparus dans les zones piétonnières entre la place de la République et la place Venceslas. On y trouve une grande variété d'objets : des vêtements, des articles ménagers et beaucoup de choses étonnantes.

● **Librairies internationales**
Štěpánská 42 (librairie française)
Kniha
Štěpánská 12, Prague 1
Na příkopě 27, Prague 1
Zahraniční Literatura
Vodičkova 41, Prague 1

● **Livres d'occasion**
AD plus
Václavské nám. 18, Prague 1
Dlážděná 5, Prague 1
Mostecka 22, Prague 1
Karlova 2, Prague 1
Ječná 26, Prague 2

● **Partitions**
Capriccio
Újezd 35, Prague 1
Alstar corporation
Václavské nám. 15, Prague 1

Alians
Hybernská 26, Prague 1

● **Chapelier**
Tonak
Celetná 30, Prague 1

● **Antiquités**
Mustek 3, Prague 1
Mikulandská 7, Prague 1
Národní třída 24, Prague 1
Panská 1, Prague 1
Václavské nám. 60, Prague 1
Galerie Vadamo
Uhelny trh 6, Prague 1
Na příkopě 23, Prague 1
Nerudova 46, Prague 1
Mostecká 7, Prague 1
Vinohradská 45, Prague 2
Galerie des antiquités
Na můstku 3, Prague 1
Aventinum
Karlova 4, Prague 1

● **Grands magasins**
Bílá labuť (Le Cygne Blanc)
Na porící 23, Prague 1
Detský dům (Maison de l'Enfant)
Na příkope 15, Prague 1
Druzba
Vaclavské nám. 21, Prague 1
Dům kozesin (Maison du Cuir)
Zelezná 14, Prague 1
Dům módy (Maison de la Mode)
Václavské nám. 58, Prague 1
Dům obuví (Maison de la Chaussure)
Václavské nám. 6, Prague 1
Dům potravín (Maison de l'Alimentation)
Václavské nám. 59, Prague 1
Kotva
Nám. Republiky 8, Prague 1
Máj
Národni trída 26, Prague 1

● **Artisanat**
Ceská jizba
Kalrova 12, Prague 1
Krásná jizba
Národní třída 36, Prague 1
Slovenská jizba
Václavské nám. 40, Prague 1
Ceska jizba
Na příkopé 25, Prague 1

● **Bijouterie**
Dlouhá, Prague 1
Rijna 15, Prague 1

Národní trida 25, Prague 1
Na příkopé 12 et 15, Prague 1
Václavskě nám. 28 et 53, Prague 1

● **Disques**
Jungmannovo 20, Prague 1
Celtená 18, Prague 1
Václavské nám. 17 et 51, Prague 1
Vodickova 20, Prague 1

● **Objets d'art**
Dilo
Vodickova 32, Prague 1

● **Verre de Bohême, porcelaine**
Bohemia
Pařizská 1, Prague 1
Bohemia Moser
Na prikope 12, Prague 1
Krystal
Václavské nám. 30, Prague 1
Václavské nám. 53, Prague 1
Národni třida 25 et 43, Prague 1

● **Marché aux puces**
Stade T J Sparta

Enfin, si on veut écrire une lettre d'amour ou de réclamation en tchèque...

L'Écrivain public
Na přikopě 12 (passage Cerna ruze), Prague 1

BRATISLAVA

Sur le plan du shopping, Bratislava peut difficilement rivaliser avec Prague et encore moins avec Vienne. On trouve cependant pêle-mêle des objets artisanaux de grande qualité et des produits qui intéresseront sûrement ceux que le kitsch passionne.

● **Librairie internationale**
Rybárska brána 1

● **Livres d'occasion**
Mickiewiczova 6
Dunajská 5
● **Antiquités**
Leningradská 7
Klobúčnická 7

● **Cristal et porcelaine**
Bohemia
Poštová 3
Krištál
Nálepkova 18

● **Galeries**
Dielo
Náměstí SNP 12
Dilo
Nedbalova 18

● **Disques**
Supraphon
Nálepkova 27
Opus
Leningradská 11

● **Grands magasins**
Prior
Kamenné nám. 1
Veľkropredajná potravín
Dunajská 2

ACTIVITÉS CULTURELLES

MANIFESTATIONS CULTURELLES

De mai à octobre, un grand nombre d'événements – festivals, spectacles, fêtes locales – régionaux ou de dimension internationale animent la vie culturelle de la République tchèque et de la Slovaquie. La liste – non exhaustive – qui suit ne mentionne que le mois, pour des dates plus précises contacter le Čedok, les centres d'informations touristiques et les agences de voyages.

● **En République tchèque**

Mars : à Karlovy Vary, festival de jazz
Avril : à Prague, Interkamera : exposition internationale consacrée à la photographie et aux techniques photographiques
Mai-juin : à Prague, festival musical du « printemps de Prague »
Mai-juillet : à Mariánské Lázně, festival international de musique
Mai-août : à Luhačovice, festival international de musique
Mai-septembre : à Karlovy Vary, les concerts des Colonnades (tous les jours sauf le lundi)
Juin : à Prague, Concertino Praga, concerts donnés par de jeunes talents ; à Kolín (Bohême centrale), Kmoch Kolín, festival international de fanfares ; à Poděbrady, festival international de fanfares ; à Teplice, festival Shostakovitch ; à Strakonitz (forêt bohémienne), festival folklorique
Juin-juillet : à Strážnice (sud de la Moravie), rencontres internationales de groupes folkloriques ; à Luhacovice, festival Janácek

Juillet : à Karlovy Vary, festival international de cinéma ; à Chrudim (Bohême orientale), festival de marionnettes ; à Znojmo (Moravie méridionale), festival Royal présentant notamment des tournois médiévaux ; à Zelezný (Moravie méridionale), festival folklorique

Août : à Mariánské Lázně, festival Chopin ; à Domažlice (Bohême de l'Ouest), festival traditionnel des Khodes

Septembre : à Žatec, fête du houblon ; à Karlovy Vary, festival d'automne Antonín Dvořak

Septembre-octobre : à Teplice, festival Beethoven ; à Náměst na Hane (Moravie du nord), fête des vendanges

Octobre : à Jáchymov, festival musical ; à Pardubice (Bohême orientale), *steeple-chase*

Décembre-janvier : à Prague, festival de musique et de théâtre

● **En République slovaque**

Juin : à Rozňava (Slovaquie orientale), festival de folklore hongrois ; à Svidník (Slovaquie orientale), festival de folklore ukrainien ; Terchova (Malá Fatra), festival Janosík – du nom d'un héros populaire slovaque

Juillet-août : à Vychodná (Slovaquie centrale), le plus coloré et le plus vivant des festivals folkloriques de Slovaquie ; à Bratislava, le *Kultúre leto*, « l'été culturel », spectacles en plein air, concerts, etc.

Septembre-octobre : à Bratislava, biennale internationale consacrée à l'illustration pour les liyres d'enfant

Octobre : à Bratislava, festival international de jazz

EXCURSIONS À PRAGUE

Parc zoologique
U Trojského mostu 3, Troja, Prague 7
Le zoo de Prague, ses prairies, ses ravins et ses animaux sauvages, sont visibles à Troja (Prague 7) ; on y parvient par la ligne C du métro puis en prenant l'autobus 112 à Holesovice. Et on peut combiner la visite du jardin zoologique avec celle du château de Troja. Ouvert de février à décembre, de 7 h à 17 h (19 h en été).

Jardins botaniques
Na Slupi, Prague 1
Avec leur serre tropicale, ils font partie de l'université. Ils sont dans la Nouvelle Ville (Nové Město), non loin de l'église Saint-Jean-Népomucène-sur-le-Rocher. Ouverts de 7 h à 19 h.

Observatoire
Petřín 205, Prague 1
Sur la colline de Petřín, non loin de l'arrivée du funiculaire. Il fait la joie des astronomes amateurs. Ouvert tous les jours sauf le lundi (horaires variables selon les saisons).

VISITES DE PRAGUE

Le Čedok propose une série de visites guidées de Prague et des animations, ainsi que des excursions en dehors de la ville. Des guides-interprètes les accompagnent, sauf pour des promenades à thème (architecture), qui ne sont malheureusement organisées qu'en tchèque.

Quelques exemples d'excursions d'une journée (15 mai au 15 octobre) : Karlovy Vary-Lidice, les châteaux de Bohême centrale, les beautés de la Bohême du Sud, les perles de l'art gothique tchèque, Slapy-Konopistě, les vignes de Bohême, la bijouterie de grenat tchèque et le «paradis tchèque». Les autocars partent du Čedok, Bílkova 6 (en face de l'hôtel Intercontinental). Les billets sont en vente à la réception de l'hôtel et aux trois bureaux du Čedok.

MUSÉES

● **Prague**

Musée de la Ville de Prague
Nové sady J. Švermy, Prague 8
A côté de la station de métro Sokolovská. Ce musée intéressera ceux qui veulent mieux comprendre la structure urbaine de la capitale et la vie quotidienne des Praguois au fil des siècles. Une histoire des corporations y est présentée, ainsi que la célèbre maquette de la ville, réalisée entre 1826 et 1834 et qui en reproduit jusqu'aux couleurs. On est surpris de voir à quel point les quartiers ont été préservés. Du mardi au dimanche de 10 h à 17 h.

Musée national
Václavské nám., Prague 1
Du point de vue architectural, le Národní muzeum est loin d'être aussi intéressant que son prédécesseur, le Théâtre national. Le musée renferme des collections appartenant aux sciences naturelles, par exemple de minéralogie. Dans le foyer, remarquer les statues inspirées du mythe de Libuše, œuvres de Ludwig Schwantaler. Le musée abrite une immense bibliothèque qui compte plus d'un million de volumes. Le lundi et le vendredi de 9 h à 16 h, les mercredi, jeudi, samedi et dimanche de 9 h à 17 h, fermé le mardi.

Musée technique national
Letna, Kostelní 42, Prague 7

Si on s'intéresse à la technique, aux instruments de mesure et… à la première voiture tchèque Président, fabriquée à Kopřivnice en 1897, ce musée présente des expositions expliquant la construction des voitures et des locomotives, des photographies d'époque et des sextants du XVIe siècle utilisés par Kepler. Tous les jours sauf le lundi de 9 h à 17 h. Bibliothèque ouverte du lundi au vendredi de 9 h à 16 h.

Musée militaire, exposition historique
Hradčanské nám. 2, Prague 1

Dans le palais Schwarzenberg, ce musée conserve armes, uniformes et équipements et retrace l'évolution de l'armée du pays. C'est l'une des plus grandes expositions de ce type en Europe. Du 1er mai au 31 octobre, du mardi au vendredi de 9 h à 15 h 30, le samedi et le dimanche de 9 h à 17 h.

Exposition de l'Armée tchécoslovaque
U Památníku 2, Zizkov, Prague 3

La formation de l'armée tchécoslovaque, les combats des deux guerres mondiales, la résistance, y sont évoqués. Du mardi au dimanche de 9 h 30 à 16 h 30.

Musée Náprstek
Betlémské nám. 1, Prague 1

Les cultures asiatiques, africaines et américaines, y sont à l'honneur. Ce musée a été fondé en 1862 par Vojta Náprstek. Du mardi au dimanche de 9 h à 17 h.

Musée des Arts et Métiers
Ulice 17 Listopadu 2, Prague 1

En face de la maison des Artistes, l'Uměleckoprůmyslově muzeum permet de découvrir le cristal de Bohême à plusieurs époques, ainsi que du mobilier ancien. Sa collection de verre, en particulier de style Art nouveau, est renommée dans le monde entier et sa bibliothèque spécialisée, ouverte au public, comporte plus de 100 000 titres. Du mardi au dimanche de 10 h à 17 h.

Musée ethnographique
Petřínské sady 98, Prague 5

Le palais Kinsky, au bas de la colline de Petřín, abrite le Národopisné muzeum et ses collections d'outils, de poterie, de costumes. Derrière le bâtiment s'élève la belle petite église orthodoxe qui a été transférée à Prague depuis le village ukrainien Mukacevo. Du mardi au dimanche de 9 h à 18 h.

Musée postal
Holečková 10, Prague 5

Les philatélistes et les passionnés de télécommunications y trouveront leur bonheur. Vaste collection de timbres européens. Du lundi au vendredi de 8 h à 14 h, le samedi et le dimanche sur rendez-vous.

Couvent de Strahov
Strahovské nadvoří132, Prague 1

L'Évangile de Strahov remonte au IXe siècle. On pense qu'il pourrait en réalité avoir été rédigé à Trêves, en Allemagne. Ce manuscrit et d'autres pièces rares sont exposés à la bibliothèque du couvent de Strahov dans les salles consacrées à la philosophie et à la théologie. Les salles voisines abritent le musée de la Littérature nationale, qui compte 50 000 documents, dont des lettres de Jan Hus, ainsi que l'équipement d'une imprimerie du XVIe siècle. Tous les jours de 9 h à 17 h.

Musée des Instruments de musique
Lázeňská 2, Prague 1

D'anciens instruments et enregistrements, mais aussi des partitions d'époque. Des instruments sont à nouveau réalisés suivant les techniques anciennes. Le samedi et le dimanche de 10 h à 12 h et 14 h à 17 h, en semaine sur rendez-vous.

Musée Antonín Dvořák
Ke Karlovu 20, Prague 2

La villa Amerika tire son nom d'un restaurant du XIXe siècle ; mais elle a été construite bien avant, entre 1717 et 1720, par Kilian Ignaz Dientzenhofer pour le comte Michna. On peut y contempler des manuscrits et des photographies ayant appartenu à Dvořák ainsi que des lettres à Brahms et au chef Hans Bülow. Du mardi au dimanche de 10 h à 17 h.

Musée Bedřich Smetana
Novotného lávka 1, Prague 1

Dans l'ancien château d'eau de la Vieille Ville, au bord de la Vltava. La vie du compositeur est illustrée par des manuscrits, des partitions, des photographies. La visite se fait au son d'œuvres de Smetana. Tous les jours de 10 h à 17 h, sauf le mardi.

Musée Ceske Hudby, exposition Mozart
Mozartova 15, Prague 5

Prague est associée à Mozart, particulièrement à *Don Juan* et à sa symphonie *Prague*. Mozart vécut à la villa Bertramka. Le clavecin blanc doré et le piano à queue de la villa sont ceux sur lesquels il a travaillé. Le mobilier est d'époque. Du mardi au vendredi de 14 h à 17 h, le samedi et le dimanche de 10 h à 12 h et de 13 h à 16 h.

Musée national juif
Les sections du Musée national juif se répartissent dans les synagogues du ghetto. C'est Himmler qui a conçu le projet d'un « Musée de la race éteinte des juifs » et qui a réuni objets et souvenirs culturels, artistiques ou religieux provenant de 153 communautés de Bohême et de Moravie. Après la guerre, l'État tchécoslovaque décida d'ouvrir un musée reprenant ces pièces.

Musée Alois Jirašek et Mikoláš Aleš
Hvezda, Prague 6
Ce musée entretient la mémoire d'un auteur et d'un peintre représentatifs de la culture tchèque. Il est installé dans le pavillon de l'Étoile, entouré d'un parc. Du mardi au vendredi et le dimanche de 9 h à 16 h, le samedi de 10 h à 17 h.

● **Bratislava**

Les musées sont en général ouvert de 10 h à 17 h.
Musée national slovaque
Vajanského nábr. 2
Ouvert de 9 h à 17 h. Fermé le lundi.
Musée municipal
Ancien hôtel de ville, Primaciálne nám 2
Fermé le mardi.
Musée du Vin
Palais Apponyi, Radničná 1
Fermé le mardi.
Musée de l'Armement et des Fortifications de la ville
Porte Michel Michalská
Fermé le mardi.
Musée Hummel
Klobúcnická 2
Musée de l'Horlogerie
Židovská 1
Fermé le lundi.
Musée de la Pharmacie
Michalská 26
Fermé le lundi.
Musée Jean Népomucène
Klobúčnická 2

GALERIES

● **Prague**

Les galeries de peinture et de sculpture s'articulent autour de la **Galerie nationale** (Národní galerie). Elle compte sept collections permanentes, logées dans des bâtiments différents.
Palais Sternberg
Hradcanské nám., Prague 1
Collections d'art ancien européen, dont des trésors aussi fameux que la *Fête du Rosaire* de Dürer, des fragments d'un maître-autel de Cranach, le *Martyre de saint Florian* d'Altdorfer, le *David* du Tintoret, la *Vue de Londres* de Canaletto, le *Portrait d'un Patricien* du Tiepolo, la *Fenaison* de Brueghel l'Ancien, le *Paysage d'hiver* de Brueghel le Jeune, le *Martyre de saint Thomas* de Rubens et le *Rabbin* de Rembrandt. Les Français des XIXe et XXe siècles sont représentés par Delacroix, Renoir, Rousseau, Cézanne, Monet et Gauguin,

Chagall (*les Blés jaunes au cyprès*). Tous les jours sauf le lundi de 10 h à 18 h.
Couvent Saint-Georges
Hradcany Jiřský nám. 5, Prague 1
Art ancien de Bohême, représenté par les madones des XIVe et XVe siècles et les chefs-d'œuvre baroques de Karel Skretá et de Jan Kupecký. Du mardi au dimanche de 10 h à 18 h.
Bibliothèque municipale
Staré Město, Marianské nám. 1, Prague 1
Collection d'art moderne tchèque. Du mardi au dimanche de 10 h à 18 h.
Palais Kinský
Staroměstské nám. 12, Prague 1
Collection d'art graphique : gravures tchèques, slovaques ou étrangères remontant au XVe siècle. Horaires irréguliers.
Château de Zbraslav
Sculptures tchèques des XIXe et XXe siècles, aux environs de Prague. Du mardi au dimanche de 10 h à 18 h, d'avril à octobre.
Couvent Sainte-Agnès
U Milorsrdných 17, Prague 1
Le couvent abrite des peintures tchèques du XIXe siècle, dont les œuvres des frères Quido, de Josef Manes, Karel Purkyne et Mikolas Ales. Du mardi au dimanche de 10 h à 18 h.

● **Bratislava**

Galerie nationale slovaque
Rázusovo nábr. 2
Musées de la Ville de Bratislava
Palais archiépiscopal, Primiciálne nám. 1
Palais Mirbach, Dibrovo nám. 11
Palais Pálffy, Nálepkova 19
Galeries de la Fondation des beaux-arts
Náměstí SNP
Michalská 7

EXPOSITIONS TEMPORAIRES

Pavillon de plaisance royal du Belvédère
Chotkovy sady, Prague 1
Du mardi au dimanche de 10 h à 18 h.
Manège du palais Wallenstein (Valdštejn)
Valdštejnska 2, Prague 1
Du mardi au dimanche de 10 h à 18 h.
Cloître de l'hôtel de ville de Staré Město
Staroměstské nám., Prague 1
Tous les jours de 9 h à 17 h.
Hôtel de ville de Staré Město
Staroměstské nám., Prague 1
Salle d'exposition au premier étage. Du mardi au dimanche de 10 h à 17 h.
Collection de Rodolphe II
Deuxième cour du Hradčany

L'une des plus importantes d'Europe au XVIe siècle, amputée du fait de pillages après la bataille de la Montagne Blanche, d'appropriations par les Habsbourg et la Suède durant la guerre de Trente Ans, et de ventes. Des pièces ont été retrouvées dans les années 60 après une exploration méthodique du château ; on mit au jour des œuvres de Rubens et du Tintoret. La collection, en partie restaurée, est dans la galerie du château. *La Flagellation de Jésus* du Tintoret et *l'Olympe* de Rubens comptent parmi les tableaux les plus précieux. Du mardi au dimanche de 10 h à 18 h.

AUTRES GALERIES ET SALLES D'EXPOSITION

Mánes
Masarykovo nabř. 250, Prague 1
Du mardi au dimanche de 10 h à 18 h.
Nova Sin
Vorsilká 3, Prague 1
Du mardi au dimanche de 10 h à 13 h et de 14 h à 18 h.
Václav Spála
Národní třída 36, Prague 1
Du mardi au dimanche de 10 h à 13 h et de 14 h à 18 h.
Fronta
Spalena 53, Prague 1
Du mardi au dimanche de 10 h à 13 h et de 14 h à 18 h.
U Řecických
Vodickova 10, Prague 1
Du mardi au dimanche de 10 h à 13 h et de 14 h à 18 h.
Jaroslav Frágner
Betlémské nám. 5, Prague 1
Du mardi au dimanche de 10 h à 13 h et de 14 h à 18 h.
Bratri Capku (des Frères Capek)
Vinohřady, Jugoslávská 20, Prague 2
Du mardi au dimanche de 10 h à 13 h et de 14 h à 18 h.
Galerie D
Smichov, Matousova 9, Prague 5
Du mardi au dimanche de 10 h à 13 h et de 14 h à 18 h.
Vincenc Kramář
Cekoslovenské armady 24, Dejvice, Prague 6
Du mardi au dimanche de 10 h à 13 h et de 14 h à 18 h.
Galerie ÚLUV
Národní třída 36, Prague 1
Du mardi au dimanche de 10 h à 13 h et de 14 h à 18 h.
Zlata lilie
Malé nám. 12, Prague 1

Du mardi au dimanche de 10 h à 13 h et de 14 h à 18 h.

THÉÂTRES ET CONCERTS

La richesse de la vie culturelle praguoise donne l'embarras du choix. Les réservations peuvent s'effectuer par l'intermédiaire du Čedok. S'il n'y a plus de places, essayer le guichet du théâtre, qui affichera peut-être *vyprodano* (complet). Mais on peut toujours se rendre à l'entrée du spectacle, où on rencontre souvent quelqu'un qui cherche à revendre ses billets. Et ne pas hésiter à s'adresser à l'ouvreuse.

Les Praguois réservent leurs places pour les concerts, les événements sportifs ou les diverses soirées aux guichets de Sluna, ouverts du lundi au vendredi de 9 h à 18 h. On peut aussi y acheter des places de cinéma (dans tous les cinémas, il est possible d'acheter les billets à l'avance).

● **Prague**

Sluna
Panska 4, passage Cerná růze, Prague 1
Václavské nám. 28, galerie Alfa, Prague 1
Václavské nám., passage Lucerna, Prague 1
Les réservations pour le Théâtre national et le Nouveau Théâtre se font dans le palais des Glaces de ce dernier, *Národní třída 4*, du lundi au vendredi de 10 h à 18 h, du samedi au dimanche de 10 h à 12 h.
Théâtre national
Národní třída 2, Prague 1
Nouveau Théâtre
Národní třída 4, Prague 1
Théâtre Smetana
Mezibranska, Prague 1
Théâtre Tyl
Zelezna 11, Prague 1
En cours de rénovation.
Divadlo pantomimy-Branik (mime)
Branická 6, Prague 4
Théâtre sur la Balustrade
Anenské nám. 5, Prague 1
Théâtre Spejbl et Hurvinek
Vinohrady, Římská 45, Prague 2
Lanterne Magique
Národní třída 40, Prague 1

Des salles moins célèbres revivent : lire attentivement la revue du PIS et regarder les affiches. Quant aux salles de concerts, les plus fameuses sont les suivantes :

Salle Dvořák
Maison des Artistes,, nám. J. Palache, Prague 1

Salle Smetana
Obecni dum, nám. Republiky, Prague 1
Salle Janaček
Club des compositeurs, Besední 3, Prague 1
Palais de la Culture
Na Pankraci 11, Prague 4
Agnesky Areal
U milosrdných 17, Prague 1

De nombreux concerts ont aussi pour cadre les églises.

Le Printemps de Prague a lieu chaque année du 12 mai au 4 juin. Des concerts animent alors la cathédrale Saint-Guy, l'église Saint-Nicolas, la villa Bertramka, le palais Martinic, le palais Wallenstein et ses jardins.

Les centres culturels comme Malostranská Beseda proposent chaque jour des événements artistiques qui vont de la musique de chambre au jazz en passant par le rock.

Si c'est possible ne pas hésiter à aller applaudir Karel Kry, «le Dylan tchèque» ou Iva Bitova.

● **Bratislava**

Théâtre national slovaque
La salle qui accueille l'opéra et la danse se trouve place Hviezdoslavovo (bureau de réservation : *Komenského nám., tél. (07) 55 228)*. Le théâtre est installé au Divaldo Pavla Országa Hiezdoslava, au 20, rue Leningradská (bureau de réservation :
Obchodná 30, tél. (07) 33 55 12).
Malá scéna («Petite scène»)
Dostojevského rad 7
Nova scéna («Nouvelle scène»)
Kollárovo nám
Štúdio Novej scény
Suché Myto 17
Štúdio S
Náměstí 1 mája 5, tél 52 552
Reduta
Palackého 2
Dom odborov (la maison des Syndicats)
Náměstí F. Zupku 1

CINÉMA

Peu d'étrangers en voyage à Prague vont au cinéma. Pourtant, il se donne toujours des films intéressants. Films des pays d'Europe centrale, mais aussi films d'Ingmar Bergman ou de Woody Allen, et surtout œuvres tchèques. *Bony A Klid* a connu un grand succès. La réputation de l'actuelle génération de cinéastes

tchèques dépasse les frontières, grâce à Ladislav Smocek, Ivo Kobrot, Vladimir Kelbl, Jiri Menzel.

Et puis l'on a toujours plaisir à voir ou revoir des dessins animés de l'école tchèque, ceux de Trnka par exemple, qui sont très originaux. Deux salles à signaler :
British Cultural Section
Jungmannova 30
Films en anglais seulement.
Ponrepo
Letohradská 2, Prague 7
Films noirs et blanc en verison originale.

Les cinéphiles aimeront visiter les studios Barandov, rendus célèbres par leurs films pour enfants et adolescents, dont *Pan Tau*.

SPORTS

Emil Zátopek, triple médaillé des jeux d'Helsinki, en 1952, Vfra Cáslavská, la reine des jeux de Mexico, en 1968, Martina Navrátilova, Ivan Lendl, sont quelques-uns des prestigieux athlètes qui ont fait la réputation sportive de l'ex-Tchécoslovaquie. En République tchèque et en Slovaquie, on peut assister à de nombreux événements sportifs et pratiquer une grande variété de sports.

FOOTBALL

Le football est, dans les deux pays, le sport qui attire le plus de spectateurs. C'est naturellement dans les grandes villes que l'on trouve les meilleures équipes : à Prague, le Sparta – le club le plus prestigieux, habitué des compétitions européennes, il avait éliminé l'Olympique de Marseille en 1991 sur un score de 2 à 1–, la Slavia, la Dukla et les Bohémiens ; à Bratislava, le Slovan et l'Inter ; à Brno, le Zbrojovka. Les équipes de première division disputent des matchs toute l'année, sauf entre juin et août, et entre décembre et février. Les prix des billets d'entrée pour un match sont bon marché.

HOCKEY SUR GLACE

Le hockey se place au second rang parmi les sports les plus populaires de l'ex-Tchécoslovaquie. L'hiver, tandis que les footballeurs font la pause, le hockey devient même l'attraction sportive majeure. Prague (Sparta), Bratislava (Slovan) et Brno (Zetor) possèdent les meilleures équipes, mais les petites villes alignent également des formations de haut niveau : Pardubice (Tesla), České Budějovice (Motor), Košice (VSŽ), Litvínov (CHZ), Plzeň (Škoda),Trencín (Dukla) et l'équipe militaire de Jihlava (Dukla Jihvala) qui s'est souvent hissée aux meilleures places du championnat. Les matchs se déroulent en général le mardi et le vendredi, après 18 h.

TENNIS

On a souvent associé, à juste titre, pays socialistes et recherche scientifique de la performance sportive. Pourtant, cette équation n'explique pas entièrement l'exceptionnelle réussite du tennis tchécoslovaque – Kodeš, Navrátilova, Lendl, Mandlíková, Mecíř, Šmíd, Novotná, Suková, Holíková, et d'autres demain. En effet, le tennis fut introduit en Tchécoslovaquie bien avant la Seconde Guerre mondiale, où ce sport séduisit la bourgeoisie aisée et anglophile, avant d'être diffusé vers un public plus large par les puissantes associations sportives de l'époque, les Sokols, fondés en 1860. A partir de 1948, le régime communiste conserva ces structures, tout en les nationalisant, et les développa.

De fait, on trouve des courts de tennis partout dans le pays. Le club de tennis de l'île de Štvanice, à Prague, est considéré comme l'un des beaux complexes sportifs d'Europe consacré à ce sport. Il accueille d'ailleurs les épreuves de coupe Davis ainsi que des tournois importants. De juin à septembre, l'agence Čedok organise des cessions d'entraînement destinées à un large public allant des débutants aux joueurs confirmés. On trouve les meilleurs courts (couverts et découverts) de tennis au :
Štvanice Stadium (*Prague 7, tél. (02) 231 63 23*)

D'autres clubs disposent de courts couverts :
Rue Kostelnti, Prague 7, tél. (02) 37 36 83
Rue Stromovka, Prague 7, tél. (02) 32 54 79, (02) 32 48 50

Des courts sont également disponibles toute l'année au **Club Hôtel de Průhonice**, *tél. (00422) 72 32 41-9*.

SPORTS D'HIVER

L'hiver, une épaisse couche de neige recouvre une grande partie du pays et notamment les très nombreux reliefs qui composent le paysage tchécoslovaque. Une proportion importante de la population (environ 3,5 millions) pratique régulièrement les sports d'hiver et beaucoup d'enfants apprennent très tôt à skier. Pourtant, les Tchèques et les Slovaques qui se sont illustrés dans les sports d'hiver ne sont pas légion et, parmi eux, les adeptes du saut à ski ont été

les plus brillants : Jiří Raška, champion olympique, et Jiří Parma, champion du monde.

Les Hautes Tatras (Vysoké Tatry), en Slovaquie, offrent les meilleures conditions pour le ski alpin. On peut y skier de décembre à mai, sachant que la meilleure période se situe entre janvier et avril. Viennent ensuite les Basses Tatras (Nízke Tatry), les Petites Fatras (Malá Fatras), en Slovaquie, les Krkonoše (les Montagnes Géantes) et les Beskides, en République tchèque. On peut également faire du ski de fond dans ces régions, ainsi que dans la forêt bohémienne et dans les monts Orlické, sur la frontière polonaise.

Le prix des remontées mécaniques n'atteint certes pas les tarifs pratiqués dans les Alpes, mais il ne faut pas s'attendre non plus aux mêmes types de prestations. Il est fortement conseillé d'apporter son matériel (chaussures et skis), ceux qu'on peut louer sur place ne correspondent pas aux standards de qualité auxquels les skieurs européens sont habitués. Enfin, vérifier que son assurance couvre cette catégorie de risque.

GOLF

Aménagés dans des paysages magnifiques, les parcours de golf de Mariánské Lázně et Karlovy Vary sont conformes aux normes internationales. Ils sont ouverts toute l'année et possèdent des *greens* d'hiver, pour la période de novembre à avril. Prague dispose également d'un parcours de dix-huit trous, à côté de l'hôtel Golf Prague, dans le district de Motol, à l'ouest de la capitale.

Hôtel Golf
Rue Plzeňská, Motol, Prague 5, tél. (02) 59 66 93

ESCALADE

Les montagnes tchèques et slovaques offrent aux amateurs d'escalade un large éventail de difficultés. Le Slovensky Raj, « le Paradis slovaque », les formations de grès de la Česke Švycarsko, « la Suisse bohémienne », et du Český Raj, « le Paradis tchèque », constituent d'excellentes zones d'entraînement, en prélude aux sommets des Hautes et des Basses Tatras. A nouveau, il est conseillé d'apporter son matériel, les équipements de qualité - synonyme de sécurité - sont très difficiles à trouver.

RANDONNÉE

Depuis des générations, Tchèques et Slovaques savent découvrir et admirer leur pays au rythme lent et attentif de la marche. Pas moins de 30 000 km de sentiers balisés sillonnent l'ex-Tchécoslovaquie, des forêts bohémiennes jusqu'aux sommets alpins des Hautes Tatras. En règle générale, ces pistes sont clairement signalées par des marques de couleur tracées sur des arbres, des rochers, des murets, etc. Chaque couleur renseigne sur la taille du sentier. Les pistes principales sont marquées en rouge, puis, par ordre d'importance décroissante, en bleu, en vert et enfin en jaune.

La major. é de ces pistes sont accessibles aux randonneurs « ordinaires » et nécessitent un équipement normal. Si on s'aventure en haute montagne, même pour un bref aller et retour, ne pas oublier que le temps peut changer en quelques minutes : il n'est, par exemple, pas si rare que des tempêtes de neige se produisent en pleine été.

Les cartes de randonnées (*turistická mapa*) sont très détaillées mais pas toujours disponibles ; les ruptures de stock sont fréquentes, surtout en fin de saison, alors n'attendez pas le dernier moment pour les acheter.

Le karst tchèque et slovaque dissimule de vastes réseau de grottes, dont une partie est ouverte au public. Les grottes les plus visitées sont celles de Koněprusy, entre Karlštejn et Beroun, en Bohême centrale, celles de Demänovské jaskyně, en Slovaquie centrale, et celles, tapissées de glace, de Dobšinská ľadová jaskyňa, également en Slovaquie. La grotte de Punkva, accessible en bateau, constitue sans doute le site le plus passionnant du karst morave.

SPORTS AQUATIQUES

Tchèques et Slovaques ont consacré beaucoup d'énergie à creuser des lacs, des réservoirs, des canaux et à édifier des barrages. Ces ouvrages se sont intégrés à l'environnement et offrent des aires de loisirs très appréciées.

Le canoë-kayak est l'un des sports favoris des jeunes. Au printemps, les torrents de Slovaquie, grossis par la fonte des neiges, offrent aux canoéistes audacieux les meilleurs sites. Mais on pagaie également partout dans le pays, paisiblement, sur les lacs et les fleuves. On prend le temps de bivouaquer sur une berge ou sur une île du Danube, de faire griller quelques saucisses et d'admirer la nature – qui est une des grandes passions communes aux Tchèques et aux Slovaques.

Le cours supérieur de la Vltava et ses affluents, la Sázava, l'Otava et la Luznice, est une des régions les plus appréciées par les amateurs de joies aquatiques. Cette partie de la Bohême a été très largement épargnée par la pollution qui affecte, plus au nord, la Vltava et l'Elbe.

CHASSE ET PÊCHE

Les rivières et les forêts tchèques et slovaques abritent une grande variété d'espèces qui, ailleurs, ont disparu depuis plus d'un siècle. Si les autorités de ces deux pays consentent à accueillir – à des tarifs d'ailleurs très sélectifs – pêcheurs et chasseurs étrangers, il est important de souligner qu'elles ont à cœur de préserver cette biodiversité.

Les pêcheurs doivent se procurer un permis – disponible notamment auprès de l'agence Čedok – et acquitter des droits supplémentaires selon les zones de pêche ou les espèces pêchées. La saison de la perche du 1er janvier au 30 avril ; la saison de la carpe, de la tanche, de la brème, du gardon et du brochet est ouverte du 1er janvier au 30 juin ; la saison de l'anguille, de la truite du 1er août au 15 avril ; la saison de l'ombre du 1er décembre au 15 avril.

Les chasseurs doivent également se procurer un permis, soit auprès du Čedok, soit auprès de l'agence CCL Tour, *Eliška Krásnohorské 10, Prague 1, tél. (02) 231 21 26*, ainsi qu'une assurance. Ils doivent en outre être accompagnés d'un guide à leur charge. L'ensemble de ces frais, auxquels s'ajoute une prime pour chaque proie abattue (plus ou moins importante selon la taille de l'animal), ne sont payables qu'en devises.

ÉQUITATION

On peut pratiquer assez facilement l'équitation en République tchèque mais, dans ce domaine, les stations thermales sont assurément les mieux équipées. Les amateurs de *steeple-chase* connaissent déjà le nom de Pardubice et la réputation de son célèbre parcours. Les courses de plat, qui donnent lieu à des enjeux, se déroulent à Prague-Chuchle (au sud de Prague) et à Slušovice (en Moravie).

GASTRONOMIE

L'influence allemande et autrichienne en Bohême-Moravie, d'une part, et l'influence hongroise en Slovaquie, d'autre part, ne se font pas seulement sentir dans le domaine culturel, les traditions culinaires des deux pays en sont également très imprégnées. Pourtant, aussi différentes soient-elles, les cuisines tchèque et slovaque partagent un trait commun : elles « tiennent au corps ». Le plat national tchèque, du porc rôti accompagné de choux ou de pommes de terre et de *knedlík* (des boulettes à base de farine), et arrosé de bière, ne devrait pas laisser sur la faim. Et si c'était cependant le cas, la pâtisserie maison, très sucrée et nappée d'une sauce très crémeuse, assure une sieste confortable. Tchèques et Slovaques ayant un bon coup de fourchette, les portions servies sont généralement assez importantes.

La cuisine tchèque compte aussi de nombreuses recettes à base de gibier, de canard et de poisson. En Slovaquie, ne pas manquer de goûter les mille et une variantes possibles du goulash magyar. En matière de boisson, les différences géographiques sont plus nuancées : voisine de l'Allemagne, la Bohême est une région de bière (*pivo*), tandis que la Moravie et la Slovaquie sont des pays de vin. Les spécialistes affirment qu'un véritable repas tchèque ou slovaque, ne saurait s'achever sans un petit verre de Becherovka ou de Slivovitz.

L'apparition de nombreux établissements privés de restauration a introduit une véritable concurrence dans ce secteur, de sorte que les prix reflètent assez bien la qualité du service. Si le service est habituellement compris dans l'addition, il est bien vu d'arrondir le total. En revanche, si les prix semblent très bon marché, il n'est pas d'usage de laisser un pourboire considérable. Enfin, il est bon de savoir que, dans les meilleurs restaurants, il est presque indispensable de réserver.

Pays aux trois quarts montueux et principalement tourné vers l'agriculture, la Slovaquie est riche en produits naturels. L'élevage est abondant, le climat se prête à la culture des légumes et des fruits, enfin, lacs et forêts fournissent poisson et gibier à profusion. Cette diversité d'« ingrédients » et l'influence des traditions gastronomiques des régions voisines expliquent la richesse et la diversité de la cuisine slovaque. Variées, les recettes slovaques n'en sont pas moins, comme leurs voisines tchèques, plutôt roboratives : oie rôtie accompagnée de *lokše* (pain azyme), soupe aux choux (*kapustnica*), boulettes de pommes de terre farcies de fromage de chèvre (*bryndzové halušky*), purée de pommes de terre parfumée à la marjolaine. On peut également manger toutes sortes de goulash relevés de paprika, d'ail et d'oignon. Le *lečo*, un mélange de légumes et d'œufs, était un plat très apprécié des Turcs. La proximité de Vienne se fait sentir dans les plats à base de farine : pâtes, que-

nelles, crêpes, pâtisseries et viennoiseries, accompagnées de café *expresso* – on dit *presso* à Bratislava – ou de café turc.

RESTAURANTS

● Prague

Prague compte bon nombre d'excellents restaurants. Les adresses suivantes, groupées par quartier, offrent toutes un rapport qualité-prix raisonnable.

– Malá Strana
Valdštejnská hospoda
Tomášská 16, tél. (02) 536 195
Au pied du Hradčany ; décor traditionnel ; spécialités de gibier ; bon marché. Ouvert de 11 h à 15 h et de 18 h à 22 h 30.

U Tři Pštrosů
Dražického nám. 12, tél. (02) 536 007
Près du pont Charles ; décor traditionnel et cuisine bohémienne ; prix plutôt élevés. Ouvert de 11 h à 15 h et de 18 h à 22 h.

U Čerta
Narudova 4, tél. (02) 530 975
Restaurant élégant ; le personnel parle anglais et allemand ; prix raisonnables. Ouvert de 12 h à 15 h 30 et de 18 h à 23 h.

U Malfrů
Malézké nám. 11, tél. (02) 531 883
Restaurant français de renom, les prix sont également « français ». Ouvert de 9 h à 2 h.

Nebozízek
Petřínské sady 411, tél. (02) 537 905
A mi-chemin du parcours du funiculaire de Petřín. Vaste terrasse ; restaurant élégant avec vue sur la Vltava et la Vieille Ville.

– Staré Město
U Tři Gracii
Novotného lávka 5, tél. (02) 265 457
Cuisine morave accompagnée de vins moraves.

Ve Skořepce
Skořepka 1, Tél. (02) 228 081
Atmosphère traditionnelle ; prix raisonnables. Ouvert du lundi au vendredi de 11 h à 22 h et de 11 h à 20 h le samedi. Fermé le dimanche.

U Sedmi A ndělu
Jilská 20, tél. (02) 266 355
Intérieur ancien ; prix raisonnables. Ouvert tous les jours, sauf le lundi, de 12 h à 15 h et de 18 h à 23 h.

U Rudolfa II
Maiselova 5, tél. (02) 232 26 71
Le plus petit des bars à vin de Prague ; cuisine traditionnelle ; abordable. Ouvert de 10 h à 22 h.

Paříž
U Obecního domu, tél (02) 232 20 51
Derrière la tour Poudrière ; restaurant magnifiquement restauré, avec des meubles Art nouveau ; prix élevés.

Opera Grill
Karoliny Světlé 35, tél. (02) 265 508
Cuisine internationale. Ouvert tous les jours sauf samedi et dimanche, de 19 h à 2 h.

U Sixtů
Celetná 2, tél. (02) 236 79 80
Cuisine traditionnelle bohémienne servie dans une cave. Ouvert de 12 h à 1h.

U Zlaté Studny
Karlova 2, tél. (02) 220 593
Cuisine et vins de Moravie. Ouvert 11 h à 15 h et de 17 h à 24 h.

– Nové Město
Adria
Národní třída 40, tél. (02) 626 37
Une terrasse en été, prix raisonnables. Ouvert 10 h à 22 h.

Volha
Myslíkova 14, tél. (02) 296 406
Excellente cuisine de la mer Noire et des régions caucasiennes ; prix élevés. Ouvert tous les jours, sauf le samedi et le dimanche, de 11 h à 24 h.

Vltava
Rašinovo nábřeží, tél. (02) 949 64
Sur la rive droite de la Vltava ; belle terrasse ; bien servi et prix raisonnables. Ouvert de 11 h à 22 h.

Restaurants internationaux

Alex
Revoluční 1, Prague 1, tél. (02) 231 44 89
Spécialités allemandes. Ouvert de 11 h à 1 h.

Asia
Letohradská 50, Prague 7, tél. (02) 370 215
Cuisine asiatique. Ouvert de 11 h à 23 h, fermé le samedi et le dimanche.

Berjozka
Železná 24, Prague 1, tél. (02) 223 822
Spécialités russes. Ouvert de 11 h à 23 h, fermé le dimanche.

Čínská Restaurace
Vodičkova 19, Prague 1, tél. (02) 262 697
Cuisine chinoise. Ouvert de 12 h à 15 h et de 18 h à 23 h, fermé le dimanche.

Gruzia
Na příkopě 29, Prague 1, tél. (02) 262 697
Cuisine polonaise. Ouvert de 11 h à 15 h et de 18 h à 1 h.

Habana
V Jámě 8, Prague 1, tél. (02) 260 264
Spécialités des Caraïbes. Ouvert de 12 h 16 h et de 18 h à 24 h. Fermé le dimanche.

Jadran
Mostecká 21, Prague 1, tél. (02) 534 671
Spécialités et vins des Balkans. Ouvert de 11 h à 22 h.

Restaurant casher
Maiselova 18, Prague 1
Au rez-de-chaussée de l'ancien hôtel de ville de Josefov. Ouvert de 11 h 30 à 15 h ; souvent réservé pour des groupes.

Mayur
Štěpanská 61, Prague 1, tél. (02) 236 99 22
Spécialités indiennes. Ouvert de 12 h à 16 h et de 18 h à 23 h. Fermé le dimanche.

Pampa
Karlovarská 1-4, Prague 6, tél (02) 301 77 31
Restaurant argentin. Ouvert de 12 h à 16 h et de 17 h 30 à 24 h. Fermé le dimanche.

Peking
Legerova 64, Prague 2, tél. (02) 293 531
Cuisine chinoise. Ouvert de 11 h 30 à 15 h et de 17 h 30 à 23 h. Fermé le dimanche.

Pelikán
Na příkopě 7, Prague 1, tél. (02) 220 782
Cadre élégant. Ouvert de 11 h à 23 h 30.

Prague Expo 58
Letenské sady 1500, Prague 7, tél. (02) 377 339
Jolie vue sur la Vltava et la Vieille Ville ; terrasse en été. Ouvert de 13 h 30 à 15 h et de 18 h à 23 h.

Rostov
Václavské nám. 21, Prague 1, tél. (02) 262 469
Spécialités bohémiennes ; tables dehors en été. Ouvert 13 h à 15 h 30 et de 17 h à 23 h.

Rôtisserie
Mikulandská 6, Prague 1, tél. (02) 206 826
Spécialités de viande de bœuf. Ouvert de 11 h 30 à 15 h 30 et de 17 h 30 à 23 h 30. Fermé le dimanche.

Savarin
Na příkopě 10, Prague 1, tél. (02) 222 066

Sofia
Václavské nám. 33, Prague 1, tél. (02) 264 986
Spécialités des Balkans. Ouvert de 11 h 30 à 15 h et de 18 h à 23 h.

Thang Long
Dukelských hrdinů 48, Prague 7, tél. (02) 806 541
Cuisine vietnamienne. Ouvert de 12 h à 15 h et de 17 h à 23 h.

Trattoria Viola
Národní 7, Prague 1, tél. (02) 266 732
Cuisine italienne. Ouvert de 11 h 30 à 15 h et de 17 h 30 à 23 h. Fermé le samedi et le dimanche, en juillet et en août.

Spécialités bohémiennes

Barrandov Terraces
*Barrandovská 171, Prague 5, tél. (02) 545 309 ;
545 409*

Černý Kůň
Vodičkova 36, Prague 1, tél. (02) 262 697
Cuisine praguoise traditionnelle accompagnée
de Pilsner. Ouvert de 11 h à 1 h.

Halali-Grill
Václavské nám. 5, Prague 1, tél. (02) 221 351
Plats à base de gibier.

Hanavsky Pavillon
Letenské sady 173, Prague 7, tél. (02) 325 792
Terrasse en été. Ouvert de 8 h 30 à 20 h 30.

Lví Dvůr
U prasného mostu 6, Prague 1, tél. (02) 535 389
Ouvert de 10 h à 17 h. Fermé le lundi.

Myslivna
Jagellonská 21, Prague 3, tél. (02) 277 416
Spécialités de gibier. Ouvert de 11 h à 23 h.

Obecní Dům
*Náměsti Republiky 1090, Prague 1, tél. (02) 231
97 54*
Restaurant français dans un décor Art nouveau. Ouvert de 11 h à 23 h.

Rybárna
Václavské nám. 43, Prague 1, tél. (02) 227 823
Restaurant de poisson. Ouvert de 11 h à 22 h.
Fermé le dimanche.

Slavin
Národní 1, Prague 1, tél. (02) 265 760
A côté du célèbre café du même nom. Ouvert
de 11 h à 23 h.

Slovanský Dům
Na příkopě 10, Prague 1, tél. (02) 224 851
Le plus grand restaurant de Prague. Ouvert de
11 h à 24 h. Fermé le dimanche.

Restaurant du Théâtre
Národní 6, Prague 1
A côté du Théâtre national. Ouvert de 11 h à
16 h et de 17 h à minuit.

U Kalicha
Na Bojišti 12, Prague 2, tél. (02) 290 701
Une véritable institution, donc assez touris-
tique. Ouvert de 11 h à 23 h.

U Krále Brabantského
Thunovská 15, Prague 1, tél. (02) 539 975
Une très bonne cave. Ouvert de 13 h à 23 h.
Fermé le dimanche.

U Lorety
Loretanské nám. 8, Prague 1, tél. (02) 536 025
Élégance praguoise pour ce restaurant situé en
face de Notre-Dame-de-Lorette ; terrasse l'été.
Ouvert de 11 h à 15h et de 18 h à 23 h.

Vikarka
Vikářská 6, Prague 1, tél. (02) 536 497

Célèbre taverne près du château ; très fréquentée par les artistes.

Vysočina
Národní třída 26, Prague 1, tél. (02) 225 773.

● Bratislava

En règle générale – il y a des exceptions –, les
restaurants sont fermés le dimanche et cessent
de servir après 21 h. Il est indispensable de
réserver. Certains établissements accueillant
des orchestres, vérifier que le niveau sonore
permet quand même de s'entendre parler.

Arkády
Zámocké scody, tél. (07) 335 650
Ambiance intime ; au pied du château.

Azia
Riecna 4, tél. (07) 330 851
Restaurant de l'hôtel Devín ; bonne cuisine
asiatique.

Maďárská reštaurácia
Hviezdoslavovo nám. 20, tél. (07) 334 883
Très bonne cuisine hongroise.

Rybárský reštaurácia Luxor
Štúrova 15, tél. (07) 52 881
Cuisine slovaque.

Stará sladovná
Cintorínska 32, tél. (07) 56 371
Le plus grand, et le plus bruyant, restaurant de
Bratislava ; une grande variété de bières pres-
sion.

Zelený Dom
Zelená 5, tél. (07) 331 555
Atmosphère et cuisine traditionnelles.

« BUFETY »

En République tchèque, les *bufety* désignent
ce que nous appellerions des snacks. Ouverts
de 7 h à 18 h, ces établissements, souvent en
libre-service proposent une nourriture
simple, bon marché et copieuse. On y trouve
également des sandwiches, des salades agré-
mentées de saucisses et des pâtés à la viande.
Entre deux repas, les Tchèques n'hésitent pas
grignoter, les vendeurs de hot dogs, de
gaufres et autres sucreries abondent dans les
rues .

TAVERNES

Les menus des tavernes et des bistrots (*vinárna*) de la capitale tchèque manquent peut-être
de raffinement et d'originalité – porc, bœuf et
plus rarement veau sont invariablement combi-
nés avec du riz, des pommes de terre, des
choux et des *knedlík* – mais ils sont nourris-
sants et bon marché. A côté de ces plats prépa-

rés (*hotová jídla*), les menus proposent des « plats à commander » (*jídla na objednávku*), plus internationaux (steak frites, etc.), mais aussi plus chers.

Selon les statistiques, chaque praguois engloutit environ 150 l de bière par an. La fréquentation des tavernes montre très vite qu'une petite proportion seulement de cette quantité est consommée à la maison. Blonde (*svetlé*), ou brune (*tmavé*), la bière tchèque est l'une des meilleures bières du monde et les Tchèques savent l'apprécier.

Outre les fameuses Pilsner Urquell (de Plzeň) et Budvar (de České Budějovice), les tavernes de Prague servent quelques bières locales comme celle provenant des brasseries de Smíchov et de Braník, ou la bière brune – plus alcoolisée que la moyenne – brassée à l'ancienne par la taverne U Fleků.

Il y plus de 1 500 tavernes à Prague, dont certaines ont plusieurs siècles d'existence. Mais quel que soit leur âge, elles ont en commun d'être le lieu privilégié d'intarissables bavardages. On pense naturellement à Hašek, écrivain, farceur et ivrogne, symbole de cette contestation qui, à toutes les époques – y compris sous le communisme – s'est élaborée dans les tavernes de la cité vltavine. Lieu de prédilection des étudiants et des intellectuels, la plupart des tavernes attirent cependant une clientèle socialement très variée, dans laquelle les touristes entrent dans une proportion de plus en plus importante.

Les tavernes les plus anciennes ont toutes leur propre folklore. On raconte, par exemple, que c'est par le plus grand des hasards qu'en 1843 un tailleur du nom de Pinkas goûta la bière Pilsen, alors inconnue à Prague, grâce à un cocher de passage nommé Salzmann qui en emportait toujours avec lui. Le maître tailleur trouva le breuvage si délicieux qu'il décida sur-le-champ d'ouvrir une taverne et d'y servir de la Pilsen. Aujourd'hui encore, on peut boire la bière de Plzeň à la taverne U Pinkasů.

Les petits *pivnice*, « troquets », comme les grandes brasseries ont en commun de fermer à 23 h, et c'est une maigre consolation de savoir qu'ils ouvrent leurs portes le lendemain à 7 h.

Bránický Sklípek
Vodičkova 26, Prague 1, tél. (02) 260 005
Bière de Braník.

Černý Pivovar
Karlovo nám. 15, Prague 2, tél. (02) 294 451
Bière Pilsner Urquell.

Na Vlachovce
Rudé armády 217, Prague 8, tél. (02) 840 576
Bière Budvar.

Plzeňský Dvůr
Obránců míru 59, Prague 7, tél. (02) 371 150
Bière Pilsner Urquell.

Rakovnická Pivnice
S. M. Kirova 1, Prague 5, tél. (02) 542 531
Bière Bakalar de Rakovník.

Smíchovský Skílpek
Národní 31, Prague 1, tél. (02) 268 172
Bière de Smíchov.

U Bonaparta
Nerudova 29, Prague 1, tél. (02) 539 780
Bière de Smíchov.

U Černého Vola
Loretánské nám. 1, Prague 1, tél. (02) 538 637
Le Taureau Noir. Bière de Velké Popovice

U Dvou Kocek
Uhelný trh 10, Prague 1, tél. (02) 267 729
Les Deux Chats. Une des tavernes les plus célèbres de Prague ; bière Pilsner Urquell.

U Dvou Srdcí
U lužického semináře 38, Prague 1, tél. (02) 536 597
Deux Cœurs. Bière Pilsner Urquell.

U Fleků
Křemencova 11, Prague 1, tél. (02) 293 246
La malterie et la brasserie datent de 1459.

U Glaubicu
Malostránké nám. 5, Prague 1
Bière de Smíchov.

U Medvídků
Na Perštyně 7, Prague 1, tél. (02) 235 89 04
Les Ours. Cuisine traditionnelle tchèque et spécialités du Sud de la Bohême accompagnées de Budvar.

U Pinkasů
Jungmannovo nám. 15, Prague 1, tél. (02) 261 804
Une taverne très appréciée qui sert de la Pilsener Urquell depuis 1843.

U Schellů
Tomášská 2, Prague 1, tél. (02) 532 004
Bière Pilsner Urquell.

U Sojků
Obránců míru 40, Prague 7, tél. (02) 379 107
Bière Pilsner Urquell.

U Supa
Celetná 22, Prague 1
Le Vautour. On y sert de la Braník Special.

U sv. Tomáše
Letenská 12, Prague 1, tél. (02) 530 064
Bière de Braník.

U Zlatého Tygra
Husova 17, Prague 1, tél. (02) 265 219
Le Tigre d'Or. Bière Pilsner Urquell.

BARS À VIN

● **Prague**
Ces *vinárna* sont des bistrots qui servent du vin et des repas. Ce sont en général des

endroits élégants, certains sont installés dans de magnifiques caves voûtées, et relativement chers. Il est particulièrement recommandé de réserver.

La plupart des vins servis dans les *vinárna* proviennent de Bohême et, surtout, de Moravie et de Slovaquie. Jadis, la territoire de la vigne s'étendait même jusqu'à Prague et ses alentours comme l'atteste le toponyme Vinohrady, le quartier situé au sud de la place Venceslas. Il reste d'ailleurs quelques vignobles de qualité au nord-ouest de Prague, autour de Mělník, de Žernoseky, dans les vallées de l'Elbe et de l'Ohře.

Blatnice
Michalská 8, Prague 1, tél. (02) 224 751
Vins moraves de la région de Blatnice. Ouvert de 11 h à 23 h. Fermé le samedi.

Klašterní Vinárna
Národní 8, Prague 1, tél. (02) 290 596
Ce grand établissement, construit dans les murs d'un ancien couvent d'ursulines, sert des vins de Moravie et de Nitra (Slovaquie). Ouvert de 11 h 30 à 1 h.

Lobkovická Vinárna
Vlašská 17, Prague 1, tél. (02) 530 185
Un bistrot historique de Malá Strana, datant du XIXe siècle ; on y sert des vins de Melník.

Makarská
Malostranké nám. 2, Prague 1, tél. (02) 531 573
Spécialités et vins des Balkans. Ouvert de 11 h 30 à 10 h 30.

Nebozízek
Petřínské sady, Prague 5, tél. (02) 537 905
Accessible de Malá Strana par le funiculaire ; une vue impressionnante sur Prague et le Hradčany. Ouvert de 7 h à 18 h et de 19 h à minuit.

Parnas
Smetanovo nábřeží 2, Prague 1, tél. (02) 265 017
Cuisine internationale ; vue inoubliable sur le Hradčany. Ouvert de 19 h à 1 h. Fermé le dimanche.

Svatá Klara
U trojského zámku 9, Prague 7, tél. (02) 841 213
Bistrot installé dans une cave, à côté de l'entrée du zoo de Prague. Ouvert de 18 h à 1 h. Fermé le dimanche.

U Labutí
Hradčanské nám. 11, Prague 1, tél. (02) 539 476
A côté du château ; on y sert des vins du sud de la Moravie. Ouvert de 19 h à 1h.

U malířů
Maltezské nám. 11, Prague 1, tél; (02) 531 883
Bistrot typique du vieux Prague datant de 1583. Ouvert de 11 h à 15 h et de 18 h à 23 h. Fermé le dimanche.

U Mecenáše
Malostranské nám. 10, Prague 1, tél. (02) 533 881
A cet endroit s'élevait – jusqu'en 1604 – l'auberge « Au Lion d'Or » ; ce bistrot figure parmi les plus beaux de la capitale. Ouvert de 17 h à 1 h. Fermé le samedi.

U Patrona
Dražického nám. 4, Prague 1, tél. (02) 531 661
Atmosphère intime ; vins du sud de la Moravie. Ouvert de 16 h à minuit. Fermé le samedi et le dimanche.

U Pavouka
Celetná 17, Prague 1, tél. (02) 2318 714
Salles gothiques et Renaissance ; vins du sud de la Moravie. Ouvert de 11 h 30 à 15 h et de 18 h à 23 h 30. Fermé le dimanche.

U Plebána
Betlémské nám. 10, Prague 1, tél. (02) 265 223
Cuisine excellente arrosée de vin de Znjomo. Ouvert de 7 h à 23 h. Fermé le dimanche.

U Zelené Záby
U radnice 8, Prague 1, tél. (02) 262 815
Cette vénérable institution sert du vin de Velké Žernoseky depuis des siècles.

U Zlaté Hrušky
Novy svět 3, Prague 1, tél. (02) 531 733
Un bistrot assez chic, à proximité du château. Ouvert de 18 h 30 à 0 h 30.

U Zlaté Konvice
Melantrichova 20, Prague 1, tél. (02) 262 128
Caves du XIVe siècle ; vins de Valtice.

U Zlatého Jelena
Celetná 11, Prague 1, tél. (02) 268 595
Installé dans une cave ; vins du sud de la Moravie. Ouvert, du lundi au vendredi, de 12 h à minuit, et le samedi et le dimande, de 18 h à minuit.

● **Bratislava**

Bratislava mérite bien le titre de cité du vin. En Slovaquie, la culture de la vigne remonte au Moyen Age. Il est à peu près sûr que les Romains plantèrent des vignes sur les coteaux dominant le Danube. Les deux tiers de la production de vin de l'ex-Tchécoslovaquie viennent de Slovaquie. Le quart sud-est du pays jouxte la zone hongroise de Tokay et comprend même une petite partie de ce vignoble historique où mûrissent les célèbres cépages tokay, furmint, etc. La principale région de production se concentre au nord de Bratislava. Riesling italien, müller-thurgau, leanyka, muscat-ottonel, ezerjó et veltliner, des raisins que l'on rencontre également au nord de la Hongrie, donnent d'excellents vins blancs. Le plus souvent, les coopératives procèdent à la vinification et vendent sous leur marque, sans forcément préciser l'appellation d'origine.

Les amateurs peuvent déguster ces vins blancs, dans les petites tavernes traditionnelles, les *viechas*, qui sont dans les villages, mais également dans le centre de Bratislava, dans les rues Vysoká et Obchodná. Si on est de passage, il ne faut pas manquer de découvrir le vin nouveau que l'on trouve presque partout. Les bars à vin proprement dits, les *vináreň*, proposent également une cuisine assez variée. Ils ferment généralement vers 23 h et le dimanche.

Bulharská
Zámočnicka 3, tél. (07) 333 828
Kláštorná
Pugacovova 1, tél. (07) 330 430
Près de l'église franciscaine.
Pod Baštou
Baštova 3, tél. (07) 371 781
Pri obuvníckej bašte
Hviezdoslavovo nám. 11, (07) 330 596
Puszta
Hviezdoslavovo nám. 20, tél. (07) 334 883
Velki Františkáni
Dibrovo nám. 10, tél. (07) 333 073
U Mýtnika
Mytná 26, tél. (07) 47 776
U Zbrojnša
Zámocnícka 1, tél. (07) 333 828
A côté de la porte Saint-Michel.
Vysoka 44
Vysoká ul. 16, tél. (07) 57 67
Vysoká 69
Vysoká ul. 39, tél. (07) 53 008.

CAFÉS

Kafka, Brod, Meyrink et bien d'autres écrivains praguois passèrent de longues heures dans ces cafés, dont les noms prestigieux, Slavia, Arco, Evropa, évoquent un savoir-vivre dont Prague a conservé le secret. Ces établissements servent une grande variété de plats légers, de sandwiches, de pâtisseries et de boissons – dont une dizaine de manières de préparer le café – à l'exception de la bière. Ces lieux, où le temps compte peu, se prêtent à la lecture, au bavardage et, peut-être encore davantage, à la rêverie solitaire. Les cafés sont, avec les tavernes, les lieux où l'on peut observer le mieux le caractère tchèque.

Arco
Hybernská 16, Prague 1
Colombia
Staroměstské nám. 15, Prague 1
Evropa
Václavské nám. 15, Prague 1

Kajetánka
Kajetánska zahrada, Hradčany, Prague 1
Malostranská kavárna
Malostranské nám. 28, Prague 1
Mysák
Vodičkova 31, Prague 1
Obecní dům
Náměstí Republiky, Prague 1
Praha
Václavské nám. 10, Prague 1
Savarin
Na příkopě 10, Prague 1
Slavia
Národní 1, Prague 1
U Zlatého Hada
Karlova 18, Prague 1

OÙ LOGER

HÔTELS

Réserver une chambre d'hôtel à Prague au plus fort de la saison touristique devient chaque année un peu plus difficile. En revanche, et en règle générale, dans le reste du pays et en Slovaquie, on ne rencontre pas de tels problèmes et on paie beaucoup moins cher.

● **Prague**
Hôtels***
Esplanade
Washingtonova 19, Prague 1, tél. 226 057
Inter-Continental
Náměstí Curieových 43-45, Prague 1,
tél. 280 01 11
Jalta
Václavské nám. 45, Prague 1, tél. 265 541
Palace
Panská 12, Prague 1, tél. 24 07 31 11
Prague
Sušická 20, Prague 6, tél. 333 81 11

Hôtels**
Ambassador
Václavské nám. 5-7, Prague 1, tél. 214 31 11
Atrium
Pobřežní 1, Prague 8, tél. 284 11 11
Diplomat
Evropská 15, Prague 6, tél. 331 41 11
Forum
Kongresová, Prague 4, tél. 410 411
International
Koulova 15, Prague 6, tél. 331 91 11
Olympik
Sokolovská 138, Prague 8, tél. 819 111

Panorama
Milevská 7, Prague 4, tél. 416 11 11
Parkhotel
Veletržní 20, Prague 7, tél. 38 07 11 11

Hôtels***
Anna
Budečská 17, Prague 2, tél. 24 24 60 32
Atlantic
Na poříčí 9, Prague 1, 231 85 12
Belvedere
Milady Horákové 19, Prague 7, tél. 374 741
Beránek
Bělehradská 110, Prague 2, tél. 258 251
Budovatel
*Náměstí Curieových 100, Prague 1,
tél. 231 48 12*
Centrum
Na poříčí 31, Prague 1, tél. 231 01 35
Družba
Václavské nám. 16, Prague 1, tél. 235 12 32
Evropa
Václavské nám. 29, Prague 1, tél. 262 748
Flora
Vinohradská 121, Prague 3, tél. 274 250
Karl-Inn
Šaldová 54, Prague 8, tél. 232 25 51
Koruna
Opatovická 16, Prague 1, tél. 29 39 33
Olympik II-Garni
Invalidnova, Prague 8, Tél. 83 02 74
Paříž
*U Obecního domu 1, Prague 1,
tél. 231 20 51*
Spendid
Ovenecká 33, Prague 7, tél. 37 54 51
Tatran
Václavské nám. 22, Prague 1, tél. 235 28 85
U tří pstrosů
Dražického nám., Prague 1, tél. 53 61 51
Zlata hussa
Václavské nám., Prague 1, tél. 214 31 11

Hôtels**
Adria
Václavské nám. 26, Prague 1, tél. 263 415
Ametyst
Makarenkova 11, Prague 2, tél. 25 92 56-9
Balkan
Svornosti 28, Prague 5, tél. 54 07 77
Bohemia
Králodsvorská 28, Prague 1, tél. 231 37 95-6
Central
Rybná 8, Prague 1, tél. 232 43 51
Erko
Luštěnická 723, Prague 9, tél. 850 11 39

Hvězda
Na rovni 34, Prague 6, tél. 36 89 65
Hybernia
Hybernská 24, Prague 1, tél. 22 04 31-2
Juniorhotel
Žitná 12, Prague 2, tél. 292 984
Juventus
Blanickáv 10, Prague 2,tél. 255 151
Kriváň
I. P. Pavlova 5, Prague 2, tél. 29 33 41-4
Merkur
Těšnov 9, Prague 1, tél. 231 69 51
Meteor
Hybernská 6, Prague 1, tél. 235 85 17
Michle
Nuselská 124, Prague 4, tél. 426 024
Modrá hvězda
Jandova 3, Prague 9, tél. 830 291
Moráň
Na Moráni 15, Prague 2, tél. 29 42 51-3
Opera
Těšnov 13, Prague 1, tél. 231 56 09
Ostaš
Orebitská 8, Prague 3, tél. 231 56 09
Praga
Plzeňská 29, Prague 5, tél. 54 87 41-3
Savoy
Keplerova 6, Prague 1, tél. 537 450
Transit
Ruzyňská 197, Prague 6, tél. 367 108
U blaženky
U blaženky 1, Prague 5, tél. 538 286
Union
Jaromírova 1, Prague 2, tél. 437 858

Hôtels-bateaux
Séjourner dans un hôtel flottant sur la Vltava est une expérience inoubliable. Il est cependant difficile de réserver une chambre, les organisateurs de voyages ayant tendance à prendre d'assaut les faibles capacités d'accueil de ces établissements.

Admiral****
Hořejší nábřeží, Prague 5, tél. 54 74 45
Albatros***
Nábřeží L. Svobody, Prague 1, tél. 231 36 00
Racek***
Dvořecká louka, Prague 4, tél. 42 60 51

● **Karlovy Vary**
Réserver une chambre à Karlsbad de juin à décembre peut se révéler aussi difficile qu'à Prague. Noël passé, on peut à nouveau trouver un hébergement dans des conditions raisonnables. L'agence Čedok (*tél. 24 378*) est installée à l'hôtel Atlantik, c'est une bonne adresse si on

a besoin d'aide. L'indicatif téléphonique de Karlovy Vary est le 017.

Pupp-Park****
Mirové nám. 2, tél. 22 121-5
L'hôtel le plus célèbre de Karlsbad ; bâtiment de style Sécession.
Atlantik**
Tržiště 23, tél. 24 715
Hôtel Národní Dům
Masarykova 24
Simple pour un prix raisonnable.
Juniorhotel Alice
Pětiletky 147, tél. 24 848-9
Au sud de la ville à côté de l'auberge de jeunesse ; hébergement bon marché.
Slavia
Lidická 12, tél. 27 271-3
Turist
C. Dimitrovova 18, tél. 26 837

● **Plzeň**
Les agences Čedok et CKM sont l'une et l'autre situées dans le centre ville, près de la place :
Čedok, *Prešovská 10, tél. 36 243*
CKM, *Dominikánská 1, tél. 37 585*
L'indicatif téléphonique de Plzeň est le 019.
Continental
Zbrojnická 8, tél. 33 060
Plzeň
Žižkova 66, tél. 27 26 56
Škoda
Náměstí Českých bratrí 10, tél. 30 531
Slovan
Smetanovy sady 1, tél. 33 551
Ural
Náměstí Republiky, tél. 22 67 57

● **Brno**
Brno est une ville d'affaires et les hôtels sont fréquemment pleins. Si c'est le cas, contacter :
le Čedok, *Divadelní 3, tél. 23 166, 23 178-9*
l'agence CKM, *Česká 11, tél. 23 64 13*
l'agence Rekrea, *Radnická 11*
L'indicatif téléphonique de Brno est le 05.
Grand hôtel****
Třída 1 máje 18-20, tél. 213 41 11
Hôtel moderne dans le centre ; cher.
Slavia****
Solniční 15-17, tél. 237 11
Hôtel de style sécession récemment rénové ; dans le centre, à côté du château.
Slovan***
Lidická 23, tél. 74 55 05
Avion***
Česká 20, tél. 26 675, 27 606, 27 797
Hôtel de style fonctionnaliste.

Evropa
Náměstí Svobody 13, tél. 26 611, 27 851
Prix raisonnables.
Voroněž
Křížkovského 47, tél. 33 31 35, 33 63 43

● **Bratislava**
Cinq agences pour trouver un logement :
Čedok, *Stúrova 13, tél. 52 081, 55 280*
CKM, *Hviezdoslavovo nám. 16, tél. 33 58 52*
Autoturist, *Stúrovo nám. 1, tél. 33 73 81-4*
Slovakturist, *Nálepková 13, tél. 33 34 66*
L'indicatif téléphonique de Bratislava est le 07.

Děvín*****
Riecna 4, tél. 33 08 51-4
Établissement classique et luxueux, au bord du Danube.
Forum****
Mierové nám. 2, tél. 34 81 11
Sur l'autoroute ; établissement luxueux.
Kyjev****
Rajská ulica, tél. 56 341
Dans le centre-ville.
Bratislava***
Urxova 9, tél. 51 278
Hôtel moderne à l'entrée de la ville, près de l'aéroport.
Carlton***
Hvienzdoslavovo nám. 7, tél. 58 209
Centre-ville ; relativement bon marché.
Clubhotel***
Odbojárov 3, tél. 65 47 32
Petit hôtel près du stade.
Flora***
Zlaté piesky, Senecká cesta 10, tél. 67 28 41
A l'extérieur de la ville, dans un camping doté d'un lac artificiel ; bon marché.
Sputnik
Drieňová 14, tél. 23 43 40, 23 80 84
A l'extérieur de la ville ; hôtel fréquenté par des visiteurs jeunes.

MOTELS

Club Motel Průhonice****
tél. 723 241-9
Ce motel est à Průhonice, au sud-est de Prague (à environ 15 min du centre) sur l'autoroute E 14, à côté du Jardin botanique. Cet établissement, ouvert en 1991, dispose de deux salles de sport, de courts de tennis et de squash, d'un bowlings, et d'une piscine.

Golf
Plzeňská 215a, Prague 5, tél. 523251-8
Sur l'autoroute E 15, à Motol.

CAMPINGS

● **Prague**
Caravan (de mai à octobre)
Kbely, Mladoboleslavska 27, Prague 9
tél. 892 532
Caravancamp (de mars à octobre)
Plzeňská, Prague 5 tél. 524 714
Dolní Chabry (de juin à septembre)
Dolní Chabry, Ústecká ulice, Prague 8
Kotva (de mai à septembre)
U ledáren 55, Prague 4, tél. 461 712
Mejto (toute l'année)
Nedvězi, Rokytná 84, Prague 10, tél. 750 312
Sportcamp (de mars à octobre)
U podhájí, Prague 5, tél. 521 802
Xavercamp (bungalows, de mai à octobre)
Bozanovská 20 98, Prague 9, tél. 867 348

● **Karlovy Vary**
Camping Brezová
Tél. 25 221
● **Plzeň** (indicatif tél. 019)
Intercamp Bílá Hora
Ulice 28 října, tél. 35 611

● **Brno**
Camping Bobrava
Modrice, tél. 32 01 10
Au sud de la ville.
Obora
Brnenská přehrada, tél. 49 42 84

● **Bratislava**
Autocamping Zlaté Piesky
Senecká cesta 10, tél. 60 578

CHAMBRES D'HÔTES

● **Karlovy Vary**
Ubytovna TJ Slavia
Lidická 12, tél. 25 235
Ubytovna TJ Slovoj
Skolní 21, tél. 25 235
● **Plzeň**
Ubytovna TJ Lokomotiva
Úslavská 75, tél. 48 041

VIE NOCTURNE

PRAGUE

● **BARS AVEC ORCHESTRE/SPECTACLE**
Alfa
Václavské nám. 28, Prague 1
De 18 h à 1 h.

Astra
Václavské nám. 4, Prague 1
De 10 h à minuit.
Alhambra
Václavské nám. 5, Prague 1, tél. 220 467
Spectacle de variétés incluant musique et
«théâtre noir». De 20 h 30 à 3 h.
Barbara
Jungmannovo nám. 14, Prague 1
De 20 h 30 à 4 h.
Est-bar (hôtel Esplanade)
Washingtonova 1, Prague 19, tél. 222 552
Des plus chics. De 21 h à 3 h.
Jalta-club et **Jalta-bar**
Václavské nám. 45, Prague 1, tél. 265 541/49
Orchestres, spectacles de variétés et boîte de
nuit. De 21 h à 3 h.
Interconti-club (hôtel Intercontinental)
Curieových nám., Prague 1
De 21 h à 4 h.
Lucerna-bar
Stěpánská 61, Prague 1, tél. 235 08 88
L'une des plus grandes discothèques de Prague.
De 20 h 30 à 3 h.
Park-club
Veletrzni 20, Prague 7, tél. 380 71 11
De 20 h 30 à 3 h, le vendredi et le samedi
jusqu'à 4 h.
Tatran-bar
Václavské nám. 22, Prague 1
Variétés et boîte de nuit au sol de verre. De
20 h 30 à 4 h, discothèque de 17 h à minuit.
U Fleku
Kremencova 11, Prague 1
Spectacle de variétés traditionnel. Du mardi au
samedi à partir de 19 h 30.
U Kalfu
Uhelny 1, Prague 1
Cave où écouter du rock en buvant du vin
tchèque.
T-club
Jungmannovo nám. 14, Prague 1
● **Jazz, rock, pop**
Agharta Jazz Centre
Krakovská 5
Swing et free jazz.
Club 007
Kolej Strahov, Prague 1, Spartakiadní 7,
Club étudiant où se produisent des groupes de
rock. Le samedi de 20 h à minuit.
Jazz Art Club
Vinohradská 40, Prague 2
Free jazz. Tous les jours de 21 h à 2 h sauf le
lundi.
Lidový Dům
Emanuela Klímy 3, Prague 9
Scène hard-rock. Jusqu'à 1 h.

Reduta
Národní třída 20, Prague 1
Club de jazz, du lundi au vendredi jusqu'à 2 h.
Rock Café
Národní třída 20, Prague 1
Rendez-vous de la scène *underground* rock.
Sněhobílá kocka
Ceskomoravská 15, Prague 9
Rock jusqu'à 4 h.
Újezd
Újezd 18, Prague 1
New wave et rock *underground*. Jusqu'à 6 h.

BRATISLAVA

Les noctambules risquent d'être déçus par Bratislava. La capitale slovaque n'est pas, à proprement parler, la cité des folles nuits. Plus qu'à Prague qui, dans ce domaine avait des habitudes enracinées, les lieux de distraction nocturnes se sont faits discrets sous le régime communiste et ils commencent seulement à sortir de l'ombre. Toutefois, déguster, au son d'un orchestre tzigane, un bon vin blanc, un Malokarpatske Zlato («petit or des Carpates») ou, si l'on préfère le vin rouge, un Frankovka de Rača, dans la cave d'un bistrot ne manque pas de charme.

● **Bars**
Les hôtels Bratislava, Devín, Carlton et Forum possèdent leurs propres bars.
Jalta
Gorkého 15, tél. 51 552
Krištáľ
Ulice Čs armády 37, tél. 335 548
Park
Hviezdoslavovo nám. 21, tél. 53 008

● **Boîtes de nuit**
Espresso-Diskotéka
Michalská 13

ADRESSES UTILES

AMBASSADES ET CONSULATS À PRAGUE

Belgique
Valdstejnská 6, Prague 1, tél. 534 051
Canada
Viktora Huga 10, Prague 6, tél. 546 550
France
Velkoprevorske nám. 2, Prague 1, tél. 533 042
Suisse
Pevnostní 7, Prague 6, tél. 328 319

CENTRES D'INFORMATION À PRAGUE

Prazska Informacni Sluzba (P.I.S.)
Na příkopě 20, tél. 224 311 et 544 444
Le service d'information de la ville de Prague est une mine de renseignements. On y trouve des plans, des publications mensuelles gratuites indiquant concerts, expositions et une sélection de manifestations culturelles. Cet organisme propose aussi les services d'interprètes et de traducteurs. Il a une annexe à la station de métro Hradcanska (ligne A). Le magazine en langue tchèque *Prehled kulturnich poradu v Praze* donne le programme des activités culturelles, par quartier.
Les réservations pour les voyages et les spectacles sont effectuées par le Čedok.
Čedok
Train et avion :
Na příkopě 18, Prague 1,
tél. 121 109, 121 809, 122 233
Excursions, événements culturels :
Bilkova 6, Prague 1
tél. 231 87 69, 231 89 49
Čedok
Panská 5, Prague 1, tél. 226 017 ou 225 657
Pragotur
U Obecniho domu 2, tél. 616 51 à 53

COMPAGNIES AÉRIENNES À PRAGUE

ČSA
– Agence Kotva, *Revoluční 1, Prague 1,*
tél. 21 46 (réservations)
tél. 322 006 (billets pour les vols intérieurs)
– Agence Vltava (informations sur les vols),
Revoluční 25, Prague 1,
tél. 231 73 95 ; 21 46
Ces deux bureaux sont proches de la station de métro Náměští Republiky.
- Aéroport de Ruzyně, *Prague 6,*
tél. 367 760, 367 814, 334 11 11
Air France
Václavské náměští 10, Prague 1,
tél. 260 155 ou 367 819 (à l'aéroport)
Alitalia
Revoluční 5, Prague 1,
tél. 260 155 ou 231 05 35
British Airways
Stěpánská 63, Prague 1,
tél. 236 03 53
Delta
Pařížka 11, Prague 1,
tél. 232 47 72
KLM
Václavské náměští 39, Prague 1,
tél. 264 362, 264 369 ou 367 822 (à l'aéroport)

Lufthansa
Pařížka 28, Prague 1,
tél. 231 74 40, 231 75 51 ou *367 827* (à l'aéroport)
SAS
Stěpánská 61, Prague 1,
tél. 228 141 ou *367 817* (à l'aéroport)
Swissair
Pařížka 11, Prague 1,
tél. 232 47 07 ou *367 809* (à l'aéroport)

CENTRES CULTURELS FRANÇAIS

● **A Prague**
Stepánska 35, Prague 1, tél. 235 21 06

● **A Bratislava**
Sedlářska, 7, tél. 335 712
Bâtiment magnifique, bonne bibliothèque.

BIBLIOGRAPHIE

HISTOIRE

Barelli (Y.), *la Révolution de velours*, Éd. de l'Aube, coll. Regards croisés, La Tour-d'Aigues, 1990.
Karas (J.), *La Musique à Terezín : 1941–1945*, Gallimard, coll. le Messager, Paris, 1993.
Galmiche (X.), *Prague, Bohême, Moravie*, Éd. J. Demase, 1989.
Macek (J.), *Histoire de la Bohême*, Fayard, Paris, 1984.
Mamatey (V.), *La République tchécoslovaque : 1918–1948, une expérience de démocratie*, Librairie du Regard, Paris, 1987.
Uhl (P.) et Touvais (J.-Y.), *Le Socialisme emprisonné : une alternative socialiste à la normalisation*, Stock, Paris, 1980.
Tatu (M.), *L'Hérésie impossible : chronique du drame tchécoslovaque*, Grasset, Paris, 1968.

ÉCONOMIE

Delpeuch (J.L.), *Post–communisme, l'Europe au défi : chronique praguoise de la réforme économique au cœur d'une Europe en crise*, L'Harmattan, Paris, 1994.

Jechova (H.), *Études tchèques et slovaques n° 4*, Presses de l'université de Paris–Sorbonne, Paris, 1985.
Perréal (R.) et Mikus (J.), *La Slovaquie : une nation au cœur de l'Europe*, L'Age d'Homme, Lausanne, 1993.
Sellier (A. et J.), *Atlas des peuples slaves d'Europe centrale*, La Découverte, Paris, 199.1

LITTÉRATURE

Kafka (F), *La Métamorphose*, Gallimard, coll. Folio, Paris, 1992.
Kafka (F), *Le Procès*, Gallimard, coll. Folio, Paris, 1992.
Kanturkova (E.), *les Amies de la maison triste*, L'Age d'Homme, Lausanne, 1991.
Kundera (M.), *La Plaisanterie*, Gallimard, coll. Folio, Paris, 1968.
Kundera (M.), *Les Testaments trahis*, Gallimard, coll. Blanche, Paris, 1993.
Kundera (M.), *La Valse aux adieux*, Gallimard, coll. Du monde entier, Paris, 1987.
Kundera (M.), *La Vie est ailleurs*, Gallimard, coll. Du monde entier, Paris, 1985.

ART

Bénamou (G.), *L'Art aujourd'hui en Tchécoslovaquie*, Éditions G. Bénamou, Aubervilliers, 1979.
Liehm (A.), *Trois générations : entretiens sur le phénomène culturel tchécoslovaque*, Gallimard, coll. Témoins, Paris, 1970.

PHOTOS

Theinhardt (M), *Prague imprévu*, Flammarion, Paris, 1994.
Brozova (M.), Hebler (A.) et Scaler (C.), *Prague : passages et galeries*, Norma, Paris, 1993.
Stingl (M.) et Xiao Hui Wang, *Prague*, Voir et savoir, Paris, 1993.
Schilhansl (M.), *Prague*, Lattès, coll. l'Iconothèque, Paris, 1993.
Hucek (M.) et Huckova (B.), *Le Château de Prague et ses trésors d'art*, Bibliothèque des arts, Paris, 1992.
Rubes (J.) et Labat (J.-M.), *Prague*, Casterman, Paris, 1992.

CRÉDITS PHOTOGRAPHIQUES

Illustration de couverture F. Jalain © Explorer : le Château de Karlstein
Page 65, 285 Heimo Aga/Agentur Anzenberger
29, 37, 93, 100 Archiv für Kunst and Geschichte, Berlin

30, 31, 36, 38, 41, 42, 43, 44/45, 47, Bildarchiv Tatoo
48, 53, 67, 68, 86, 92, 96, 98, 110,
112 d
25, 102, 104, 106, 107, 165 Bodo Bondzio
169 CEDOK Francfort
64, 76, 249, 282, 284, 286, 287, 295 CSTK Bratislava
302, 304, 309
105, 150, 200, 217, 235, 303, 320, Heinz Feuchtinger
207, 215 Wieland Giebel
88/89, 117, 120, 182 Luke Golobitsh
78 Hélène Hartl
101, 161, 181 g, 183, 225 Alfred Horn
12/13, 14/15, 16/17, 33, 51, 56, 57, 69, Jürgens Ost, Europa-Photo, Berlin
71, 72/73, 80, 81, 82/83, 91, 114/115,
119, 122/123, 124/125, 126/127,
174/175, 180, 203, 218/219, 234, 238,
250/251, 258/259, 263, 264, 267, 305
75, 79 Thomas Kanzler
132/133, 170 Milan Kincl
32, 58/59, 63, 90, 95, 118, 121, 134, Oldrich Karásek
166, 168, 179, 189, 213 g, 223, 227,
230/231, 236, 237, 246, 252, 255, 261,
270/271, 278, 283, 288, 289, 290/291,
292, 293, 294, 296, 298, 299, 306,
311, 314, 316, 317, 319
1, 77, 113 g, 141, 167, 178, 194 Frank Mirek
54 Kai Ulrich Müller
7, 20, 22/23, 26, 28, 49, 66, 87, Werner Neumeister
108/109, 113 d, 116, 138, 142, 144,
145, 148/149, 153, 154, 156, 159, 160,
162/163, 176, 186, 188, 190, 191,
192/193, 196, 197, 199, 201, 202,
204/205, 208, 216, 220, 222, 224, 226,
229, 232, 233, 239, 240/241, 242, 248,
257, 260, 262, 265, 266, 268, 269,
272/273, 300/301, 307, 308,
312/313, 318
34/35, 84, 112 g, 151, 209, 210, 214 Gerhard Oberzill
85, 184, 254, 274 Jan Sagl
143, 157, 158, 172, 187, 206, 211 Jan Sagl/Agentur Anzenberger
40, 46 Sammlung Pavel Scheuffler
61, 221 Sattlberger/Agentur Anzenberger
74, 111, 128, 177, 181 d, 213 d, Hans-Horst Skupy
247, 310
62, 139, 152, 155 Janos Stekovics
18/19, 52, 140, 147 Karel Vicek
24, 39 g, 39 d, 50, 99 Archives Dieter Vogel

Cartes Berndtson & Berndtson

INDEX